6

林慶彰　總策畫
民國時期稀見期刊彙編
第一輯

史學科研究年報⑥⑦

臺北帝國大學研究年報

第六冊

史學科研究年報

第六輯

臺北帝國大學文政學部

臺北帝國大學
文政學部　史學科研究年報　第六輯

目次

明代の浙江市舶提擧司及び驛館廠庫

小葉田淳

明代の浙江市舶提擧司及び驛館廠庫

小葉田　淳

明初太倉黄渡に市舶司を設けたが、洪武三年二月廢して明州・泉州・廣州の三箇所に置いた。明州に於ける浙江市舶提擧司は專ら日本船に對して備へた。洪武七年正月の戸部の奏に「海外諸國入貢、許附載方物、與中土貿易、因設市舶司、置提擧官、以領之」とある。明制では朝貢船に對してのみ附載貨の貿易を許すを原則とし、市舶司は之を領したのである。是歳市舶司は一度は停止されたが、成祖即位するや永樂元年八月に復設した。皇明實錄八月丁亥の條に「上以海外番國朝貢之使附帶物貨、前來交易者、須有官專主之、遂命吏部、依洪武初制、於浙江・福建・廣東、設市舶提擧司、隷布政司、每司置提擧一員從五品、副提擧二員從六品、吏目一員從九品」とある。其後諸國の來貢するもの益〻多くなつたので、永樂三年九月三箇所の市舶提擧司に命じて驛を設けて使臣等を館せしめることゝした。寧波のそれを安遠驛といふ。皇明實錄九月甲午の條に「上以海外諸番朝貢之使益多、命於福建・浙江・廣東市舶提擧司各設驛以館之、福建曰來遠、浙江曰安遠、廣東曰懷遠、各置驛丞一員」とある。

嘉靖三十九年撰の寧波府志（張時徹纂 巻之八公署）に、當時の市舶提擧司の狀を記して

「在海道司西、中爲廳凡三間、右爲耳房凡二間、東爲正提擧宅、西爲副提擧宅、又爲吏目宅、前爲露臺、爲外門」

とある。同志に、又提擧司前五十歩に位置する安遠驛の記載の末に註記して

「國朝永樂初、以方國珍[1]遺屋、爲提擧司、四年改爲驛、今因之、以待夷貢」

とあるから、永樂元年復設された提擧司は四年以後の安遠驛を以て充てられたものと見える。明一統志（四十六巻）に「浙江市舶提擧司（在府治西北、永樂元年建）」といへるは、卽ち此復設當初のものである。嘉靖の府志の師府園の條に「在帥府、元建、右置花園・古石・嘉木・高臺・曲池、至今尚存、改建市舶提擧司」とあるが、四年以後の市舶司は右の元師府の内衙を後に至つて改建したものである。道光重刊の府志（萬經纂巻三十四古蹟）の元師府の條に

「元方國珍建正衙、明寧波衞是也、内衙明改安遠驛、右置花園・古石・佳木・高臺・

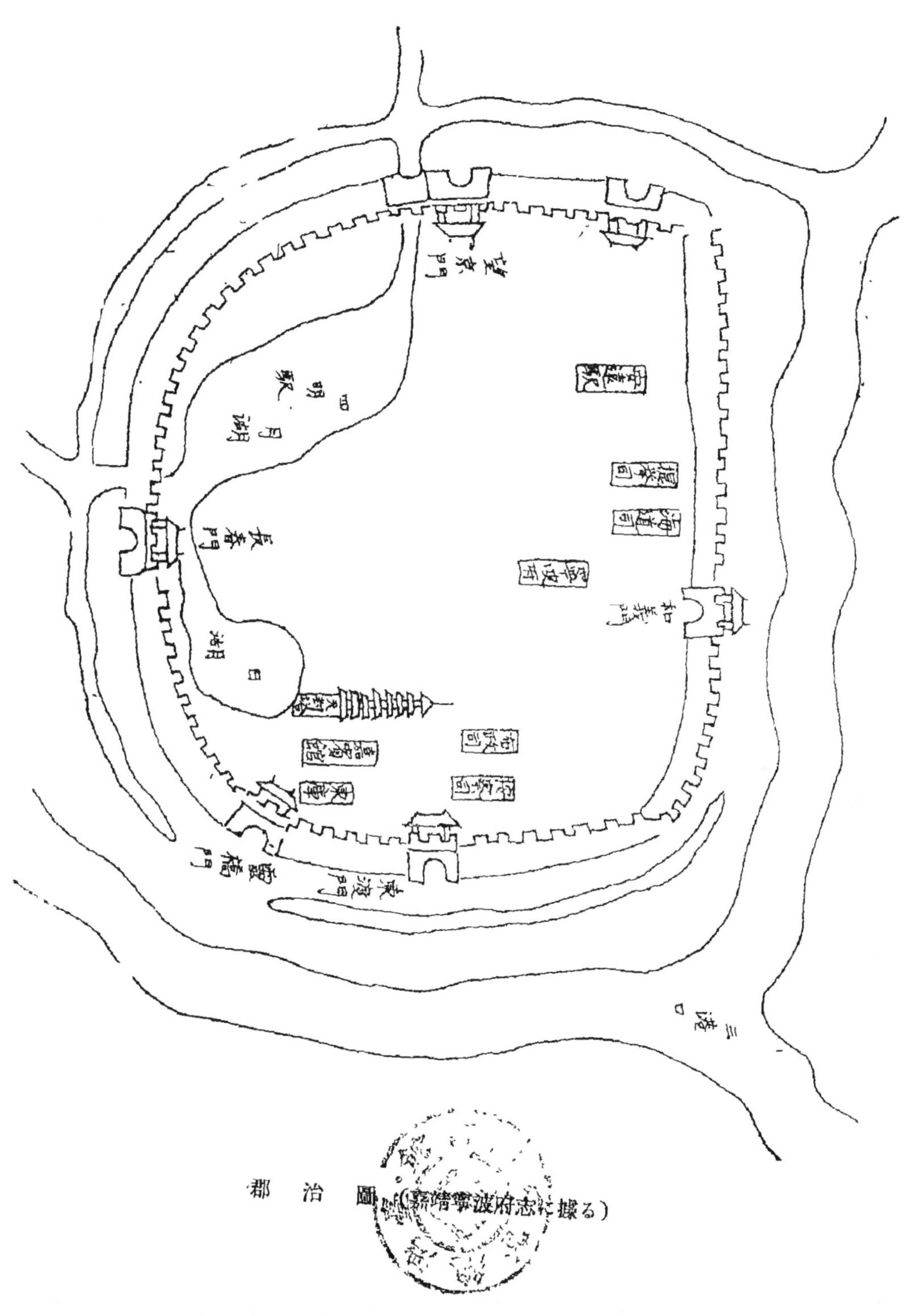

郡　治　圖（嘉靖寧波府志に據る）

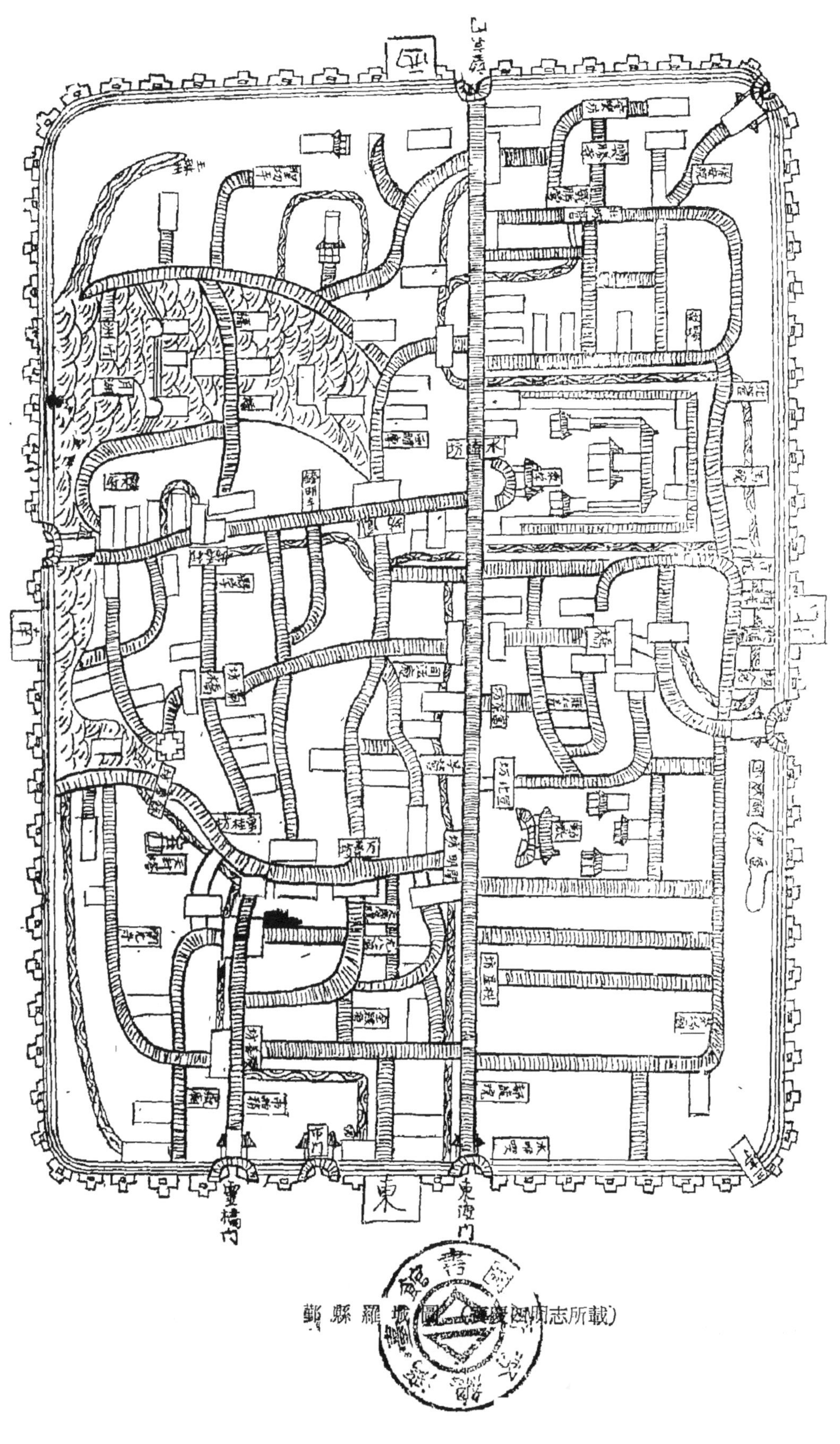

鄞縣羅城圖（寶慶四明志所載）

曲池、明初尙存、後改建市舶提擧司、今屬巡道署內、

とあるから、明初の寧波衞（洪武十四年以前明州衞と稱す）內衞は安遠驛に改め、後市舶提擧司に改建したのである。されば永樂三年九月に開設された驛は寧波衞を改建せるもので、當時の市舶司は方國珍の遺屋で五十步を隔てゝをり、永樂四年に互易して移轉したものらしい。明一統志に浙江市舶提擧司に續いて「寧波衞（在府治西、卽宋慶元府故址、本朝洪武初建明州衞、尋改寧波衞）」と記してをり、永樂三年以前の舊態を其儘に襲記してゐるので、一統志編纂の粗漏を認めざるを得ない。

永樂以後の市舶司の所在は右の如くであるが、洪武三年以後に置かれて四箇年足らずで廢された明初の市舶司の所在は明かでない。康熙の浙江通志（王國安修張衡纂）（卷之五公署）の河泊所の條に註して

在府治南一里、舊爲市舶司、又常爲鄞縣治、明洪武初改建、今革

とある。府治の南一里に在り、嘗つて鄞縣治たりし事もありといふ舊市舶司は、宋の兩浙路提擧市舶司及び明州市舶務に當らず、又元の慶元路市舶提擧司にもあらざる事は明白であつて、其理由は後述する所により自ら解說される。永樂以後の市舶司とは別個のものなる事はいふまでもない。鄞縣治は、元、州治た

る際唐の長慶年間に開明橋北に移し、以來兵亂に燬け重建された事もあり、元の至大二年に廉訪分司が燬けて之を縣治へ移署し、縣は分司の故址に移ることとなつた。廉訪分司の故址は延祐四明志（第八）に「在録事司西北隅・州西門裏」とある。西門は望京門を指すのである。至正の末年に尹宋禮縣治を行春坊に移し、明の洪武元年更に迎鳳坊に移され、同六年に府治の東方に轉じて、以來清朝に至るも變更されなかつた。（乾隆浙江通志巻三十一公署、道光重刊寧波府志巻之十一公署）そこで行春坊は寶慶四明志（第三）に「行春坊（寶雲寺西）」とあるが、（略）府治の南二支里に當るものと認められる。（羅城圖参照）從つて鄞縣治たりし事あり、府治の南二里に位置するものは、行春坊なる故址と推定し得ざるを得ず、此地舊市舶司の在りたるものとすれば、洪武年間の市舶司以外には比定さるべきものがない。然し之に就いては猶他日史料を獲て確めようと思ふ。

嘉靖年間の提擧司署舍の狀態は前述の如くであるが、策彦周良の初渡集に

次謁提擧司、揔門榜提擧司三大字、各到堂前、四拜如恆、有喫茶、堂裏額保民堂之三大字、堂額正心堂三大字、入門數步而有石牌、書公生明三大字

とあり、（嘉靖十八年六月朔）又

次謁二提擧司一講禮、有二一門一、揭二浙江市舶司五大字一、又常時出入門額二提擧司三大字一、堂內無二別額一

とある。（嘉靖十八年七月朔）永樂三年に師府を改置したる安遠驛は翌年に提擧司と互易したらしいが、嘉靖の府志に

安遠驛　在二提擧司前五十步一、中爲レ廳凡三間（扁曰實梯）、左右廊房各六間、前爲二塞門一、爲二外門一

とある。驛は日本より到れる使臣等館寓の場所たるはいふまでもない。咲雲の入唐記に、(2)「日本國一號船曉泝二浙江一平明達二寧波府一、乃大明景泰四年癸酉夏四月廿日也、內官陳大人賓二迎專使允澎・綱司芳貞・從僧瑞訴・淸啓等一、就二假館一、揖レ茶、乘二轎子一入レ驛、驛門額曰二浙江市舶司安遠驛一、驛中日本衆所レ館、曰二嘉賓一、有二諸房一、々額安字一號房專使居レ之、安字二號房綱司居レ之、安字三四號以下居座次第領レ之、予居二九號房一とあるは、よく實情を髣髴せしめるもので、即ち安遠驛內に日本使臣等の宿舍たる嘉賓館があり、諸房あつて、安字一號以下順次字號を附してゐた。驛內には他に觀光堂・勤政堂があり、赴京の前後二次の筵宴は勤政堂にて行はれ

たのである。日本より渡航せる人員數は常に數百人以上に達し、特に正使東洋允澎の率ゐた寶徳の遣明船即ち前引の景泰四年寧波着の船の總人數は千餘人に及んだが、すべてを嘉賓館に安歇せしめる事は出來なかつた。籌海圖編卷二に「正統七年入貢、時貢舶九隻使人千餘、方發二境清・天寧各寺一安歇」とあつて、正統七年は景泰四年の誤であるが、境清・天寧の各寺に分宿せしめたといふは、恐らく確かな根據ある記事であらう。それにしても、嘉靖府志記載の安遠驛の署舍は如何にも貧弱であつて、咲雲入唐記に見ゆる驛の結構に比し簡疎に思はれる。而して嘉靖兩度の遣明船に際しては、使臣等は府治東南の江心里なる別の嘉賓館に止宿してゐるのである。前掲府志の安遠驛の條の註記に「今因レ之、以待レ之」とあるは當時の實際ではない。按ふに之は舊志（〇成化府志）の記事を襲記したものであるまいか。嘉靖府志（卷之八公署）に嘉賓館に就き次の如く記してゐる。

嘉賓館在二府治東南江心里一、中爲二廳凡三間一、周圍井屋凡三十六間、廳後爲二川堂一凡三間、又爲二後堂一凡五間、堂之左爲二庖倉一、右爲二土神祠一、爲二大門一、門之外東西爲二闢坊一、（東曰二觀國之光一西曰二懷遠以德一）通衢之東復建二二驛館一、以便二供應一、今並圯（故爲二境清寺一、嘉靖六年守高弟改爲レ館、凡遇二倭）夷入貢一、處二正副使臣於中一、處二夷衆於四旁舍一、

闊良は初渡集に於いて、嘉賓館の詳細な記述をも忘れなかつた。

嘉賓堂總門額榜㆓觀國之光四大字㆒、第二門顏㆓懷柔館之三字㆒（嘉靖十八年五月廿七日）

嘉賓堂面㆓于正南㆒、榜㆑門以㆓懷柔館㆒、出㆑館則分㆓路於東西㆒、門有㆓懷遠以德四字㆒、東門有㆓觀國之光四字㆒、堂內西有㆑牌、書㆓投文二大字㆒、東有㆑牌、書㆓放告二大字㆒、又有㆓二牌㆒、一牌面書㆓日謹㆑火三字㆒、裏書㆓夜謹㆑火三字㆒、一牌面書㆓夜防㆑盜三字㆒、裏書㆓日防㆑盜三字㆒（嘉靖十八年五月廿九日）

又同年八月朔旦の條に「卯刻祭㆓本館土地之神㆒、道士九員來、掛㆓諸星君像於左右㆒、九員之中稱㆓長者㆒、面㆑南稱揚㆓祝文㆒、左右之列、吹㆑笛敲㆑鉦、祝罷、投㆓願文於爐中㆒、正使豫書㆓名於願文之尾㆒」といへる土地の神祠は府志に記す土神祠である。

府志に據れば、嘉賓館に通衢の東に二驛館を加築して館寓に便益ならしめたが、嘉靖末には共に圮れてゐたといふ。而して嘉賓館は境清寺の故址に建てられたので、嘉靖六年に寧波知府の高弟の手で改められたものである。境清寺は、古くは寶慶四明志（第十一）に「興法院子城東南二里、舊號㆓境清院㆒云々」とあり、延祐四明志（第十六）には境清興法寺といへるもので、唐の咸通二年の創建に係るといふ。明一統志には「在㆓府治東南二里㆒」とあつて、寧波府にて合計十八箇寺の一として特に記載した程で、咲雲の入唐記に據つても使僧等は屢〻詣つてゐる。然るに又前掲府志の文では、嘉靖六年に境清寺址に改建したるは、通衢の東方に增築せる二驛館を指すものゝ如くにも採れるやうであるが、續いて正副使臣及び從人等の安歇の記事との連繫の調子から見ても、嘉賓館全體に當るものとすべきであらう。日本一鑑窮河話海（卷七）使館の條に

備按國制、日本來貢初館使於寧波市舶司、勝國之世招其來市、館於慶元（即今寧波）天寧寺、駁之無策、寺罹燔炳、嘉靖癸未兩起貢使倶至寧波、事屬違例、於時市舶太監賴恩以兩貢使、一館之於市舶司、一館之境清寺、館雖兩處待有偏頗、二使爲讎、寺惟燔炳、○中略　嘉靖癸未二起貢夷讎殺之後迄、守己亥（十八）其修貢、有司議館之、遂以境清閑基、起造嘉賓之館、向來以處使也

とある。元代に通市せる日本人が天寧寺に館し事を起して寺が罹災した事は、同書海市の條に「至大初招其來市、明年己酉彼從之來互市、慶元路卽不滿所欲、卒燔儀門及大寧寺館而去」とある。延祐四明志（第十六）にも至大二年正月天寧寺が「火於倭人」とある。市舶司に館すとは卽ち浙江市舶司安遠驛に館する事である。嘉靖二年に宋設謙道等の大内船三隻と鸞岡瑞佐等の細川船一隻とが前後して寧波

に來到した際に、市舶太監賴恩の手配にて、恐らく後者を安遠驛に前者を境清寺に館せしめた事は事實であらう。貨物盤檢の前後、筵宴席次の順序の他に、館宿の事も偏陂あるものとして、所謂讎殺の動機となつたものであらう。卽ち咲雲の入唐記に見ゆる如く、正副使以下官役員は安遠驛の安字各號の房に安歇されるのであり、剩餘の多數の從人等は天寧寺・境清寺に分宿せしめたものである。籌海圖編の兩寺分宿の記事が、先に根據ある確說であらうといつたのは、かゝる事情からでもある。嘉靖二年の寧波の亂で、境清寺の罹災した事は一鑑に記す通りである。嘉靖十八年八月四日に周良南門外の南關寺に遊び、出迎へる僧に德性といへるものあつて、元、境清寺の僧であると記し「嘉靖二年嬰日人生事之災、寺已回祿、衆僧離群索居」と記してゐる。一鑑には、嘉靖十八年の遣明船來到に當つて、境清寺の故址に嘉賓館を急造したやうに記すが、かゝる事は實際上困難であつて、府志の記載を採るべきであらう。

附載貨物の會盤を行ひ、之を收藏する倉庫は東庫である。尤も嘉靖年間には、貨物を陸揚げして順次盤檢を了して東庫に收める手續きをとつてゐるやうで、此際「或治民之具、或梓匠之具、及剃刀・小刀等、共擬兵器而收」と記す程で、鐵を以て製造せるものはすべて庫裡に收めしめたといふ事實よりも推察し得るやうに、警戒的態度の一具現に他ならぬ。(3) 嘉靖の府志に

東庫在㆓城靈橋門內㆒、中爲㆑廳凡三間、左爲㆓土神祠㆒、右爲㆓庖舍㆒、前爲㆓儀門㆒、爲㆓外門㆒（宋爲㆓市舶務㆒、元改爲㆑庫、方氏改爲㆑倉、國朝洪武初因㆑之、永樂三年復爲㆓市舶司庫㆒、今庫圮）

とある。右の註記にもある如く東庫は宋代の明州市舶務の址である。兩浙提擧市舶司が始めて杭州に置かれたるは宋の太宗の端拱二年(A.D. 982)頃といはれるが、淳化三年(A.D. 992)四月に明州定海縣に移された。市舶司は間もなく再び杭州に復置され、眞宗の咸平二年(A.D. 999)に杭明兩處に設くる事となり、南宋高宗の紹興二年(A.D. 1132)に至つて秀州華亭縣に移された。之に稍〻先んじて、建炎元年(A.D. 1127)六月詔して兩浙福建提擧市舶司を轉運司に併歸せしめられたが、翌年五月に詔して舊に依り復置せしめられたのである。（宋會要）浙江通志（清稽曹坊篆卷四十三古蹟五）に、中興小曆を引いて「建炎二年復㆓置市舶司於明州定海縣㆒、聽㆓番客從㆑便」とある。されば明州の市舶司は終始定海縣に在つたのである。然るに市舶司の華亭縣移置に前後して、臨安府(杭州)・明州・溫州・秀州・江陰軍に市舶務が置かれ、やがて孝宗の乾道二年(A.D. 1166)に市舶司を廢し、次いで淳熙・慶元間に杭州以下の四市舶務廢されて、獨り明州の務のみ存置された。(4) 明州市舶務

は即ち明代の東庫の前身で、寶慶四明志巻三の市舶務の條に

淳化元年、初置二于定海縣一、後乃移レ州、在二于子城東南一、其左倚二羅城一、嘉定十三年火、通判王梃重建、久而圮、寶慶三年守胡榘捐二楮劵萬三千二百八十八緡有奇一、屬二通判蔡範一、撤新レ之、重二其廳事一高二其閘閎一、内廳扁曰二淸白堂一、後堂存二舊名一曰二雙淸一、淸白堂之前中唐有レ屋、以便二往來一。東西前後列二四庫一、臚分二十八眼、以二寸地尺天一、○中略 東西各有レ門、東門與二來安門一通(5)、出二來安門一爲二城外往來之通衢一、衢之南北各設二小門一、隔レ衢、對二來安門一又立二大門一、門之外瀕レ江有二來遠亭一、乾道間守趙伯圭建、慶元六年通判趙師嵒修、寶慶二年蔡範重建、更二名來安一、賈舶至檢レ覈于此一、歷二三門一以入レ務、○中略 務之前門與二靈橋門一近、紹定元年正月火、自二務之西北一延二燎于南一、務獨免而前門燬、二月重建、自二此門之外一、先後建置皆有二碑記

とある。元代には市舶庫に改められた。延祐四明志第八に

市舶庫在二錄事司東南隅靈橋門裏一、宋舊市舶務、遇レ有二舶商到一レ港、官爲二抽分一、其物皆貯二於此一、不二常設一レ官

とあり、至正四明續志巻第三に

在二東南隅車橋東一、内有二敖房二十八間一、用二天開瀛海藏珍府今日規模復鼎新貨

脈流通來萬寶福基綿遠慶千春二十八字」爲」號、土庫屋并前軒共六間、至元元年剏、蓋外門樓三間以備」關防」

とある。慶元市舶提擧司は至元十五年に設置され、大德七年例革、至大元年再立、同四年例革、延祐元年復立、同七年例革、至治二年復立といふ經過をとつてをり、例革の期間は前引の志に見ゆる如く市舶庫にて舶務を處置したやうであるが、此市舶司は、至正四明續志に「在」東北隅姚家巷」、元係」斷倉官房屋基地」、重」建公宇」」とあるにより、所在を知る。

使臣等一行に對し起京の前後二次に亙つて寧波にて筵宴が行はれたのであるが、景泰四・五年の例では安遠驛勤政堂で市舶太監と覺しき陳氏及び知府の接伴の下に催された。嘉靖十八年九月の茶飯は東庫裡に行はれた。初渡集に「堂前横額書」禮賓堂三大字」新掲」之」とある。正德六年了菴桂悟正使の際も太監〇正四品等迎侯相伴せるに拘はらず、通判〇正六品提擧司〇提擧從五品代つて迎接したので、使人等其舊規にあらざるを三司・御史に呈疏してゐる。次の嘉靖二十七年九月の際の茶飯は按察司激揚堂で行はれた。周良は記して「恆例於」東庫裡」下飯、今東庫太荒廢、以」故於」按察司」行」之」といつてゐる。當時東庫は餘程荒廢してゐたので、之に十餘年遲れて纂修された府志に「今庫圯」とあるは當然である。

市舶司の官吏は提擧一員・副提擧一員・吏目一員であるが、洪武七年の戸部の奏に海外諸國入貢船の附載貨の貿易を許し、市舶司を設け提擧官を置いて之を領すとあることは前に述べた。然し提擧官の職掌を細くいへば、方物盤驗・筵宴・赴京・廩糧・市易等使臣等の來着より出離に到る間のすべての責務を領して、上に市舶監あり、都布按三司並に嘉靖以後は察院等の指示の下に、府縣諸司と協力して當つたのである。其詳細なる事實は別に述べようと思ふ。皇明實錄嘉靖十年六月乙丑の條に「裁」革浙江布按二司杭州等十一府各檢校一員〇中略定海縣市舶提擧司提擧一員」とあり、定海縣市舶提擧司とは寧波の市舶司を指すものと必然に解されるが、嘉靖府志に正提擧宅の記載あるのみならず、初渡集にも提擧魏璜の記事も疊見するのであるから、嘉靖十年の裁革は結局實現しなかつたと認める他はない。（〇正提擧の定員は當初より一名である）市舶司の屬役には冠帶土通事・牙行等があるが、之等の委細の事實は浙江のものに就いては不明である。されど福建に於ける事例より其大概を想見し得よう(6)。嘉靖年間には周文衡の如き市舶司通事の一人であり、蕭一官の如き牙行の一人である。日本一鑑（窮河話海巻七）の市舶の條に

遵二照國初事例一、於二浙江・福建・廣東一、各設二市舶提擧司一、以隷二各布政使司一、隨設二正副提擧吏目之官一、部領行人專主二貢夷交易一

とある。寧波に於ける交易は行人卽ち牙行を介して行はれる。初渡集の嘉靖十八年七月朔の條に

次謁二提擧司一講禮、〇中略　堂右邊貼二紙牌一書、示二仰大小行人一、不レ許下擅入二公廳一坐立喧嚷等事上

とある。牙行は官より一定數が指定せられ、而して各年分の數は必ずしも等しくなかつたらしい。遣明船着岸の際に彼等が市舶司に蝟集して喧騒を極めた狀が察せられる。

內監の市舶董事に就いて、明史に「永樂元年復置〇市舶司設官如二洪武初制一、尋命二內臣一、提擧二之一」とあるが、廣東にては永樂元年八月內臣齊喜に命じ廣東市舶提擧司を提督せしめたとあり、福建にても同じ頃同じく楊斌が任補されてゐるのである。(7) 浙江に於いても勿論同じ頃に設置されたであらう。市舶監の統莅する公署を廣東・福建にては提督市舶衙門又は市舶府と稱した。提督市舶衙門は鎭守衙門・巡撫公署・巡按監察御史察院等とともに統莅使臣公署として、省城の地に置かれ

たので、福建市舶提擧司が泉州に存置された期間にても福州に設けられたのであり、浙江では杭州に置かれたのである。田汝成の西湖遊覽志（卷十五）に

市舶司、本宋德壽宮後圃也、永樂中命内臣掌海舶互市、於此内有芙蓉石、高丈許、竅穴玲瓏蒼潤可愛、嘉靖中改爲南關公署

といへるは是である。乾隆の浙江通志（卷八十六榷稅）に舊浙江通志を引き

南榷分司在巡鹽察院之右、改市舶司爲之、本宋德壽宮後圃基址、明永樂中命内臣掌海舶互市、景泰四年乃建署、嘉靖三十六年南關因倭寇拆毀、員外郎李方至具題命擇地重建、因改今處

とある。卽ち市舶司（○提督市舶衙門）の後址に重建して、南關が移轉せるは嘉靖三十六年の事である。内官の奸詐貪婪はよく人の知る所である。嘉靖の寧波府志（卷之廿五）名宦の傳より左の如き例を摘出し得る。

張瓚

字宗器、孝感人、由進士、天順四年以工部郎中出守太原、改任寧波、劾奏市舶少監福住假以進奉剋剝害民並不法諸事、彼此相許、○下略

張津

字廣漢、廣州博羅人、弘治間進士、正德六年起守二四明一、時市舶中貴縱二其左右一、頗怙レ勢不レ檢、悉以二法繩一束レ之、不二少貸假一、中貴人不レ能二平卒一亦無レ如レ之

翟唐

字堯佐、大名人、第進士、爲二御史一、以二敢諫一有レ聲、正德十年莅レ郡、○中略　時市舶太監梁瑤馳レ法擾レ民、遂擧二憲典一束二持之一、因而奏二許瑤納一レ賂、其黨遣二禁校一逮捕焉、百姓奔走哭泣如レ喪二考妣一、遮レ道留レ之、不レ得レ左二遷嵩明州一

特に市舶の董事に際しては中飽肆擅の機會が多かつた。嘉靖二年の寧波の亂の一因として市舶太監賴恩が貨賄を領し偏陂の處置に出でたる事は、兵科右給事中夏言以下の劾奏せる如くである。加之、賴恩は嘉靖四年には成化年間市舶太監林槐が沿海を提督せる事例に倣つて、提督海道を兼理せん事を請うて、世宗之を聽した程である。[8] 内官の弊害は廣東・福建皆然りで、廣東では嘉靖十一年五月巡按林有孚より鎭守内臣の非法を奏し、兵部尚書李承勛覆議して、大學士張孚敬之を力説して鎭守並に市舶の内臣を革めた。福建では巡按御史聶豹が鎭守太監及び中官にして市舶を司る者を停めん事を請うて、市舶董事を裁革されたが、之は恐らく嘉靖八年の事であらう。[9] 浙江では嘉靖八年三月御史毛鳳韶議

疏して、「内臣外差大冗、如二浙江・福建一、有二鎮守一、有二提督布舶一云々」といひ、兵部より裁革すべきものとの意見を上つて、浙江市舶太監を罷め、市舶事務は鎮守太監をして兼理せしめる事になつた。嘉靖十八年遣明船渡航の際は、御馬監太監劉氏が市舶を董してゐる。福建の提督市舶衙門は嘉靖二十七年に察院に收められたが、浙江のそれは同三十六年に重建して南關として引繼がれた。

天文十六年の策彦周良を正使とする遣明船を最後とし、足利幕府が日本國王の名を僭稱して派遣し、明にて眞正なる貢船として受容した遣明船は絶えたのであるから、市舶提擧司以下の施設は自ら原制の職掌を要としなくなつた譯である。安遠驛の如きは已に嘉靖年間には其用を喪へるものと見られ、萬曆大明會典（巻之一百四十五驛傳一）に「寧波府（舊有二本府安遠・奉化縣西店各驛一、俱革）」と記すは素より然るべきである。萬曆二十七年二月の大學士沈一貫の具題に

謹按、浙江市舶司在二寧波府一、臣寧波人也、備知二其詳一、建置之時、因二日本番船進貢一而設有二內官監一人・文職提擧官一人一、嘉靖初裁二內監一、後因二倭亂一貢絶、并裁二提擧官一、今倭奴久已絶レ貢、無レ市無レ舶、定海一關不レ過二本地魚船及近境商船出入一軍門訊二察非常一、因而稅レ之、大抵不レ過二千兩一、悉充二兵餉之需一、利甚薄也

とある。（皇明實錄萬曆二十七年二月庚申）

市舶提擧司の後には、清朝に至つて分巡寧詔臺道が杭州より移駐された。乾隆の浙江通志（卷三十二公署中）に寧波府志(10)（○恐らく康熙の府志）を引いて「巡視海道在府治西北隅、舊爲市舶提擧司、嘉靖中改建、中爲正廳、東西列廊、房前爲露臺、爲儀門、爲大門、門左右各有榜房、正廳後爲川堂、堂後爲明樓正廳、西爲山亭、後爲池亭」とある東庫及び嘉賓館は倶に嘉靖中既に圮沒に瀕してゐたが、其後址は如何なつたか所見がない。道光重刊の府志（卷之七山川上）に「汪家木橋（嘉賓堂東）」とあるは、前明舊志の辭句を襲うたものであらう。(11)寶慶四明志（第四）に「汪家木橋（景德寺東距府一里十步）」とあり、景德寺は廢寺に屬して「景德寺子城東南二里」とあり、此寺の址は元代には民居となりしといふ。（元祐四明志第十一）されば景德寺は境清寺と接隣したるなるべく、汪家木橋が果して清代末期に存續し、現在猶所在を明かにし得るならば、嘉賓館の位置を想見し得べき一の緣となり得ようか。他日行遊の機會あらば、すべて之等の現狀を審かにしたいと思ふ。（昭和十四年十二月四日稿了）

附記

本論は近く公刊すべき中世日支通交貿易史の研究中の明の諸制度の一節をなすものであるから、單獨には意を盡さゞる點が多い。讀者は本年報第四輯所收の足利後期の遣明船通交貿易の研究其他の拙論を參照されんことを望む。

註

1、方國珍の傳は明史卷一百二十三列傳第十一に見ゆ。

2、續史籍集覽本の允澎入唐記は最も世に行はれてゐるが、其卷末に鸚鵡軒横井時冬珍藏と記さる。されど允澎の筆錄にあらざるは、本論所引の條にも「按(安)字一號房專使○允澎居」之○中略予居二九號房一とあるを以て明かであり、允澎は景泰五年五月十九日武林驛で遷化した(入唐記、蔭凉軒日錄文明十八年十二月十八日)松浦侯の甲子夜話續篇卷五十九に「二月初櫰宇書を贈て曰入唐記一本附呈す。○中略 予これを觀るに寶德三年(辛未)十月辭京、享德三年(甲戌)七月歸京と、然れば彼土に在ること四年の間なり、其人は僧瑞訴咲雲と號す云々」とて、入唐記と題し之を掲記してゐる。東京帝國大學附屬圖書館所藏の釋笑雲入明記と題する寫本は、元、小中村淸矩博士・南葵文庫等の轉藏せるもので、卽ち所謂允澎入唐記で、瑞溪周鳳の左の序文を附する。

咲雲西堂諱瑞訴、前臨川季章憲禪師上足、蓋一褰足者也、寶德三年辛未歲、從二國使一遊二大明一、十月辭二京師一、壬申正月至二筑紫博多一、八月出二博多一、癸酉三月十九日始泛二大洋一、四月二十一日達大明寧波府、九月入北京、甲戌二月二十八日出北京、六月二十三日歸船解纜、七月十四日到長門國、凡自辛未冬至甲戌秋九百餘日云々、所歷覽者無一不記、名曰入唐記焉、丙子春予偶居官院、屈晙雲表率京等持、紀滿而去矣、未幾、又率仕等持、分座正座前後五歲矣、予每會必問大明事、一々諭告頗詳悉矣、予退藏弊廬之日、晙雲又歸宇治釣月菴、然吃々訪及、交義可觀也、予近述善隣國寶記、所謂入唐記附之、國寶記未以爲異時入大明者南針云

旹應仁丁亥初元仲秌　臥雲探敍

晙雲の入唐記は、元は單に入唐記と題せることは明かである。横井博士所藏の寫本が果して允澎入唐記と題したか、或は博士が便宜允澎の名を添へられたものかは不明であるが、何れにしても其題名は正當でない。

3、足利後期遣明船通交貿易の研究一二六―一二九參照

4、藤田博士　宋代の市舶司及び市舶條例　東西交涉史の研究南海篇三一二―三二七

5、來安門は靈橋門の北に位置し、東渡門との間に存せること次の記載を對照すれば明白である。

東曰靈橋門○中略　曰來安門市舶務之左、舊不立名、呼曰市舶務門、寶慶三年守胡榘重修、始題、蓋先是通判蔡範建來安亭、實在門外、故以亭名名之、惟舶貨入則開曰東渡門○後略寶慶四明續志第三

來遠亭在城東靈橋門北、穴城洞門一所內、通市舶庫、臨江石砌道頭一片、中爲亭、南有石牆、圍通行路、北置土牆爲界、泰定二年副提擧周燦揪、蓋廳屋并軒共六間、南

首挾屋三間、以備監收、舶商搬缺之所（至正四明續志第三）

6、中世南島通交貿易史の研究　二二六―二二九

7、右同　二二九

8、前揭拙論　三九―四五

9、前揭拙著　二三〇　聶豹が福建の巡按御史となれるは嘉靖六年で八年には寧波府知府に陞任してをり、八年三月の毛鳳韶の議には福建の內臣の提督市舶を述べてゐるから、三月以後八年中又は之に近き頃であらう。

10、浙江通志に前明の府志を引く場合は、成化・嘉靖を明記してゐる。曹秉仁・萬經修纂の府志に據れば、之より先、清代康熙十二年、同二十三年兩度の府志編纂があり、孰れも未刊である。

11、道光重刊府志に「興敎橋（境清寺巷口）」とあるは、遠く寶慶四明志に「興敎橋（景清巷口距府四里半五十步）」とあるに溯源し得る。景清卽ち境清であらう。然るに同志には「興法院子城東南二里舊號境清院」とあつて、當時境清寺は景清巷口に在つた譯でない。卽ち此景清巷口は、嘗つて興法院が南門外に在つた際の所在地であらう。從つて興敎橋は南門外にあるべきである。後代の地方志類が、無批判的に舊志を襲記する場合多き一例である。

南洋に於ける東西交通路に就いて

桑　田　六　郎

南洋に於ける東西交通路に就いて

桑田六郎

足立喜六氏は史學雜誌四九篇の四及五號に「九世紀に於ける蘇門達島南の航路に關する研究」を發表され、南海東西交通史上に新説を提出された。それは從來マラッカ海峽が主要な航路で、海舶は概ねこれを通過して居たと一般に信ぜられて居たのに對して、中世の海舶の中には季節風や海流を利用してスマトラ島西岸を航海したものもあつた。賈耽所記の航路や、回敎徒の Ibn Khordadbeh や Soliman はその例であると云はれた。是に對して山本達郎氏は史學雜誌四九篇の十一號に足立氏の論説に批評を加へ、大體舊來の説を維持された。次いで足立氏は史學雜誌五十篇の二號に山本氏の批評に答へて補遺を發表された。足立氏は先きに考證法顯傳の勞作をされ、法顯の歸還の航路について考へられた。從つてこの度の論文は當時の研究の延長とも見られる。然し法顯傳では法顯はマラッカ海峡を通過したので、その寄港した耶婆提國は普通に考へられて居た如く爪哇ではなく、スマトラの Palembang 地方にあつた義淨所記の室利佛逝であるとされた。然し足立氏は是に就いても考へを變更され、支那佛教史學二卷の一號に「沙門法顯の歸還の航路に就いて」を發表され、法顯も矢張りスマトラ西岸を南下し、スンダ海峡を經て北上し Palembang に至つたと云ふ説を主張された。自分も淺學ながら東西海上交通史に興味を持つて居るので、以上の諸論説を面白く讀んだが、多少考へる所もあるのでこゝに卑見を述べて見たいと思ふ。

足立氏がスマトラ西海岸の航路が東西海上交通の重要なコースであつたと云ふ考へを起された動機は何處にあつたか。是は自分の臆測にすぎないかも知れぬが、足立氏は序説の末尾に慧超の往五天竺國傳に、波斯人が師子國即ち Ceylon に向ひ寶物を取り亦崑崙國に向ひ金を取り更に廣州に至り綾絹絲綿の類を取るとある記事を引用され、是は「阿剌比亞人の東洋貿易の航路にヒントを與へるものなるが、その崑崙國の位置が頗る問題である」（史、雜、四九、四の六頁）と云はれて居る。慧超は新羅の僧で、天竺に往來するに往復共に陸路を採つて居り、安西にかへつたのが開元十五年十一月上旬であつた。從つて慧超所記の波斯人の極東海上貿易に關する記事はその傳聞する所にすぎないことが注意される。足立氏は崑崙の金をスマトラ島の金、特に西海岸南部のBenkulenの金とされた。足立氏は「Ibn Khordadbehの記錄により、馬來半島は錫の名產地であるからその航路は馬來半島にあるといひ得らるるならば、Benkulenは古來有名な產金地で數多の金坑が現存して居る。夫故に慧超の亦向崑崙國取金。汎舶漢地直至廣州との傳說から崑崙國はBenkulenであるともいひ得る。自分の立場では義淨の掘倫國・慧超の崑崙國・嶺外代答の崑崙層期國・諸蕃志の崑崙層期國・崑崙國・賈耽の箇羅國・沙里三文の古羅國・SolimanのCalabar・Ibn KhordadbehのKalahに關する記錄は悉くBenkulen關係の文獻であると信じて居る。後世の學者が其れをBenkulenに關する文獻であるとの解を得なかつたまでである」(史、雜、五〇ノ二の九二頁)と云はれる。足立氏のIbn Khordadbehの綴りはC. Barbier be Meynard氏のLe Livre des Routes et des Provinces par Ibn-Khordadbeh (J. Asiatique, Ser. VI, Tome V. No. 17, 18, 19, 1865)に從はれたと思ふが、G. Ferrand氏のRelations de VoyagesはIbn Khordādzbehとし、他にもIbn-Khurdádbih, or Ibn-khurdáziba (Th. W. Beale, the Oriental Biographical Dictionary) Ibn Khordādhbeh (Encyclopaedia Islam)等があり大體二通りある。自分はFerrand, Relations

が普及して居る樣であるからFerrand譯に從つておく。又同樣に足立氏のSolimanもFerrand譯はSulaymānで、Sulaymān或はSulaimān (Beale and Ency. Islam)が原語をよくうつして居ると思ふのでFerrand譯に從つて記して行く。Calabarは Ferrand氏はKalāh-bār, KalahはMeynard譯であるが、Ferrand氏はKilahと譯して居る。又Ferrand譯Mas'ūdīにもKilla, (Relations, I. p. 96) Kalāh ou Kalah (ibid. p. 97)とある。Meynard譯のMagoudi, Les Prairies d'or, Tome 1. p. 308にはKillahとあるが原文の語尾はhではなくtであるが是は原文が間違つて居ると思ふ。同書p. 340にはKalâhとあり原文も同じ。Ibn KhordādzbehはKilahの錫をKala'īと云つて居るので Kiでなく Kaを正しい綴りとすべく、又KalāhとKalahと二通ある。Reinaud所記のSulaymānの原文がかくの如く、その他Kalahと記すも少くないが、Kalāhと記したものの方が多い。然しKalāhとKalahとは大した問題ではあるまい。餘談に走つたが、さてIbn KhordādzbehのKala'īと云ふKalāh産の錫に就いては後にも述べるが、馬來半島の錫であつて、スマトラ西岸では錫は極最近にLima KottaのBankinan附近で發見されたにすぎない。足立氏はこのKalāhの錫と慧超の崑崙國の金とに對して同一の見方をされて居るがゝと慧超の崑崙國が果してKalāhの如くに特定の地を指して居るか如何かは問題である。崑崙と云ふ名は色々に用ゐられて居るので、崑崙の金と云へば事實はスマトラの金に相違なく、スマトラは馬來語でPulau Emas (or Mas) 卽ち金の島と云はれる程であるが、慧超の崑崙は足立氏の云はれる如くBenkulenと云ふ特定の地を稱して居るのでなく、もつと廣義のものではないかと思ふ。足立氏がBenkulenに比定された義淨の掘倫國、嶺外代答及諸蕃志の崑崙層期國、賈耽の箇羅、沙里三文の古羅國並びにIbn KhordādzbehやSulaymānのKalāhの記事に少しも金を產することは記してないのは如何であらうか。若し崑崙＝Benkulenが足立氏の南路說の動機であつたら――是は自分の思ひすぎかも知れぬが――出發點に於て無理があつた樣に思ふ。

足立氏は唐書地理志所記賈耽の廣州通海夷道の中のシンガポール海峽からセイロンに至る間の記事に新解釋を加へられた。本文は次の通り

又五日行至海硤、蕃人謂之質、南北百里、北岸則羅越國、南岸則佛逝國、佛逝國東水行四五日行至訶陵國、南中洲之最大者、又西出硤三日至葛葛僧祇(祇の誤)國、在佛逝西北隅之別島、國人多鈔暴、乘舶者畏憚之、其北岸則箇羅國、箇羅西則哥谷羅國、又從葛葛僧祇四五日行至勝鄧洲、又西五日行至婆露國、又六日

行至婆國伽藍洲、又北四日行至師子國

足立氏は前記の文を解釋してシンガポール海峽から佛逝をへて訶陵卽ち爪哇に行き、訶陵から引きかへしてスンダ海峽を南に出でスマトラ西岸を北上し葛々僧祇國(Kaukai)箇羅國(Benkulen)哥谷羅國(Benkulen 山脈の西北麓)勝鄧洲(Siuban灣)婆露國(Baros)婆國伽藍洲(Bangkaru島)を經てセイロンに達したとされる。質は馬來語 sĕlat でシンガポール海峽であることは論なしとして、その北岸の羅越は馬來人の Ōrang Laut で今日海のジプシーと云はれるもの、佛逝は室利佛逝卽ち Sṛī Vijaya で今の Palembang 地方を中心とする大國、訶陵は印度の Kalinga の colony から發達したと思はれる中央爪哇の國である。足立氏は訶陵の寄航地を南宋時代、嶺外代答及諸蕃志所記の莆家龍 Pekalongan と斷ぜられるが、是と賈耽の時代との間には四百年の距りがあるので如何かと思ふ。問題は賈耽の所記の航路が訶陵を經由するか否かにある。賈耽の本文には山本氏の指摘する如く訶陵からスンダ海峽までの日程が見えぬ。本文の西出硤の硤は足立氏はスンダ海峽と解されるも、是は矢張りその前に記す所の蕃人が質と呼んだ硤卽ちシンガポール海峽であらう。

又葛々僧祇から勝鄧洲に至る四五日行とあり、箇羅或は哥谷羅から勝鄧洲に至ると記して居ない。足立氏は箇々僧祇は昔別島であつたと想像され、箇羅とは接近した地點であるから勝鄧に至るのに葛々僧祇からの道路を記し箇羅から記さずとも不思議はないと云はれるが順序としては怪しい。又山本氏の說の如く賈耽の用ふる所の又の字は確かに次ぎ次ぎの順序を示して用ゐられて居ることは本文を通讀するものは誰れしも感ずる所ではあるまいか。又西出硤の硤は前の硤を反覆したもので、訶陵國の挿入句があるので又西出硤と丁寧に書いたので、同樣に箇羅、哥谷羅の挿入句があるので、その次ぎに又從葛葛僧祇とかいたので、同じ筆法と思ふ。賈耽は廣州より南下し、シンガポール海峽から西に轉じて居ることは明示されて居ると思ふ。若し訶陵に行くとすればシンガポール海峽を經由する必要はない、佛逝を經由する必要はない。

足立氏は Benkulen の語原として Ben は馬來語 benu(國)の訛略にして Benkulen は Kulen 國に他ならぬとされるが、馬來語 bĕnua は a region, a country, a continent で相當大きい內容の言葉で Benkulen に相應するのは Kampong 卽ち村ではなからうか。Hobson Iobson の Bencoolen の條に引いてある Mangkoulou, Wénkoŭléou を暹羅語

Muang (町)土語 wai(川)と説明されたが、自分は Mang も Wén も共に馬來名 Bangkaulu の Bang の訛にすぎないと思ふ。馬來名が Bangkaulu であれば Bang を bĕnua で解するのは如何かと思ふ。箇羅は唐書に別に盤々の東南と記してある。(三佛齊考頁一〇六参照) 箇羅の西の哥谷羅は本草拾遺の伽古羅、宋史の葛古羅及び回々教徒の Kākula, Kākola で白豆蔻 cardamom の産地である、(三佛齊考頁一〇六—一一二) 白豆蔻はスマトラには產しない。

足立氏は葛々僧祇を解して「波斯語にて Kakasahi である。Kaka は馬來語源の Kuku にして「鋭き爪を以つて引搔く兇暴なる動物」、claw に當り、sahi は黑色である。卽ち阿刺比亞人が馬來蠻人を呼ぶ名稱にして Negro の義である」と云はれる。氏の sahi は氏の記す所の波斯文字によると siyáh で black の意味である。馬來語 kuku は claw 爪で、氏の云ふ如き「… 動物」と云ふ譯はない。又馬來語 kuku "claw" は波斯語に入つて居ない。氏の記す如き kākā は波斯語では全く別の意味の言葉である。從つて馬來語と波斯語とを結合して葛々僧祇を説明することになり贊成出來ない。自分の考へでは僧祇は唐書に僧祇とあるのは僧祇の誤りで、是は矢張り僧(或舍)祇(或耆)奴と同じ様にアフリカの Negro に對する波斯語 Zangi を以て僧祇にあつべく、葛々は波斯語 kakh "a mask, a deformed appearance, anything similar to frighten boys" で馬來半島の蠻族の文身(tattooing and face-painting)に由來するものではあるまいか。足立氏は勝鄧洲を Sipura 島東岸の Siuban 灣であるとされるが、是は山本氏も指摘する如く音が類似して居ない。(追記一參照)

婆露國に關しては足立氏は「波露國は義淨の波魯師國、新唐書の郎婆露斯國、Soliman の Legebalous に當ることは論を待たぬ處である。八九世紀頃に波露國が佛逝國と相對立して蘇門達島の西南部を領有して居たことは既に述べた。また Barus がその首都にして高價なる Canfora Fansuri の產地であることは周知のことである。Fansuri, aisuri は共に波斯語 Kafur (Camphre) の訛にして Barus を Pansur, Fansur 等と呼ぶは產物を以つて其地名に轉訛したものである。」と云はれる。(史雜、四九、四の二八—二九頁) 婆露の名は如何にも義淨の高僧傳に新羅の僧二人が室利佛逝國の西婆魯師國に至り病死したとある婆魯師國及寄歸傳の從西數有婆魯師洲末羅游洲の婆魯師洲と似て居り、又唐書室利佛逝の條に以二國分總西曰郎婆露斯とある郎婆露斯と似て居る。然し是等が比定される Barus はスマトラ島西海岸を大分南に下つた所にあり、足立氏の如くスマトラ西岸の航路を採つたとすれば問題はないが、マラッカ海峡を西に進んだとすれば賈耽の婆魯師がBarus(Baros)であることは怪しくなる。そこで山本氏の說かるる如く「Pelliot氏は婆魯師及郎婆露斯はスマトラ島の西北牛を指して居り、問題の婆露國は恐らく之であつて、Nicobar諸島に當ると見做される所の婆國伽藍洲とは婆露國に所屬して居る伽藍洲の意であらうかと考へて居られるが、かゝる見界に從ふとすれば婆露國の領域は廣くスマトラ島の北岸をも包含して居たものと見做すことが出來るのであつて、縱へ婆露國の中心地がBarusにあつたとしてみても、問題の航路はスマトラの北岸に於て婆露國の領域內に立寄つたと考へる事が出來る」(史、雜、四九、十一の八二頁)と云ふ見方が起る。是はBarusの領域をスマトラ北岸まで延長した說である。然しBarusはスマトラ西岸を百里以上南に下つた所にあり東海岸のマラッカ海峽に面する方で云へばMedang以東にあたる。且つBarusは樟腦の產地としては有名であるが、その政治的發展は少しも證據がない。却つてIbn KhordādzbehはスマトラのNorth岸今のAchinの所にRāmīを、SulaymānはRāmnī國のあつたことを記して居る。是は交通の衝にあたり、殊にBarusに往來する交通の衝にあたつて居るので次第に繁榮し宋代の藍無里となる。山本氏は唐書室利佛逝の條の以二國分總西曰郎婆露斯と云ふ記事から「郎婆露斯の名は決してNicobar 諸島の如き極めて小さな區域に限られたものでなく、Pelliot 氏の云ふ如きスマトラ西北部の大きな地域を含むものと考へなければならない様である。或は郎婆露斯はスマトラ西北部と Nicobar 諸島とを同時に包含する名稱として用ひられたものであつたかも知れない」(史、雜、四九、十一の八二—八三頁)と云はれる。然し室利佛逝即ち Śrī Vijaya 國の歷史を研究すると Palembang と相ひ並ぶものは印度史料に Śrī Vijaya and Kaṭāha (Kaḍāram) 王(三佛齊考八八頁及九九頁)とある Kaṭāha であらう。この Kaṭāha は義淨の羯茶で、義淨は羯茶が室利佛逝に屬して居ると記して居る。(三佛齊補考卅—卅一頁)回教徒の Kalāh も同じ。(三佛齊考六〇頁)

要するに唐書の郎婆露斯は回教徒の Langabālūs と似て居るので Nicobar 諸島と解せざるを得ぬのに二國を以て分總すと云ふ文句があるので山本氏の如き見解を必要とする様になつた。然し唐書の文句は單に室利佛逝國の勢力が遠く郎婆露斯 Nicobar 諸島まで及んだと云ふ意味に取る方がよいのではあるまいか。義淨の婆魯師國は Barus の樣にも取れるが、新羅の僧が婆魯師に行く要はない。彼等は東天竺或は師子國に行く目的であつたらうと思ふので、此の婆魯師は實は唐書の郎婆露斯でNicobar諸島ではないかと考へた。(三佛齊考二八頁)然し若し彼等の乘つた海船—商舶と思はれる—が樟腦を得んがためBarusに寄港したとすれば婆魯師はBarusでもよいかも知れぬ。唐書の婆露國に至つては是をBarusと見る見方がある。その時はBarusの領域がスマトラ北岸を含んで居たと考へるか或は賈耽がBarusの位置を誤解したと見なければならぬ。又唐書の郎婆露斯と同じと見る見方もある。婆露の二字が全く同じい。その時は次ぎの婆國伽籃洲をNicobarとするわけに行かなくなる。Barusの領土がスマトラ北岸に及び航路がその領域内に立ち寄つたと見るのは山本氏の說であるが、領域内に立寄つたと云ふよりもむしろ領域に觸れたと云ふべきで、Barusと大分離れて居る以上、四五日行至婆露國と云ふ書き方はあてはまらぬと思ふ。

婆國伽籃洲に就いては足立氏は是をスマトラ西岸Barusの少し北にあるSingkel沖にあるBanyak群島の西南部に在るBangkaru島であるとされる。然し音が多少似て居る丈に止まる樣に思はれる。BangkaruがBangakaruでない以上婆國伽籃と完全に一致せぬ。山本氏は「Lankā, Langa はCeylon島の古名として屢〻用ひられて居るのであるが、或はCeylon島から東に航行して第一に到達する所のNicobar 諸島が Ceylon 島と相對して Bālūs の Laṅga と呼ばれたのではあるまいか」と想像された。婆國伽籃を婆露國の伽籃と見る點は Pelliot 說に從つたのであるが、伽籃を籃伽と倒置して解釋されたのである。Pelliot 氏は伽籃洲を Nicobar 諸島の支那名翠籃洲とし、北四日行至師子國の北を十或は廿の誤りかと云つて居るが、是は無理である。足立氏の如く婆國伽籃を Bangkaru とすれば師子國との間の日程は益〻長くなるべく、足立氏は四日行程は Bangkaru から北緯五度までの日程であるとし、又婆露國 Barus と婆國伽籃 Bangkaru 間の短き距離を六日航程とする賈耽の記事を解してその間は沿岸島嶼の間で利用すべき風力、海流なく却つて西北輕風に抗航するが故全く漕力にのみ依賴したからとされたが、大分窮した所が見える。今賈耽所記を見るに、シンガポール海峽から婆國伽籃まで西行し、同地から北行四日にして師子國に至つて居る。此の方向に從へば、婆國伽籃は Nicobar 諸島ではなく、婆露國こそ Nicobar 諸島の樣に思はれる。而して婆國伽籃はセイロン島の南端を指す如く見え、そこにある Dewa Nagara (Dondera Head) こそ婆國伽籃洲の樣に思はれる。Dewa Nagara は old Singhalese, Dewu-nuwara でイブン・バツータの Dinawar は卽ち是れである。(Hob. Job. p. 322) 若し強ひて婆國伽籃をNicobar諸島に比定せんとするならば、是を婆露國の伽籃とか或は籃伽とかに分離しないで、婆と伽を泥と波の誤りとし、泥國波籃卽ちNakkavaramとする他に方法はなからうが、自分は贊成出來かねる。

足立氏はSulaymānのLaṅgabalūsに就いて新らしい解釋を與へられた。卽ちSulaymānが二箇所にLaṅgabalūsを記して居り、その記事內容が相違して居るので是を別物とし、その一つ卽ち足立氏の所謂甲種はNicobar諸島であるが、他の一つ卽ち乙種はBarusであるとされた。從來LaṅgabalūsはNicobar諸島であるとされたのに、Laṅgabalūsの中にBarusを指すものがあると主張する點に足立氏の新說があるのである。足立氏は次の如き表を作つて諸譯本の記す所を示された。（史、雜、五〇、二の九八頁）

	甲種	乙種
Renaudot	Negebalous	Legebalous
Reinaud	Legebalous	Legebalous
英譯本	Najabalous	Lajbalous
Ferand	Langabalous	Langabalous

Ibn Khordadbeh　　Likhalous　…………

然し此の表は自分の調査と一致せぬものがあるので自分は次の如くした。

Sulaymān の Langabālūs の譯語對照表

	甲種	乙種
Renaudot (Fr.) 1718	Negebalous (p.5)	Legebalous (p.11)
ibid. (Eng.) 1733	Najabalus (p.4)	Lajabalus (p.9)
Reinaud (Fr.) 1845	Lendjebâlous (p.8)	Lendjebâlous (p.16) (原文 Lykh-yalous)
Ferrand (Fr.) 1913, 1914	Langabālūs (p.36) (原文 Pron. anc. Langabālūs; Pron. mod. Landjabālūs,)	Langabālūs (.39) (原文 Likh-yālūs)

右の中 Renaudot 氏の佛譯文は自分は見ないので足立氏の引用に從ふ。英譯文を足立氏は Reinaud の次ぎに記されて居るが、是は Renaudot の佛文を更に英譯したものにすぎなく、Reinaud に關係ない。Ferrand 氏は Relations de Voyages にては Reinaud 譯には言及して居るが Renaudot 譯には觸れて居ない。然し Sulaymān の單行本には Renaudot 譯のことが記してある。又 Ferrand 氏の譯は氏が對譯法の研究から結論した所で、氏の所引の原文はさうでない。Reinaud 氏のは原文と譯文が

一致して居る。足立氏は Renaudot 譯に就いても原文を記されて居るが、佛文の方はまだ見ないのでわからぬが、英文の方は原文は記してない、

この表で問題となるのは、甲種が Renaudot 譯では n 卽ち noon 字で始まって居り他は L 卽ち lām 字で始まって居ることと、Renaudot 譯では次ぎに直に jeem に續いて居るが、Reinaud 譯及びその所記の原文では jeem の前に n があることである。Ferrand 譯も Reinaud 譯に同じ。最初の lām 字と noon 字は轉寫の際に誤り易いかと思ふ。又 noon 字の上の點が左にずれると、始めの字は lām になり jeem 字との間に noon 字が出來るのかと思はれる。それでこれ等の文字の不一致を如何に考へたらよいか。語源に溯つて考へるのも一方法であるが、獨斷に陷つては問題にならぬ。足立氏は Nicobar の語源を解釋して「自分は Nico は梵語 Nico (醜惡)、Bar は梵語 Buli (人種名)で、Nicobar 島は裸體醜惡なる跋離人の島の義である」と云はれる。(史、雜、五〇、二の九八頁)足立氏の Nico は梵語辭典の Níća "low", "short", の變形と思はれるが、然りとすれば單に醜惡とか裸體とかの意味ではない 且つ梵語 Níća の ć の發音は英語 dolće の ć 音で、K 或 g 音ではない。又梵語 Buli (跋離)は Allakappa 邑の住民で Nicobar 島民と何の關係もない。Renaudot 譯が n 音で始ま

つて居るからとて、それのみを採り上げて論ずるのも物足らぬ。尙ほこのことは後に述べる。足立氏は甲種と乙種との記事を比較し、相似たる點三箇條と相似ざる點三箇條を擧げられた。前者は一、男女共に裸體(甲種)、全く衣服を着せず(乙種)二、琥珀椰子を以つて鐵と交易す(甲種)、椰子・琥珀を以て鐵と交換す(乙種)、三、商人戲授其衣卽便搖手不用(義淨)(甲種)、阿剌比亞語及海商の慣用語を知らず手眞似にて貿易表示をなす(乙種)であつて、若し兩者が同一島なりとせば、何故に二箇所に擧げて同一記事を反覆するかが疑問となると云はれ、後者の相似ざる點としては、一、Ile(島)(甲種)、Lieu(土地・國)(乙種)。二、女子は木葉を以つて局部を覆ふ(甲種)、傳説には全く女子が見當らぬ(乙種)。三、裸人國(義淨)(甲種)、島民はBlancである(乙種)を擧げられた。(史、雜、五〇、二の九九頁)Îles(島)と譯されたのは原語はjaz'āir(pl. of jazīrat)で、Lieu(位置、場所、處、居所)と譯された原語はmauzi' "a place"である。後者に國の意がある方が足立氏の論には都合がよいが、國の意味はない筈。Île,とLieuとの區別は左程重く見られない。Čundur-fūlātに就いてSulaymānは次の如く云つて居る。彼等はČundur-fūlātと云ふ所(lieu)に出航する。Čundur-fūlātは島の名である、(Ferrand, Relations. I. p. 40)又Sulaymānは多くlieuの字を用ひて居るが、Ibn Khordādzbeh は île を多く用ひて居る。乙種に全く女子が見當らぬと云ふ傳説は要するに傳説にすぎぬ。又島民が branc であることは問題である。足立氏は外來の移住民と云ふ樣に解されて居る樣だが、自分はさう思はぬ。Ibn Khordādzbeh も Rāmī の記事の次ぎに白色の土人の島があり、風の烈しい時でも游いで船に至り、ambre を齒牙の間にくはへて來り鐵と交易する。又縮毛の食人黑人の島もあり、彼等は食人種 anthropophages であると云つて居る。Ibn Khordādzbeh は Bālūs 島 (Barus) も食人種が住むと云つて居る。Sulaymān は Andāmān 島の住民を食人種として居る。又 Ibn Kordādzbeh と同樣に黑人の食人種の住む島のあることを聞いたことを記して居る。黑い縮毛の食人種は理解出來る。

彼等は馬來半島及び諸島に住む Negro 系のもので今日各地に散在して居るが、スマトラ、ジャバには居ない。こゝに面白いのは Andaman 群島には negro が居るが Nicobar 群島には居ない。これは前述の問題を解決するに役立つのではあるまいか。乙種の島民が白いと云ふことは Andaman 島民でないことを示して居るが、Nicobar 島民には適用出來る。夫れで回教徒の所謂黑い土人の島と白い土人の島とは相對照して云はれる所を見ると、南北に相連り、その間僅に卅リーグしかはなれて居ない Andaman と Nicobar 兩群島を指して云ふのであらうと思ふ。又譯文に ambre (Fr.) amber (Eng.) とあるのは足立氏は琥珀と譯されたが、さうではない。ambre は普通琥珀と譯されるが、詳しく云へば ambre jaune ou succin, yellow amber が琥珀で、ambre gris, ambergrio=gray amber は龍涎香である。ambre と譯したものの原語はアラビア語の 'anbar, 'ambar であつて、是は龍涎香の事である。藤田博士の指摘された如く、唐段成式の酉陽雜俎巻四に見える阿末香はアラビア語 'anbar, 'ambar である。

島夷志略の第六條に龍涎嶼がある。是は武備志末の鄭和航海圖、星槎勝覽及瀛涯勝覽にも記され、その位置がスマトラ西北岸の沖であることが推定される。或は Rondo 島に、或は Wai 島に、或は Bras 島に比定されたが、藤田博士は帽山を Wai 島に、龍涎嶼を Bras 島に比定すべしと斷ぜられた。(島夷志略校註龍涎嶼條) 然し自分は博士の説に従ひ得ない。帽山は博士の云はれる如く Wai 島である。Pulo Wai (Way) は Water Island の意味で、水を得られるが爲めである。マラッカの東南五哩の沖にも水の島があるが、是も良水を得られるが故にその名がある。(三佛齊補考頁七三) 然し帽山の名は steep-to on all sides (Findley, A Directory for the Navigation of the Indian Archipelago and the Coast of China, p.43)から來るものと思ふ。瀛涯勝覽の南浡里國の條に其西北海内有一大平頂峻山、半日可到、名日帽山、其山之西亦皆大海、凡西來過洋船收帆俱望此山爲準とある。島は Pedro Point 土名 Tanjong Bantu を去る七浬の沖にある。此の岬は鄭和航海圖の屏風山かと思はる。Wai 島の西北十浬半の所に Rondo の小島がある。Bras 島は Findley の Brasse 島で、Kota Raja の沖遠からぬ所にある稍大きい島である。さて瀛涯勝覽によつて帽山の形と交通上の位置が明示されて居るが注意すべきことである。夫れについて尙ほ述べて見たい。瀛涯勝覽は自蘇門荅剌往正西好風三或一晝夜にして南浡里に至り、更に半日帽山に至り、自帽山南放洋好風向東北行三日見翠藍山……過此投西船行七日見鶯歌嘴山再三兩日到佛堂山(Dondera Head)と記して居る。是は錫蘭に至るコースの一つである。所が四巻本星槎勝覽には蘇門荅剌より一晝夜にして龍涎嶼に至り、龍涎嶼から五晝夜にして翠藍山に至り、翠藍山から六晝夜にして錫蘭山國に至ると記して居る。更に武備志の航海圖を見るに蘇門荅剌から十二更で龍涎嶼に至り、龍涎嶼から二つのコースを記して居る。卽ち一つは十更にして翠藍嶼に至り、翠藍嶼から八十更で錫蘭に至る。他の一

つのコースは龍涎嶼から直ちに九十更で錫蘭に至る。以上を表にすると

蘇門荅剌――帽山――翠藍山――錫蘭（瀛涯勝覧）

蘇門荅剌――龍涎嶼――翠藍山――錫蘭（四巻本星槎勝覧）

蘇門荅剌――龍涎嶼＜翠藍嶼――錫蘭
　　　　　　　　　　　　＼錫蘭（武備志航海圖）

右の表を見ると瀛涯勝覧の帽山は卽ち星槎勝覧及び武備志の龍涎嶼と同じく、蘇門荅剌、翠藍山間の中繼をなして居る。翠藍山は普通Nicobar諸島と考へられて居る。瀛涯勝覧には見翠藍山在海中其山三四座、惟一山最高大、番名按篤蠻山とありAndamanの名も見えて居る。星槎勝覧には大小有七門中可過船とあれば、足立氏の考へられる如く、Nicobar諸島の中のTilang島のみを翠藍山とするわけにはゆかぬ。Tilang島はC.B. Kloss氏はTilanchongと記して居る。(In the Andamans and Nicobars, p.66) Tilanchongは地圖上の名で、土名はLaokである由(Imperial Gazetteer of Inddia, 1908, XIX, p.59) Tilanchong卽ち翠藍嶼であらうが、翠藍嶼は始めはもつと廣く適用されたものであつて、今日jungleの島であるTilang島にその名を殘して居ると考ふべきであらう。翠藍山或は翠藍嶼がNicobar諸島とすれ

ば蘇門荅剌から錫蘭に行くのに、帽山卽ち wai 島及び翠藍嶼を經由するコースは當然である。所が帽山卽ち Wai 島から直ちに錫蘭に至るコースも考へられる。此は今日の地圖の上で當然と思はれる。然らば武備志記す所の二つのコースはこの二コースを指すものに他ならぬとすれば、その龍涎嶼は卽ち帽山卽ち Wai 島としか考へられぬ。然るにこゝにその比定を困難ならしめるものは武備志航海圖に帽山の西に龍涎嶼を明記して居ることである。然し是は武備志の航海圖の作者の誤解ではないかと思ふ。龍涎嶼を藤田博士の說の如くに Bras 島にすれば差支へない樣に見えるが、自分はそれでは滿足出來ない。帽山が交通の要衝であつたことは瀛涯勝覽の明記する所であり、前記の表により帽山卽龍涎嶼と考へるのが自然に思はれる。龍涎嶼の名は島夷志略に始めて見える龍涎香の產地と記して居るが位置が記してない。從つて志略の龍涎嶼は何の島を指して云つたのか分明せぬが、換言すれば志略の龍涎嶼は帽山でなかつたとしても、鄭和航海の時に志略の龍涎嶼を帽山にあてたのかも知れぬ。星槎勝覽龍涎嶼の條に貨蘇門之市とあり、蘇門荅剌の市場で龍涎香が賣買されたと云つて居ることから推測すれば、龍涎香はスマドラ北岸の沖の島嶼に產すると云ふ考へから、

Wai 島を龍涎嶼と云つたのではあるまいか。然し wai 島も Bras 島も龍涎香を產するをきかぬ。龍涎香の產地は Nicobar 諸島である。次ぎに Kloss 氏の所記を引く。

Ambergris, for which the Nicobars were most noted in the Middle Ages, is still found principally in the vicinity of Nankauri Harbour, and sold to traders (C.B. Kloss, In the Andamans and Nicobars, 1903, p.252) They (natives of Kar Nicobar) contained many varietie of amber for sale. There were some pieces of one or two drachms weight, and they were wrapped in leaves, among them one kind very much resembling denzoin but not having the same odour. As much I could make out from the interpreter, this piece, like all the other pieces, had been thrown on shore by the sea; it seemed to have been burnt at one end. (ibid, p. 279)

後者は一七七八年に Kar Nicobar を訪れたスウェーデンの I.G. Koening 博士の記錄である。是によると龍涎嶼は Nankauri を中心とした範圍の樣である。明代の諸書は翠藍山(或は嶼)で龍涎香を產するを云はぬが、回敎徒の諸記錄は Nicobar 諸島の龍涎香を記して居る。

要するに Sulāymān が記す所の二箇の Laingabālūs の土人が、鐵と交易する品物は足立氏は琥珀と椰子と考へられたが、その琥珀は龍涎香の誤りであり、然も一方 Nicobar 諸島が龍涎香の產地として有名であることは、Laingabālūs = Nicobar ではないかと思はせる。足立氏は「彼等（阿剌比亞人）が支那に輸入し、また本國に持歸る處の金銀・寶石・眞珠・貝殼・琥珀・香料・樟腦・椰子・檳榔等の貿易貨物が悉く蘇馬達島の西南岸若しくは其の島嶼の產物であることである。」（史、雜、五〇ノ二の九二頁）と云はれるが、是は了解に苦しむ。寶石や眞珠がスマトラ西南岸或はその島嶼の產物であらうか。

足立氏は乙種の Laingabālūs を解釋して「Lege は梵語原の馬來語 Raja（王國）で Balous は今の Baros である」と云はれる。rāja と云ふ言葉は一般に用ひられて居る言葉で、Barus 王が rāja の肩書きを用ひたことは認め得。然し rāja は王の意味で足立氏の云ふ如く王國の意味はない。又 Rāja Barus と云ふ云ひ方があるであらうか。Barus が人名であれば rāja の次ぎに來てもよいが、地名が Rāja の次ぎに來るのは如何であらう。乙種の Laingabālūs も Barus でないことは、その產物が龍涎香であつて樟腦でないことでもわかる。足立氏は Hobson Jobson によると Barus の Camphor に關する最古の記事は Avicenna 及 masudi の記錄に始めて見ゆとあり、それより大約百五十年前の Soliman の Barus に關する記錄に樟腦なしとて Legebalous が Barus にあらずとの反證とはならぬと云はれるが(史、雜、四九、五の五九頁) Ibn Khordādzbeh は明かに Bālūs 卽ち今 Barus に良質の樟腦を產することを記して居る。Sulaymān は Rāmnī 卽ち藍無里國の境域を廣く記し、その中に幾つもの王が居り、そこは金を產し又 fančūr と名付ける樹があり良質の樟腦が採れると云つて居る (Ferrand, Relations, 1. p. 36) 足立氏はこの Fansuri 及びその他の形である Kaisuri (Ferr. Relatinos, p. 288 參照) は共に波斯語 Kafur (camphre) の訛にして、Barus を Pansur, Fansur 等と呼ぶは產物を以つて、其地名に轉訛したものであると云はれる(史、雜、四九、四の二九頁) Fansur は Fā 字で始まり、Kaisur は Qāf で始まる。前者は字の上に點が一つあり、後者は二點をつける丈の差があるので、後者が前者の誤りであるとされて居る是に反して樟腦の義であるアラビア語及ペルシア語の Kāfūr は Kāf 字で始まつて居る。是は梵語 Karpūra から來て居る。Kāfūr を Fansur, Kaisur と訛るのは餘りに甚しい訛りである。回教徒自身が自國語に對してかくの如き訛をする筈はないから、馬來人が訛つたと見なければならぬが、訛りが餘り甚しい。是は矢張りFansurをBālūsの訛りと見るべきものである。地名を色々に訛ることはあり得ることである。Sulaymānはfančurを樹木の名として居るが、是は實は地名であることは以後の用例でわかる。又是れがBarusであることはSulaymānがNiyānをその屬國とせる記事からも推測出來る。Ferrand氏はNiyānを今Nias (Malay, Nia)島として居るが、此の島はBarusの沖にあり、スマトラ西岸最大の島である。

以上述べた所で結局足立氏がLaṅgabālūsに二通りあり、一つはNicobar諸島を指し、一つはBarusを指すと云はれたのには贊成出來ず、LaṅgabālūsはNicobar諸島を指すものと考へざるを得ないことがわかると思ふ。さて印度の方の史料では如何かと云ふに、三佛齊考頁九九に述べた如く、十一世紀初葉卽ち北宋時代に於ける南印度の注輦Chola國王の刻文の中に、馬來半島及びスマトラ東岸及び北岸の諸國を列擧したものがあり、その中にIlāmurideśam, Māṇakkavāramの名が出て居る。前者は今のAchin地方にあつた國で、支那史料に藍無里（諸蕃志）喃哑哩（島夷志略）南浡里（瀛涯勝覽）等と記され、Ibn KhordādzbehはRāmīと、SulaymānはRāmnīと記して居るものであるとされ、後者はNicobar諸島とされて居る。刻文にはIbn Khordādzbehの Bālūs, SulaymānのFančur卽ち今のBarusは出て居ない。

恐らく是は西海岸にあるが故であらう。Nicobar の語源に就いて足立氏の解説即ち Nicoburi とし醜惡なる跛離人とする說に就いては既に述べた。所が Imperial Gazetteer of India, 1908, XIX, p. 59—60 及 Ferrand, Relations. p. 361. note 10 を見ると裸體人の國と云ふ意味に Nakkavar を解釋し回教徒の Laṅgabālūs をその訛りとして居る。na は no, not で否定の言葉であるが、衣服と云ふ意味の梵語は vastra, çvara である。唯綳帶と云ふ意味の言葉に kavalikā と云ふのがある。若し Nakkavar が裸體の意味とすれば、Nicobar 諸島に對しては相應する名である。Rašīd ad-Dīn は Lākawaram と記して居るが、是はタミール形の Ṇakkavāram の訛と思はれる。然らば次ぎに印度人の Nakkavāram と回教徒の Laṅgabālūs との關係である。Ferrand 氏は說明を與へて居らぬ樣に思ふ。同氏所引の Sulaymān の原文に Likyālūs とあり、Renaudot 譯には Negebalous, Najabalous とあり、Barbier Meynard 譯の Ibn Khordadbeh には Likbālous (J. Asiatique, mars-avril, p. 288) とあるが、後の回教徒 Ibn al-Fakīh, Mas'ūdī, Bīrūnī, Edrīsī, Kazwīnī, Ibn Sa'īd, Dimašḳī 等の所記は皆 Lang である。是は Ferrand 氏が Laṅgabālūs を正しい形とする所以であるが、Laṅga が正しいか Laga が正しいかは困難な問題である。然し自分は印度人の Skt. Nakkavar, Tamil. Ṇakkavālam が本來の名ではないかと思ふ。そのNがLに訛り Lagabālūs, Laṅgabālūs となり、唐書の郎婆露斯はその訛った形をうつした樣に思はれる。

回敎徒の Laṅgabālūs が Nicobar 諸島であることは次ぎの Kalah の比定に影響する。足立氏は Sulaymān が Legebalous から Calabar に行くと記し、その Legebalous が Barus であるから Calabar が Benkulen であるとされるが、Ibn Khordādzbeh は Laṅgabālūs から六日で Kilah に至ると記して居り Bālūs から行くとは記して居ない。加之 Sulaymān の Legebalous も前述の如く Nicobar 諸島とすれば、同氏の論が成立しない。是は錫の產地であると云ふ Ibn Khordādzbeh の記事と共に Kilah, Kalah が馬來半島にあるべきを證據立てるものである。又 Ibn Khordādzbeh は Bālūs を Kilah から二日程として居るのは、Bālūs が Laṅgabālūs—Kilah 間の航路の上にあらざることを示して居る。然も樟腦の產地として記される所は Bālūs が今スマトラ西岸の Barus であることを示して居る。唯 Kilah から二日程は日數が少すぎるが、是は Kilah から Malacca 海峽を橫斷してスマトラ海岸に達するまでの日數かも知れぬ。實際はスマトラ北海岸を迂回して西海岸を南下せねばならぬので全部で二日程とは考へられぬ。

要するに賈耽や Ibn Khordādzbeh 及 Sulaymān 等の記す航路はマラッカ海峽を通過するものであると云ふ舊來の說は動かせぬと思ふ。回教徒は Laṅgabālūs (Nicobars) から一方はマラッカ海峽に入つて馬來半島の Kalah に至り、又一方にはスマトラ北岸今の Atjeh (Achin) 當時の Rāmnī Lāmurī に至り更に西岸を南下して Bālūs (Barus) に至り樟腦を求めたのである。Barus から更に南下してスンダ海峽に入る航路は無かつたとは云へないかも知れぬが、Kalah を Benkulen とせねばならぬ程重要な航路であつたとは思はれぬ。

足立氏は Calabar の Cala の語源は巴利語 Kala (黑) にて Calabar は黑人國の義であると云はれる。成る程梵語 Kāla は黑の義であり、Calabar は黑い地方と云ふ意味になるが、Benkulen に限つて何故黑人國と云つたのであらう。支那人は南洋の崑崙人は皆黑いと云つて居る。例へば晉書卷卅二の孝武文李太后の形長而色黑、宮人皆謂之崑崙、或は五代史卷五三慕容彥超の嘗冒姓閻氏、彥超黑色胡髯、號閻崑崙とか、唐書の自林邑以南皆拳髮黑身通號崑崙の如くである。然し回教徒は Negro でない馬來人を黑人と云つて居ない樣に思ふ。

Sulaymān は Calabar と Kaucam との間を一月程として居る。Kaucam は前に caucammeli と書いて居るのと同じと思はれるが、足立氏は是を Comorin 岬に比定し、Comorin を Cam は語幹、Meli は波斯語 hmal (港)として Cammeli (Cam 港)とされたが、足立氏の波斯字を見るに、それは ḥammāl, "a porter, carrier of burdens" か ḥaml "carrying, (also himl) a burden, a load" で港の義は見えぬ。元來 Comorin 岬の名は梵語 Kumārī で Kannyākumārī "Virgin Kumarī" とも云はれる。Ferrand 氏は全て Kūlam du Malaya として居るが、原文は Kūkam Malay とある。Ibn al-Faḳīh の原文は kūlū malay とあるを Ferrand 氏は Kūlam du Maḷaya と改めて居る。足立氏は Cau を尖端の義のある波斯語で解釋されるが自分にはその語が分明せぬ。若し Cauammeli が正しい形であれば、自分は Kannyākumārī をその原形と考へたい。然し Ibn al-Fakīh が Kūlū と記す所を見、又 Kūkam Malay, Kūlū Malay の如く二語に分けて記されて居る所を見ると、Ferrand 氏の考へが正しい樣に思はれる。

Sulaymān は Calabar から Betouma に行つて居る。足立氏は爪哇の Bantam とされるが、是は同氏のスマトラ西岸航路經由說から來て居るので、是は Ferrand 氏の如く Tiyūma の誤字と見、Pulau Tiyuma と見るべく、今の Tioman 島であり、Ibn Khordādzbeh の Tiyūma と一致すべきである。武備志航海圖に苧麻山とあるのがそれであり、その次ぎに記されてある東竹山西竹山は Tioman 島から廿二哩距つて居る Aor 島である。島夷志略の東西竺も藤田博士の説かるる如く Philips 氏説の Aor 島とするに賛成すべく、馬來語 Aur は竹の一種である。一八〇五呎の山あり兩峰に分かれ、志略の不啻蓬萊方丈之爭奇也であらう。北東の季節風の避難所であり、支那行きの航路の出發點と云はれる。(Findley, Directory, p. 316) Tioman 島も大體 Aor 島と似て居る。三四四四呎の山と二五二五呎と二二九四呎の兩峰の山とがあり、北東季節風の避難所であり、且つ良水や薪が得られる。(Findley, Directory p. 317) Sulaymān や Ibn Khordādzbeh の頃の船は Tioman まで馬來半島東岸に沿うて北上し、夫れより Pulo Condore の方向に直航したものと思はれる。Pulo Condore は志略に古者崑崙山又名軍屯山とある。Sulaymān は Betouma から Kadrenge に行く。足立氏は爪哇の Pekalongan 附近とされるが、それは同氏の南路説の結果で、Ferrand 氏はメコン河口の Saint-Jacques 附近とするも賛成出來ない。自分は是を Pulo Condre と思ふことは三佛齊補考頁六四—六六に述べた。Sulaymān は Kadrenge から Senef に行く。アラビア語にチャとパがないので Champa 占婆を Senef とかくのは當然である。足立氏は平定の灣口に San-ho 岬があるので Senef を平定 Binh-din と比定された。然し G. Maspero, La Royaume de Champa によると、九世紀の中頃は第五王朝の Vikrāntavarman III. の世で都は Virapura, alias Rājapura で今の Phanrang 附近であつた。Sulaymān は Senef から Senderfoulat に行く。Senderfoulat は Ferrand 氏は Pulo Condore とするも、夫れでは Senef から逆戻りすることになる。足立氏は Sender は波斯語 Sodākh（雷）foulat は harzah（州）と解し、雷州を以て是にあてられた。Sodākh は Sā'iqat の誤りと思ふが、それでは Sender と音が似て居ない。harzah（州）は辭書にさがし得ない。或は ḥirz "a fortification" か。自分は fresh water の得られる Ćundur-fūlāt は賈耽の占不勞 Cham Pulau で今 Cham Collao と訛つて居る島ではないかと思ふ。島は一二三〇呎の山があり四十五哩の遠方から望見され、良水も得られ、北東季節風の時の避難所として良い。(Findley, Directory, p. 383—384) Cham Pulau を Čundur fūlāt と訛つたのはチャの音がないことと Champa を Senef と訛る如く、又 der, dur は Condore 島との名と關聯してかく訛つたのではあるまいか。Sulaymān は Senderfoulat から Sengi 海及び支那の門 Portes de la Chine を經て廣府に達する。足立氏は Sengi は波斯語 sangi にて pierre 珠礫の義であるから、Sengi 海は珠江灣であり珠江は多く圓礫を産するを以つて名づくといふも今は泥土に覆はれて居ると云はれるが、波斯語岩石の意味である sang は Sulaymān の原文と字が異る。Sang は sin, nūn, kāf であり、Sulaymān の原文は sād, nūn, jīm, yā. である。又珠江の名は左程古くない。Ferrand 氏は jīm の點を上に持つて行き Khā に改め、支那語の漲海の音譯とした。sād は Senef (champa) Čundur (cham) の如く ch をうつすに用ひられる所を見ると、漲を sād でうつすことは當然である。Renaudot の譯字は Sengi であるが、Reinaud は Sandjy と譯して居る。要するにこの海は安南から海南島の東の沖をへて廣東に行く間の海で、南支那海の北部を云つて居ると思ふ。番舶が海南島の東を航海したことは海南島の海賊に關する記事から推測される。唐大和上東征傳に天寶九載頃に馮若芳が萬安州(今萬寧縣)を根據地として毎年往來の波斯舶二三艘を劫取し貨物を奪ひ人は奴婢にして居ると記してあり、太平廣記に唐の振州(今崖縣)の陳武振が漂流した賈舶を掠めて家に萬金を累み海中の大豪となり犀象玳瑁を有し倉庫數百であつたと記してあるから馮若芳と同じ樣な者であつたと思はれる。萬寧縣も崖縣も海南島南岸にある。萬寧縣に就いては尙ほ諸蕃志に城東有舶主都綱廟人敬信禱卜立應舶舟往來祭而後行と記して居る。是は桑原博士の云はれる如く(蒲壽庚新版頁一三四)古今圖書集成職方典巻一三八〇の條に記されて居る萬州東北三十五里の連塘港門にある昭應廟に當るものと思はれ、明洪武三年新澤海港之神に勅封されて居る。此の神は祀るに豚肉を忌むと記されて居るのは、それが回教と關係あることを示して居り、往來船隻必祀之名曰番神廟と記されてある。從つて海南島の東南岸を通過する航路も盛んであつたことが伺はれ殊に今の安南から廣東に直航するものは此の航路ではなかつたかと思はれる。然し宋會要(粤海關志巻三所引)に廣東の市舶司が南宋の乾道九年に瓊州に市舶の役人一員を置き抽解せんことを請ひしが、漁利のそしりありとて行はれなかつたと記してある。この瓊州は海南海峽に面して居るので瓊州の發達は同海峽を通過する船舶の多かつたことを示して居る。Ibn Khordādzbeh は Lūkīn を記して居るので、その航路は東京—海南海峽—廣東であつたらう。足立氏は Lūkīn の讀み方を否定し elwakīn と讀み是を阿媽港の音譯とされたが、是は全く贊成出來ないことである。

Soliman (Sulaymān) の航路卽ち Calabar 十日程 Betouma (Tioma) 十日程 Kadrenge (P. Condore) 十日程 Senef (Phanrang) 十日程 Senderfoulat (Cham Collao) (Canfu まで一月程)—Mer de Sengi — Portes de la Chine, Canfu は自分の如く解釋すれば大體距離に於て不

都合がない。Ferrand氏の如くKadrengeをメコン河口に、Senderfoulatをコンドル島にすれば逆戻りの不都合が起り、足立氏の如くKadrengeを爪哇のPekalonganとすれば、Senefまでの距離十日程としては遠きに失し、Senderfoulatを雷州とすれば、廣府まで一月程とあるに一致せず。武備志航海圖に外羅山Cham Collaoから獨猪山に赴いて居るが、獨猪山は淸代の獨洲(或州)山Tinhosa Islandで海南島の萬州の沖にあるものであらう。是は鄭和の航路であるが參考になる。島は東北貿易風の烈しい時の避難所として名高い。(A.G. Findley, A Directory, p. 420)

足立氏はIbn Khordādzbeh所記の木綿國に就いて「古來絹綿は支那の產物にして阿刺比亞人の支那貿易の主要貨物は其の絹と綿とにある。故に阿刺比亞人は往々支那を指して絹國また木綿國と稱するのである。但し廣府を支那と稱する如く、茲に木綿國と云ふのは廣府の地方を指すこと勿論である」(史、雜、四九、五の七五)と云はれるが、こゝに支那の綿に對する誤解が認められる。氏の所引の唐六典巻三の諸道の貢賦にある絹綿の綿及び宋史巻一八六の運載錢帛絲綿而貿易象犀乳香珍異之物の綿は本より「きぬわた」の筈である。後漢書濊傳に知種麻養蠶作綿布とある如く、布は麻布、綿はきぬわたである。六典の布も麻、葛、紵等の布

を云つて居る。綿、絲、帛はきぬわた、きぬいと、きぬ織りものである。六典に見える木綿布は白氎の名で甘肅方面の賦に出て居る

足 氏は宋史所記大中祥符八年に來貢した注輦國の使者沙里三文の航路に就いても南路を主張される。同氏は大中祥符八年を西紀一二四三年とせるも是は一〇一五年の誤りである。又 と Chilanbaram (Chidanbaram) に比定すべきを主張される。此の地は Chidambaram が本來の名で Chilambaram は訛りである。注輦の名は Chola 國名をうつしたもので、小さな地名ではない。十一世紀では Tanjore が中心であつた筈である。諸蕃志に注輦國の四至を説明する內に東距海五里西至南天竺千五百里南至羅蘭二千五百里北至頓田三千里とある羅蘭は本より細蘭 (Ceylon) の誤りと思はれるが、北の頓田を勝手に南の誤りとするのは贊成出來ぬ。北の頓田は Kāñchipura を中心とする地方の名である Toṇḍa Maṇḍala の Toṇḍa でなければならぬ。maṇḍala は "a district" の意味。注輦國の使者沙里三文の來貢航路は宋史に記されて居る。三文の大體の航路は注輦—西蘭山 (Ceylon)—古羅國—三佛齊—賓頭狼山 (C. Padaran)—廣州であるが、その間に幾多の地名が出て居るが舊來の解釋も十分でないが、足立氏の解釋も吾々を滿足させせない。

例へばセイロンから古羅國に至る間の伊麻羅里をスマトラ西岸の Simalur 島とされるも、最初の音が全く一致せぬ。自分は伊麻羅里は印度史料の Ilāmuridesam の Ilāmuri で（三佛齊考頁九九）、卽ち藍無里のことではないか、而して古羅は矢張り回教徒の Kalah で馬來半島にあるべく、從つてマラッカ海峽を通過し三佛齊に至つたものと思ふ。古羅。三佛齊間の解釋として足立氏の加八山（Pepper B.）占不牢山（Cheribon）舟寶龍山（Pekalorgan）等の比定も穩當でない。

最後に支那佛敎史學二卷一號に載つて居る足立氏の「沙門法顯の歸還の航路に就いて」と云ふ論文に就いて述べて此の稿を終りたい。同氏は先きに考證法顯傳を著作された時には、法顯の航路はマラッカ海峽通過とされたが、此の度は改めてスマトラ西岸を南下し、スンダ海峽を北上して耶婆提國 Palembang に上陸したとされて居る。是は史學雜誌の「九世紀に於ける蘇門達島南の航路に關する研究」によつて導かれたものである。

足立氏は法顯の寄航した耶婆提國に就いて、從來の爪哇說に反對され、耶婆提は唐代の室利佛逝であると云ふ新說を出された。是は考證法顯傳にも旣に說かれて居た。足立氏は耶婆提卽ち Yavadvīpa と室利佛逝との關係を說明して「またYaは暹羅語のYai(偉大なる接頭語)である。室利佛逝の名は義淨の大唐西域求法高僧傳に初めて見る處であるが、恐らく義淨は室利Sri(吉祥尊貴)を以て耶Yehを梵譯し、婆提patiを佛逝Foshihに改譯せるものならん」と云はれる。然し義淨が足立氏の推測される樣なことをする筈はない。義淨は當時行はれて居た國名を漢字でうつしたまでである。室利佛逝は耶婆提を改作した名ではない。當時行はれた國名で、刻文に見えるŚri Vijayaである。(三佛齊考頁七)足立氏の研究はŚri-vijayaに關する近來の研究を無視されて居るとしか見えない。是は畢竟耶婆提を室利佛逝に比定せんとする意圖から行はれたものであるが、室利佛逝は夫れ自身の史料を有して居り、何も耶婆提を借りて來なくてもよいのである。回教徒はDjabah, Djāwagaの名をスマトラに用ひて居るが、Yava, Javaと云ふ名は本來今の爪哇に用ひられたものであることは、支那史料から認められる。社婆、闍婆と云ふのがそれである。宋書に呵羅單國治闍婆洲と云ひ、唐書に訶陵亦日社婆日闍婆と記して居る。是に反してスマトラ方面を闍婆とは記して居ない。梁高僧傳卷三求那跋摩傳を見るに、跋摩は師子國より闍婆國に來り名聲があつたので、宋の文帝は元嘉元年沙門を遣はし、書を跋摩及び闍婆王婆多伽等に致し跋摩を招いたことがある。足立氏は此の闍婆王婆多伽を以て、隋書所記赤土國王利富多塞に比定された。然し宋の元嘉元年と隋の煬帝が赤土に遣使した年との間には百八十年の歳月が經過して居る。然も隋書は利富多塞は當時在位十六年と云つて居る。從つて父王出家は隋文帝開皇十五年頃である。足立氏が「闍婆國の佛教は富多塞王の父王の出家に始まり、跋摩の來錫に因つて與り、義淨の時には隆盛を極めた。法顯の滯留は父王出家の前後に當るが故に」とは何のことか理解出來ぬ。要するに高僧傳の闍婆王婆多伽と隋書の赤土國王利富多塞とは何の關係もないのであるから、赤土國と闍婆國との關係も考へられぬ。赤土國を室利佛逝と同じとされた點は自分の考へと一致するが、赤土を仲介として室利佛逝と宋代の闍婆と關聯させることは前述の如く全く同氏の誤解である。耶婆提國と室利佛逝との關係も贊成出來ない。足立氏は耶婆提、闍婆、赤土、室利佛逝を同じく共にスマトラ東南部の國とされたが、自分は耶婆提＝闍婆、赤土＝室利佛逝は認めるが、前二者と後の二者を同じと見ることは足立氏の説明では理解出來ぬ。

追記　一、本論文頁一〇―一一に賈耽所記の葛々僧祇國に就いて卑見を述べた

が、その後最近出版の史學會編東西交渉史編中に小林元氏のザンヂュ考があり、その末尾頁四七—四九に葛々僧祇の葛々をイラン語 Kâkâ で解釋された。同氏は Kâkâ は Steingass 及び D. Horbes によれば「古い奴隷」ないし「ある父に屬して居る奴隷」その他を意味するイラン語である。さらに S. Haiim にしたがへば、カーカーは黑人奴隷であり、Ghulâmsiyâh に通ずると云ふ、從つて葛々僧祇はカーカーザング乃至カーカーザンギーと對音されうることによつて、「ザング奴隷」もしくは「ザンギー奴隷」すなはち「黑人奴隷」乃至「黑奴」と解釋されうるわけであると云はれる。今 Steingass の辭書を見るに kâkâ, An old slave; an elder brother; dry fruit; a paternal uncle; a schoolboy's satchel と記してあり、Jean Jacques Pierre Desmaisons, Dictionaire Persan-Francais, 1913, vol. III. p. 18 にも Kâkâ, 1) frère ainé, 2) vieux serviteur, esclave vieilli dans la maison de son maître, 3) fruits secs, 4) oncle paternal とあり、kâkâ が年長者に對して用ひられて居ることは是と類似の Kākū, Kakūya, A mother's brother. Kākī, An aunt の例でもわかり、馬來語にても Kak 姉 kakak 姉兄=Kakanda=Kakang とある。とにかく前掲の二書は Kākā を奴隷としても老奴隷の意味であり、年長者の意味が含まれて居り、又黑奴とは直接記して居ない。所が S. Haïm, New Persan-English

Dictionary, 1936 には kākā, 1) A (negro) slave, syn. ghulām siyāh 2) (Elder) brother とあり、又 kākā siyāh, A negro; a black slave. とある。ghulāmsiyāh は本より黒奴の義である。Haïm の説明を見るに、kākā の條には明かに黒奴と記して居るが、然も一方 Kākā siyāh (黒い kaka) と云ふ語を擧ぐる所を見ると kākā 丈では黒奴の義にならぬ様にも見える。從つて自分は Haïm の説よりも Steingass の説に從ひたい様に思ふ。kākā に年長の意味が含まれるとすれば、是は一般黒奴に適用され得ない。若し Haïm の説の如く、Kākā が單に黒奴の意味としても葛々僧祇の如き形は Ferrand, Relations 所引の回教徒文獻に出て來ない所を見ると、それは普通に用ひられる形ではなかつたことを思はせる。普通單に Zangī 丈で黒奴の意は通じて居た。尙ほ東洋文庫で John Richardson, A Dictionary, Persian, Arabic and English, new edition by Francis Johnson, 1829 を見た所、Kākā, A full-grown man. An Indian captive or slave. An old slave. An elder brother. と云ふ解釋になつて居た。

二、最近發行された The Journal of the Greater India Society, vol. V, no. 2. に K.A. Nilkanta Sastri 氏の Kaṭāha と題する十九頁の論文が掲載されて居る。Kaṭāha は梵語で Tamil 語の史料では Kaḍāram, Kiḍāram と記されて居る。所が Paṭṭinappālai に

Kālagam の名があり、Pattinam 卽ち Kāveripaṭnam と云ふ Chola 王國の港と常に貿易をして居た。此の Kālagam は註釋家により Kaḍāram と同じものとされて居た。Coedès 氏は是れらの Kaṭāha, Kaḍāram, Kāḷagam を同じものと見たが、Ferrand 氏は發音に拘泥して Kaṭāha と Kaḍāram を別物としたが、Sastri 氏は synonyms は盛んに用ひられることを認め Coedès 氏說に贊成した。卽ち Coedès 氏は Kaṭāha, Kaḍāram は共に 'frying pan, cauldron of copper' を意味するが、Kaḍāram は又 dark brown colour の意味をもつので、black の意味である Kalagam と synonym であると云へるに對し、Sastri 氏は梵語 Kaḍāra が Kāḷagam と synonym であることを指摘した。然し Williams の辭書には Kádru, 'tawny, brown, reddish brown' とあり、Kaḍāra は見えぬ。然し地名としては Kaṭāha を frying pan 等と解しては意味が通じないので、自分は a turtle's shell の譯を採用すべきではないかと述べた、(三佛齊考頁六四—六五) Schoff, Tthe Periplus of the Erithraean Sea, p. 48 によると Chryse は最もよい龜甲を產すると云つて居る。Chryse は本より馬來半島であらう。然し Kāḷagam と云ふ名は古いので、何れが最初の形であるか決定するのは困難であると Sastri 氏も云つて居る。若し black の意味の Kāḷagam が最初の形としても、是は馬來人に適用したのではなく、南洋の Negritos, Negros に適用されたと見るべきである。(本論文頁三一参照) 從つて Kālagam は馬來半島に求むべく、今の Kedah 附近に比定することにより、Kaṭāha, Kaḍāram 及び支那史料の羯茶、哥羅等の比定と一致するわけである。回教徒の Kalah も同じ。Sastri 氏の本論文は主として J. L. Moens 氏の Çrīvijaya, Yāva en Kaṭāha に對する批評であり、氏自身の積極的意見は出て居ないが、Moens 氏が Kaṭāha を爪哇の Kĕḍu に比定したり Kaḍāram を回教徒の Kadrang と同じとし。Singapore に比定したりしたことや、Śailendra 家の移住等 Moens 氏の數多い新説に對して不賛成を表して居る。唯 Sastri 氏の反駁は支那史料に觸れること稀なので、自分の三佛齊補考第四章に於ける批評と併せて考ふべきものと思はれる。(昭和十四年六月稿)

元朝の地方行政機構に關する一考察

――特に路・府・州・縣の達魯花赤に就いて――

青　山　公　亮

元朝の地方行政機構に關する一考察

——特に路・府・州・縣の達魯花赤に就いて——

青山公亮

目次

元朝の地方行政機構に關する一考察

——特に路・府・州・縣の達魯花赤に就いて——

青山公亮

一　序説

蒙古人は支那の支配者として最も重要な資格の一つを缺いて居た。文治に關する能力の著るしく低調であつたこと、即ちそれであり、路・府・州・縣の行政機構が達魯花赤を中樞機關として運用されたことの如きは、これに由來する施設の一つと考へられる。

達魯花赤は、蒙古語 daruγači の對音で(1)、一に荅嚕合臣 daruγačin とも呼ばれ(2)、管民官(3)、監臨官(4)、鎭守官(5)などの漢譯を有する官名である。

成吉思汗實錄一〇巻一一は、この官職の西域に設置された顚末を述べて

又撒兒塔兀兒の民を取り畢へて、成吉思合罕勅あり、城城に荅嚕合臣を置

きて、兀嚨格赤の城より牙剌哇赤・馬思忽惕といふ父子二人、忽嚕木石の姓ある撒兒塔兀兒來て、城の緣故體例を成吉思合罕に奏して、「緣故に遵ひ知らせ」と云はれて、その子を馬思忽惕忽嚕木石を、我等の荅嚕合思（荅嚕合臣の複稱）と共に不合兒・薛米思堅・兀嚨格赤・兀丹・乞思合兒・兀哩羊・古先荅哩勒などの城どもを知らしめに任して、その父を牙剌哇赤を伴れ來て、乞塔惕の中都の城を知らしめに伴れ來たり。撒兒塔黑の人より牙剌哇赤・馬思忽惕二人の、城の體例緣故に通じたるの故に、乞塔惕の民を知らしめに、荅嚕合思と共に任したり。

と云つてゐる。その記す所は稍〻難澁の嫌はあるが、問題の官職が、もと「我等」卽ち蒙古人をして、「城の體例緣故に通じた」非蒙古人出身の官吏と共に、「緣故に遵ひ(て)」城市の民を知らしめんがために設置されたことは、察するに難からぬものがある。

かゝる施政方針乃至施設を必要とした素因は、征服者——治者——と被征服者——被治者——との間に、容易に越え難い人文上の距離の存しことにある。當年に於ける蒙古人の文化が、如何に憫れむべき狀態にあつたかは、宋人の見

聞錄の傳へる所である。試みにその一二を拾へば、蒙韃備錄は、朔土の自然と人生とを略述して

韃人〇蒙古人地僥水草、宜羊馬、其爲生涯、只是飲馬乳、以塞飢渴。

といひ、長春眞人西遊記は

以黑車白帳爲家、其俗牧且獵、衣以韋毳、食以肉酪。

と記してゐる。原始的遊牧民の風貌、以て想見すべきであり、之を其の統制機關に見るも、蒙韃備錄は

今〇太祖成吉思汗卽位十六年西紀一二二一年頃のこと韃人〇蒙古人甚朴野、略無制度。

といひ、元史〇卷八五・百官志の總敍は、これを裏書して

元太祖起自朔土、統有其衆、部落野處、非有城郭之制、國俗淳厚、非有庶事之繁、惟以萬戶統軍旅、以斷事官治政刑、任用者不過一二親貴重臣耳。

と述べてゐる。

蒙古人は武力に於いては、西域の諸城を征服し得たとはいへ、要するに曠野の自然兒であり、城市の民を統治するに必要な敎養を缺いた憾がある。「緣故に遵ひ(て)知らせ」るを施政の大方針とすると同時に、非蒙古人官吏を登庸して行政

の局に當らしめた所以は、此處にある。元の虞集は、この間の事情を記して

我皇元之始受天命也、建旗龍漠、威令赫然、小大君長、無有遠邇、師征所加、或克或附。於是因俗以施政、任地以率賦、出其豪傑而用之。禁罔疏濶、包荒懷柔、故能以成其大。

と云つてゐる。(6) 其豪傑を出して之を用ゐたことは――非蒙古人を簡拔して行政の實務を管掌せしめたことは――全く已むを獲ざる處置であり、征服者としての大綱を確保する必要は、爲に一層强化されたと觀るべきである。

問題の達魯花赤は、かゝる政治的要望の下に建置された特殊の監臨官――地方常駐の行政監督官――であり、その特徴は、管内の行政に對する最高決定權を把持して、非蒙古人官吏の施政を監督したことにある。既に最高決定權の保持者たる以上、最高責任の擔當者――歴代の地方長官に優るとも劣らざる最高責任者――たるべきは、多言を俟つまい。皇元聖武親征錄は、前記の西域諸城に、この官職の設置されたのを、太祖成吉思汗卽位十八年癸未に繫けて

時上（太祖成吉思汗）既定西域、置達魯花赤於各城、監治之。

と云つてゐる。監治の二字は、その任務乃至城市に對する蒙古の施政方針その

ものを、簡明に表現して餘す所がない。たゞその年次には一年の誤差があり、正しくは、既に那珂博士の考訂された如く、太祖十七年壬午（西紀一二〇二年）とすべきである。(7)

〔附註〕

1、白鳥博士「高麗史に見えたる蒙古語の解釋」達魯花赤の條。（「東洋學報」第十八卷第二號（昭和四年十二月）三〇頁）

2、同前

3、「黑韃事略」其稱謂の條。

4、「大元聖政國朝典章」五、臺綱 卷之一、設立憲臺格例の條。

「中書右丞相史公神道碑」（「元文類」卷之五十八所收）

5、「元朝祕史續集」卷一

6、「御史臺記」（「元文類」卷之三十所收）

7、那珂博士「校正增注元親征錄」一二七頁、癸未の條

二　憲宗朝以前に於ける漢地統制策の一斑

憲宗朝以前に於ける對漢地政策の一斑を論ずるには、一應蒙古人の文化狀態に就いて附言する要がある。之を大局より觀れば、當代の世相は引續き原始的狀態に停滯してゐたと言はざるを得ない。その具體的例證の二三を外國人の見聞錄に求めれば、黑韃事略は、太宗窩濶台汗治下の狀況を傳へて

其居穹廬（卽氈帳）、無城壁棟宇、遷就水草無常（○以下略）
其食肉而不粒、獵而得者、曰兎、曰鹿、曰野彘、曰黃鼠、曰頑羊（其脊骨可爲杓）、曰黃羊（其背黃尾如扇大）、曰野馬（如驢之狀）、曰河源之魚（地冷可致）。牧而庖者、以羊爲常、牛次之、非大燕會不刑馬。火燎者十九、鼎烹者十二三（○以下略）
其飮馬乳與牛羊酪（○以下略）
其味鹽一而已。
其爨草炭（牛馬糞）。

といひ、張德輝の紀行(1)の一節に

始見毳幕氈車、逐水草畜牧而已。非復中原風土。

といひ、他の一節に

其服非毳革則不可、食則以羶肉爲常、粒米爲珍。

と記されてゐるのは、定宗貴由汗朝に於ける草地の實況である。包を終生の住居とする限り——遊牧を主たる生業とする限り——文化特に物質文明の飛躍的進歩は、所詮期待し得ない。一西僧が、憲宗蒙哥汗の金帳——禁廷——に於いて目撃した光景の如きは、この間の事情を端的に示すものの一つである。曰く

The house was all covered inside with cloth of gold, and there was a fire of briars and wormwood roots——which grow here to great size——and of cattle dung, in a grate in the centre of the dwelling.

と。(2) 所謂漠北時代(西紀一二〇六年——一二五九年)の全期を通じて蒙古族の武威は、遂に歐亞を席卷したとはいへ、開明の度の殆ど向上せざること、大略かくの如くである。

其の政事的勢力が、次第に北支を風靡するに伴ひ、西域の諸城に對すると全く同一の統治方針を採用し、支那人(またはこれに準ずる者)をして文治の局に當

らしめるとともに、蒙古人(またはこれに準ずる者)をして所謂監治の責に任ぜしめた所以はここにある。以下にその若干の實例を擧げれば、太祖朝のものには

乘輿北歸、留札八兒、與諸將守中都(〇北京)、授黃河以北・鐵門以南天下都達魯花赤(元史・卷一二〇、札八兒火者傳)

授洺磁等路都達魯花赤(元史・卷一二三、紹古兒傳)

等があり、太宗朝のそれには

庚子(〇太宗一二年)、進懷孟河南二十八處都達魯花赤、所隷州郡不從命者、制令籍其家(元史・卷一二〇、曷思麥里傳)

帝(〇太宗)曰、西山之境、八達以北、汝其主之。汝於城中、構大樓居其上、使人皆仰望汝、汝俯而諭之、顧不偉乎。乃以爲山西大達魯花赤(元史・卷一二四、速哥傳)

太宗卽位、授豐靖雲内三州都達魯花赤、改太原平陽二路達魯花赤(元史・卷一二五、賽典赤贍思丁傳)

等がある。

黃河以北鐵門以南天下都達魯花赤・懷孟河南二十八處都達魯花赤・山西大達魯花赤等々の稱呼は、その管轄區域の甚だ廣大であり、その權力の極めて强大であ

つたことを示唆して餘す處がない。これは國初の達魯花赤に見られる一特徴であり、元史卷一三一忙兀台傳に

忙兀台、蒙古達達兒氏、祖塔思火兒赤、從太宗定中原有功、爲東平路達魯花赤、位在(東平行尙書省事)嚴實之上。

とあるものの如きは、その傍證の一つである。

定宗・憲宗の二朝は、祖宗の方略をその儘蹈襲して漢地に臨んだ時代であり、元史卷一二二昔里鈐部傳に

丙午西紀一二四六年定宗卽位、進秩大名路達魯花赤。憲宗以卜只兒來蒞行臺、命(昔里)鈐部同署。既又別錫虎符、出監大名。

とあるものの如きは、その實例の一つである。

眼を轉じて所謂監治の效果を觀察するに、支那方面に關する限り、大なる成功を收め得なかつたものの如くである。元の王磐の中書右丞相史公神道碑に(3)

國朝之制、州府司縣、各置監臨官、謂之達魯花赤、州官府往往不能相下、公史天澤獨一切莫與之較。由是唯眞定一路、事不乖戾、而民以寧。

といひ、王惲の大元故大名路宣差李公神道碑(4)に

憲宗皇帝、獎其舊臣、處內地便之、命錫金虎符、充大名路都達魯花赤。復賚白金御騾、以寵其行。魏(大名)自兵後官府甫建、群豪諸司錯迭、長雄不相下、致政令不行、事多齟齬。公(小李鈐部=昔里鈐部)知其然、無鉅細、一以重典從事。初則還然、既乃弭耳聽、約束惟謹、大綱既振。

と見えるものの如きは、ともにこの間の消息に觸れた文字であり、事は稍〻後年に屬するとはいへ、馬祖常の覇州長忽速刺沙君遺愛碑(5)には、監臨政治の弊を痛論して

國家官制、率以國人(蒙古人)居班薄首。州縣則又仍國初官、各置達魯花赤員、並守令丞佐連位、坐署閧然、言語氣俗不相通、大或恣睢壓僚吏、小或嚙螯(螯一作螫)單弱、使者劾治、則稱謂氏族貴重、人人皆假貸、不繩細微廉愼之節、彼亦往往甘心焉。而欲效古之循吏、能專志於治者寡矣。

と云つてゐる。

制度の眞價は、人を離れては考へられない。監治の成果を阻礙した最大の原因は、その運營に當るべき人材の求め難かつたことにある。これを達魯花赤の任用範圍に觀るも、蒙古人または由緒ある色目人(準蒙古人)に限定するを原則と

したことの如きは、もと治國の根本方略に基く當然の措置とはいへ、かゝる庸劣な人的組織を以て煩雜極りなき地方行政の表裏を總監せしめることは、難きを强ふる以外の何ものでもない。李璮の亂後、宋子貞が上言して

監司〇諸路總管府總統一路之政、所用猥雜、不厭人望、乞選公廉有才德者、俾居其職。

と述べてゐる(6)のは、この間の機微に觸れた議論の一つである。

〔附　註〕

1、「秋澗先生大全文集」卷一百(「玉堂嘉話」卷之八)所收。
2、Rockhill; The Journey of William of Rubruck to the Eastern Parts of the World. p. 172.
3、「元文類」卷之五十八所收。
4、「秋澗先生大全文集」卷五十一。
5、「馬石田文集」卷十三。(「元四大家集」本)
6、太常徐公撰「平章宋公(宋子貞)墓誌」の一節。(「元朝名臣事略」卷十所載)

三　投下達魯花赤の選任に關する違法に就いて

敍上の見解に大過なしとすれば、所謂監治なるものは、全く止むを得ずして採用された統御の手段であり、これに多大の期待を囑し難いことは自明の理である。投下達魯花赤なるものの選任に當り、以下に述べるが如き違法の行はれたことは、尠くともかゝる事情に淵源する所があつたものと考へられる。

投下の原義は、猶ほ詳かでないが、これを其の用語例より觀れば、㈠后妃・諸王・駙馬・公主・功臣などに賜與された分民乃至分地を意味するとともに、㈡分民・分地の賜與を受けた諸王・貴戚・功臣などの義にも使はれてゐる。分民といひ、分地といふも、實質上は租稅の一部を賜與される權利であり、投下達魯花赤とは、この權利の行使を中心とする業務に關與した特殊の監臨官のことである。

所謂分民・分地並に投下達魯花赤に關する二三の事例を擧げれば、元史卷二〇・太宗本紀・八年丙申(西紀一二三六年)秋七月の條には

詔以眞定民戶、奉太后湯沐、中原諸州民戶、分賜諸王貴戚。……………耶律

楚材言非便、遂命各位、止設達魯花赤、朝廷置官吏、収其租頒之、非奉詔不得徴兵賦。

といひ、同書（○巻九五）食貨志・歳賜の項には

凡諸王及后妃・公主、皆有食采分地。其路・府・州・縣、得薦其私人以爲監（○監臨官）秩祿受命如王官、而不得以歳月通選調。其賦則五戸出絲一斤、不得私徴之、皆輸諸有司之府、視所當得之數、而給與之。

と見え、同書（○巻八二）選擧志・銓法の項には

凡諸王分地與所受湯沐邑、得自擧其人、以名聞朝廷、而後授其職。………（至元）五年詔、凡投下官、必須用蒙古人員。六年、以隨路見任、并各投下糺差達魯花赤內、多女直・契丹・漢人、除回回・畏吾兒・乃蠻・唐兀、同蒙古例許敍用、其餘擬合革罷、曾歷仕者、於管民官內敍用。十九年詔、各投下長官、宜依例三年一次遷轉。

と記されてゐる。

要するに分民乃至分地は、一種の封戸或は采邑の如きものであり、その領有者たる諸王功臣等の權利は、㈠毎年分民乃至分地より上納される特殊の賦稅を

賜與されることと、(二)その私人を所謂封地に遣はして、權利の行使を中心とする事項に參與せしめ得ることとの二つを主眼としたものの如くである。「止設達魯花赤、朝廷置官吏、收其租頒之」とは即ちこの謂と考へられる。

然りとすれば、投下達魯花赤なるものは、たとへ「秩錄受命如王官」であつたとしても、その職權は極めて狹少であつたと云はざるを得ない。然も敢てこれを問題としたのは、「凡投下官、必須用蒙古人員」といふ詔旨の無視された傾向が見られる爲である。

このことに就いては、箭內博士に詳細な研究があり、蒙古人または回回・乃蠻等の所謂色目人を措いて――投下達魯花赤の選任に關する國法を犯して――漢人を任用する傾向の存在した顚末を明白に指摘されてゐる。(1)

問題は帝室の藩屛である王侯貴戚が、かゝる違法を敢てした處にある。而してこれが原因には、もとより種々の事情が伏在したことと考へられるが、尠くともその最大のものは、蒙古人乃至準蒙古人の教養の不足に由來してゐると思はれる。何となれば、漢人の蒙古人に優れた所は、專ら文治に關する能力の點に存するからである。

果して然りとすれば、路・府・州・縣の達魯花赤のみが——所謂王官のみが——獨り凡庸低調の謗を免れ得べき理由はない。所謂監臨制の一大弱點が那邊に存したかは、かくして愈〻明瞭である。

〔附　註〕

1、「元代社會の三階級」（蒙古研究三一七——三二二頁）

四　元朝の制度と蒙古人官吏の能力

蒙古人の開明の度は、世祖忽必烈可汗が禹域の全土を併呑した頃に至るも、猶ほ極めて低く、所謂衣冠の民を治むべき準備と用意とを缺いた憾がないとしない。元史（卷八）・世祖本紀、至元十二年五月庚辰（十日）の條に

詔諭參知政事高達曰、昔我國家、出征所獲城邑、卽委而去之、未嘗置兵戍守、以此連年征伐不息。夫爭國家者、取其土地人民而已。雖得其地、而無民、其誰與居。今欲保守新附城壁、使百姓安業力農、蒙古人未之知也。爾熟知其事、宜加勉旃。湖南州郡、皆汝舊部曲、未歸附者、何以招懷、生民

何以安業、聽汝爲之。

とあるものの如きは、その一例である。世祖は深く此處に省察する所があり、頻りに帝政の態様を擬装して元室凡そ百年の基を啓いた。元史（卷八五）百官志の總敍はその片影を傳へて

世祖卽位、登用老成、大新制作、立朝儀、造都邑。遂命劉秉忠・許衡、酌古今之宜、定內外之官。其總政務者、曰中書省、秉兵柄者、曰樞密院、司黜陟者、曰御史臺。體統既立、其次在內者、則有寺、有監、有衞、有府。在外者、則有行省、有行臺、有宣慰司、有廉訪司。其牧民者、則曰路、曰府、曰州、曰縣。官有常職、位有常員。其長則蒙古人爲之。而漢人・南人貳焉。於是一代之制始備、百年之間、子孫有所遵藉矣。

と云つて居る。

元制の一大特色は、國人中心主義の強化を目的とし、漢制の採取乃至漢人の登庸を手段とした處にある。蒙古人を以て百官の長としたことの如きは、前者の適例であり、文・武・監察の三權を鼎立せしめたことの如き、漢人を任使して實務に當らしめたことの如きは、孰れも後者の例證である。

行政の體系はかくして組織されたものの、人的資材の整備は、これに伴ふを得なかつた。元來、蒙古人は支那の文明、特に精神文化を若干輕視した嫌があり、漢字・漢文の傳習さへ兎角等閑に附した傾がある。[1] かゝる態度が、所謂中華の治者としての能率を阻礙したことは勿論であり、目に一丁字なき大小の長官を隨所に見出し得たことの[2]如きは、皇元一代の悲喜劇である。

これを蒙古人官僚の一般的能力より論ずる限り、元室の支那統治なるものは、要するに大規模の監治であり、尠くとも監治を中軸とする統御以上のものとは考へられない。路・府・州・縣の行政が、達魯花赤を最高責任者として運用されたことの如きは、この間の事情を最も端的に示す事實の一つである。

〔附註〕

1、世祖その人が「朕不識(漢)字蠱人」と公言してゐることの如きは、その適例の一つである。(「高麗史」卷第二十八、忠烈王世家・戊寅四年秋七月の條)
なほ、この間の事情は、羽田博士の論文「元朝の漢文明に對する態度」(「狩野教授還曆記念東洋史論叢」七一九——七二二頁)に詳論されてゐる。

2 前記羽田博士の論文　七二一頁參看

五　地方行政機構の特徴

——特に路・府・州・縣の達魯花赤に就いて——

元史(卷五八)・地理志の總敍は、地方行政組織の大要、特に路・府・州・縣の統屬關係を概述して

唐以前、以郡領縣而已。元則有路・府・州・縣四等、大率以路領州領縣、而腹裏或有以路領府、府領州、州領縣者、其府與州、又有不隷路而直隷省(○中書省又は行中書省)者。

と云つてゐる。

路以下の職制の特色は、達魯花赤を最高長官とし、判署の長即ち實務に當る官吏の長をその次に据え、監治機關と行政機關とを併置した所にある。明の葉子奇は、兩者の關係を論じて(1)

元路・州・縣、各立長官、曰達魯花赤、掌印信、以總一府(○諸路總管府)一縣之治。判署則用正官、在府則總管、在縣則縣尹。

といひ、清の趙翼は、達魯花赤の職分を釋して(2)

掌印辦事之長官、不論職之文武大小、或路或府或州縣、皆設此官。

といつてゐる。元制の特徴は、判署の正官卽ち實務に從ふ官吏の上に、最高責任者卽最高決定權の把持者として所謂掌印辦事の長官を置いて、一府一縣の政を總べしめた所にある。例を諸路總管府に取れば、判署の長は總管であり、最高責任者卽最高長官は、達魯花赤である。葉子奇は、最高長官の特質を巾着の緒締に比して

達魯花、猶華言荷包上壓口捺子也。亦由古言總轄之比。

といつてゐる。(3) 蓋し說き得て頗る妙といふべきであらう。

達魯花赤以下の任用に當り、蒙古人至上主義と漢人をして漢人を治めしめる方略とが併用されたことは勿論であり、元史・世祖本紀は、この間の消息を洩して

(1) 至元二年二月甲子〔〇二四日〕、以蒙古人充各路達魯花赤、漢人充總管、回回人充同知、永爲定制。（卷六）

(2) 至元五年三月丁丑〔〇二六日〕、罷諸路女直・契丹・漢人爲達魯花赤者。回回・畏兀・乃蠻・唐兀人仍舊。（同前）

(3)至元十六年九月戊午（一四日）、議罷漢人之爲達魯花赤者（卷十）

と云つてゐる。(1)の定制が尊重されたこと、(3)の禁令が比較的嚴重に勵行されたこと等々は、箭內博士の夙に考證された所(4)であり、これを當代の政治事情乃至監臨制本來の使命より觀るも、正に然るべきことである。

達魯花赤制の特色を、より具體的に究明するには、所謂掌印辦事の長官が處理した事項の一般、別言すれば地方官の主たる任務そのものに就いて考察する要がある。かゝる觀點の下に先づ注目すべきは、元史（卷八二）選擧志・銓法の條に

凡選擧守令、至元八年詔(5)、以戸口增、田野闢、詞訟簡、盜賊息、賦役均、五事備者、爲上選。九年、以五事備者爲上選、陞一等、四事備者減一資、三事有成者爲中選、依常例遷轉。四事不備者添一資、五事俱不擧者、黜降一等。二十三年詔、勸課農桑、克勤奉職者、以次陞奬、其怠於事者、笞罷之。二十八年詔、路府州縣、除達魯花赤外、長官並宜選用漢人素有聲望、及勳臣故家、并儒吏出身、資品相應者、佐貳官遴選色目漢人參用、庶期於政平訟理民安盜息而五事備矣。

と見える記事である。守令卽ち所謂親民官の主たる職任にして、行政・司法・收稅

等々に瓦ること。凡そかくの如しとすれば、達魯花赤のそれが守令以下を董督して、五事の效を全くするに存したことは、自明の理である。試みにこれが例證を元史に求めれば、その本紀に見えるものには

至元八年冬十月癸巳日〇三大司農臣言、高唐州達魯花赤忽都納・州尹張廷瑞・同知陳思濟、勸課有效、河南府陝縣尹王仔、怠於勸課、宜加黜陟、以示勸懲。從之。(卷七)

至元二十三年冬十月甲午朔、襄邑縣尹張玘、爲治有績。鄢平縣達魯花赤回回、能捕盜理財。進秩有差。(卷一四)

などがあり、列傳には

(中統)四年、……制必帖木兒王、承制使襲父職爲(臨洮府)元帥、入覲賜金虎符、爲臨洮府達魯花赤。……(趙)重喜在郡、劭農興學、省刑敦教、以善治聞。請致事、不許。(卷一二三・趙阿哥潘傳附載趙重喜傳)

完者拔都……江南歸附入見、賜號拔都兒、佩金虎符、遷信武將軍管軍總管高郵軍達魯花赤。首以興學勸農爲務、四方則之。郡有虎傷人、手格殺之。既而高郵陞爲路、進懷遠大將軍高郵路達魯花赤(卷一三三・完者拔都傳)

至元十八年、蜀初定。帝閔其地久受兵、百姓傷殘、擇近臣撫安之、以立智理威、爲嘉定路達魯花赤。時方以闢田均賦弭盜息訟諸事、課守令。立智理威奉詔甚謹、民安之、使者交薦其能。(卷一二〇・立智理威傳)

脫烈海牙……改隆平縣達魯花赤、均賦興學、劭農平訟、橋梁水防、備荒之政、無一不擧。及滿去、民勒石以紀其政。(卷一三七・脫烈海牙傳)

などがある。

五事の效を全くするの第一歩が、治安を確保するにあるは贅言を要しない。これを支那に於ける歷朝の史實に觀るも、治安の維持に關する責任上、牧民官の軍事に關與した事例は枚擧に遑がない。問題の達魯花赤に、この事の見られるのは勿論であり、その例證の若干を元史の本紀に求めれば

至元二十六年春正月癸卯(二〇日)、畬民丘大老、集衆千人、寇長泰縣・福州達魯花赤脫歡、同漳州路總管高傑、討平之。(卷第一五世祖本紀)

大德四年九月壬戌(二〇日)、廣東英德州達魯花赤脫歡察而、招降群盜二千餘戶。陞英德州爲路、立三縣、以脫歡察而、爲達魯花赤、兼萬戶以鎭之。(卷第二十成宗本紀)

泰定二年六月癸未〇五日、潯州平南縣猺爲寇、達魯花赤都堅·都監姚泰亨死之。（卷第二九泰定帝紀）

至順二年春正月巳卯〇三日、行樞密臣言、（去年）十一月、仁德府權達魯花赤曲朮、糾集兵衆、以討雲南、首敗伯忽賊兵於馬龍州。以是月十一日、殺伯忽弟拜延、獻馘於豫王。（卷第三五文宗本紀）

至正十二年三月、是月方國珍復刧其黨下海、入黃巖港。台州路達魯花赤泰不花、率官軍與戰死之。（卷第四二順帝本紀）

至正十七年春正月辛卯〇一六日、命山東分省、團結義兵、每州添設判官一員、每縣添設主簿一員、專率義兵、以事守禦。仍命各路達魯花赤提調、聽宣慰使司節制。（卷第四五順帝本紀）

等があり、列傳には

尋陞華亭爲府、以（沙）全爲達魯花赤、賜虎符。時盜賊蠭起、其最盛者、有衆數千人、全悉招來之、境內得安。（卷一三二沙全傳）

至元十五年…………加定遠大將軍福州路總管府達魯ナ平閩盜。（卷一三三脫歡傳）

至元中、擢爲隷州達魯花赤、遷德安府達魯花赤。適土人蔡知府者、以衆叛、

鐵哥朮率衆先登、冒矢石、身被數槍、猶戰不已、遂討平之。（卷一三五鐵哥朮傳）

除保定路達魯花赤。…………俄除吏部尙書。保定父老百數、詣闕言、乞留監郡、以撫吾民、遂以尙書、仍知郡事。會賊北渡河、日修城浚濠、爲戰守具…………賊再侵境、皆不利遁去。…………召還爲詳定使、保定民不忍其去、繪像以祀之。去保定一月、而城陷矣。（卷一四五月魯不花傳）

賊陷潛江縣。達魯花赤明安達爾、率勇敢出擊、擒其僞將劉萬戶、進營蘆洑、賊衆奄至、出鬬死、其家殲焉。（卷一九五聶炳傳）

以選爲襄陽路達魯花赤、至正十一年、盜起汝潁。均州鄖縣人田端子等、亦聚衆殺官吏。孛羅帖木兒、將民兵捕斬之。未幾、行省・廉訪司、同檄孛羅帖木兒、以其所領兵、會諸軍於均房、同討賊。（卷一九五孛羅帖木兒傳）

等々と記されたものが見えてゐる。所謂鎭守官の性質を併せ有して居たことは、かくして明瞭である。

路以下の達魯花赤の主たる管掌事項にして概ねかくの如しとすれば、其の職分上の特徴は、行政に關する最高決定權の保持者であるとともに最高責任者であつたことにある。別言すれば、監臨官卽行政監督官であると同時に最高の管かゝる官職を必須とした所に、元朝の支那統治なるものの實體が示唆されてゐる。抑﹅皇元一代の治たる、その標榜する所は、所謂聖澤を光被せしめるに在つたとはいへ、その施行する所は、飽迄治者階級の特權を確保し、治安に大害なき範園内に於いて、出來得る限り多額の税賦を搾取するを一大目的とした傾向が見える。(6) 從つて、その一切の善政は、羊馬を愛育して畜産の多きを致す手段にも比すべきであり、牧民といふ成語は、この王朝に於いては、尠くとも字面通りに解すべきである。路・府・州・縣の達魯花赤は、もとかゝる政治的事情乃至意圖の下に設置された常駐の行政監督官兼牧民長官である。

〔附　註〕

1、「草木子」卷三下集・雜制篇

2、「二十二史劄記」卷二十九・蒙古官名

3、「草木子」卷三下集・雜制篇

4、「元代社會の三階級」(「蒙古史研究」三一一――三一四頁)

5、「大元聖政國朝典章」二、聖政　卷之一、飭官吏の條には、この詔の發布された日時を中統五年八月初四日に係けてゐる。

6、實務に從つた恐らく最初の漢官と思はれるものが、太宗卽位二年（庚寅）冬十一月に創設された十路徵收課稅使であつたことの如きは、その適例の一つである。（「元史」卷二・太宗本紀參照）

六　結　語

以上は主題の達魯花赤制、ならびにかゝる機構を必要とした文化的・政治的特殊事情等々に關する卑見の大要であり、當代に於ける世態の一端を闡明する上に、もし何等かの寄與をなし得たとすれば、それこそ望外の倖である。

アウディエンシア創設に關する一考察

箭内健次

アウディエンシア創設に關する一考察

箭内健次

西曆十五世紀末以降の所謂世界探險時代に於いてイスパニヤ・ポルトガル兩國はその國家的支援と傑出せる探險家とにより從來未知の新しい世界に次々へと侵略の歩を伸展した。而してイスパニヤは主として新大陸を中心として西印度諸島、ヌエバ・エスパニヤ(メキシコ)、南米に新なる殖民地を獲得したが、十六世紀中期に至り、マガリャエンス一行の世界一周遠征隊の途上、圖らずも初めてフィリッピン諸島を發見し、本國より最遠の東洋にその殖民地を建設する事となつた。而してこの各地に散在する尨大なる殖民地に對しイスパニヤ政府の採つた統治政策こそは世界殖民史上の大問題として充分考究さるべき問題である。併し乍ら殖民地建設後日尚淺い時代に於いてはその統治の實權は自ら開拓者それ自身又はその後繼者なる武人の手に收められた事は寧ろ當然である。即ち總督なり、統監なりの名稱を有する一武人の獨裁的政治が具現せられたのであつた。それが時代の進展と共にその社會の複雜化に相呼應し獨裁の弊害を生ずるに及び、より高度の又或意味での民主的政治組織が形成せらるゝに至る過程を辿るのであつた。之は國家により事情を異にするは素よりで、例へばイスパニヤと共に、又は其後に於いて海外殖民地獲得に努めたポルトガル・和蘭・英國等何れも多少その殖民地經營に相違が見られる。扨本論に於いて述べんとするアウディエンシア(Audiencia)こそはイスパニヤ殖民政治の核心をなすものであつてその有する意義は頗る大である。イスパニヤ本國に於いては殖民地統治機關としては從來國內に存在した組織を應用する事としたものであつて、アウディエンシアも即ちこれであつたが、こゝに新に殖民地關係機關として本國にては一五〇三年一月十日通商關係事務の爲にカサ・デ・コントラタシオン(Casa de Contratación. 通商局)が設置され、次いで一五二四年八月四日司法關係機關としてコンセホ・デ・インディアス(Consejo de Indias. 印度諸問委員會)が設立さるるに至つたが、各殖民地に建てられたアウディエンシアは何れもその隷下に屬するものであつた。イスパニヤ殖民地中最古のアウディエンシアはサン・ドミンゴ (San Domingo) で、一五二六年九月二十六日の勅令で認可せられ、(2) 以下メキシコ・パナマ・リマ等の殖民地に相次いで設立を見るに至つた。アウディエンシアとは主として最高司法機關であつたがそれ以外に行政機關をも兼ぬるものであり、總督不在の場合はその殖民地政治の大權を行ふ强大な權限を有してゐた。(3) フィリッピンにイスパニヤ殖民地開設せらるゝや、先づ總督政治の施行を見たが、その統治はすべて、メキシコのアウディエンシアの下に隷屬し、いはゞ本國とは間接的形式の下に統治せられてゐた。而してフィリッピンに於けるイスパニヤ勢力の伸展と共に從來の統治組織はこゝに轉換を餘儀なくせらるゝ事となり、愈〻アウディエンシアが設立せられたが、今その創設事情を述ぶる前に、以前の統治の姿を一瞥して見よう。

事實上のフィリッピン開拓者としての榮譽を擔ふミゲル・ロペス・デ・レガスピ(Miguel Lopez de Legazpi) はその功績より初代總督として且最高軍司令官として文武兩方面の總ての實權を掌握し、占領地を若干のエンコミエンダ(Encomienda 所領)に分ちてその所有者卽ちエンコメンデロ (Encomendero) に部將を任命した。(4) 彼により開始せられた總督獨裁政治は以後引繼がれ、次代の臨時總督ギド・デ・ラベサリス(Guido de Lavezaris)及び第二代總督フランシスコ・デ・サンデ(Francisco de Sande)の治政に入つたがこの時代にはルソン及びビサヤ諸島の沿海地方は概ねイスパニヤの勢力下に入る事となり、又宗教界に於いても、從來のアウグスチン派以外に、一五七七年には新にフランシスコ派の教師の渡來を見、フィリッピンのイスパニヤ人社會は漸時複雜化しつゝあつたのである。

而して前述の如くフィリッピンの總督政治がすべてメキシコのアウディエンシアの隷下にあつた事は種々の點よりフィリッピン在住者に不滿を感ぜしめ、特に司法事件取扱に於いてその不便は甚しかつた。それに加へて總督の手に總ての權力の集中する事實は統治上にも今後の發展の上からも不適當なりと考へらるゝ事となり、こゝにフィリッピンのメキシコよりの羈絆脱却と獨裁政治防遏の二點よりアウディエンシアの設立の要望がフィリッピン在住者中より生じたと想像されるのである。本稿に於いてはアウディエンシア制度研究の一齣としてマニラに設置されたる事情を史料より考究し、それが而も僅かに四五年にして一旦廢止さるゝに至つた原因を創設事情中に求めんとするのがその目的であつて制度それ自體の問題については次稿に讓る事とする。

註

1、Abendanon, J. H Het oud spaansch Koloniaal stelsel zooals dit is nedergelegd in de ,,Leyes de Indias'' (Bÿdragen tot de Taal-, Land-en Volkenkunde van N-I. Deel 79. 1923) pp. 138—9. 134—5.

Cunningham, C. H. The Audiencia in the Spanish Colonies. Berkeley. 1919. (California Univ Publ.) pp. 12—15.

Barrows. D. P. History of the Philippines. New York. 1926. pp. 88—9.

2、Cunningham, *op cit.* p. 16.

3、フィリッピンに於いてイスパニヤ領時代を通じ、總督不在の爲、アウディエンシアが代つて島政を司つた事は六回(一六〇六―八、一六一六―一八、一六二四―五、一六三二―三、一六七七―八、一七一五―七)に及んだ。(Blair, E and Robertson, A. J. The Philippine Islands. 1498—1898. 55 vols. Cleveland 1903—9. vol XVII. List of Governors.)

4、Phil. Isls. vol. III. pp. 155—6.

二

マニラのアウディエンシア創設の表面的過程を見るに、一五八一年總督ゴンサロ・ロンキリョ・デ・ペニャローサ(Gonzalo Ronquillo de Peñalosa)によりフィリッピン在住者代表として初めてその施政事情報告にイスパニャ朝廷に派遣されたガブリエル・デ・リベラ(Gabriel de Rivera)が陳情の結果、印度諸問委員會の議を經て、一五八三年五月五日付を以て皇帝フェリッペ二世(Felipe II)の勅令により認可せられ、その結果初代の長官としてメキシコのアウディエンシアの刑事判官(Alcalde de crimen)であつたサンチャゴ・デ・ベラ(Santiago de Vera)が任命せられ、同人はメキシコよりフィリッピンに着任したが、當時總督ゴンサロは既に死し代理總督ディエゴ・ロンキリョ・デ・ペニャローサ(Diego Ronquillo de Peñalosa)が執政中であつたので、こゝに代つて總督を兼ぬる事となり、マニラのアウディエンシアは事實上彼のマニラ到着の一五八四年五月二十八日より施行せらるゝに至つた事は明白である。併し乍ら前述の如くマニラのアウディエンシア創設はフィリッピン殖民史上極めて重大なる事象であり、形式上フィリッピンの殖民地的立場を著しく高揚せしめた一大轉期をなしてゐるが、之が創設が如何なる人の創意により行はれたものであるか、果してフィリッピン在住民の要望によるものなりや否やに就いては古今の各學者の說く所は必ずしも一致しないのである。今その代表的なるものを列擧するに、先づ最も信據すべき史料といはるゝアントニオ・デ・モルガ（Antonio de Morga）の著「フィリッピン史要」(Sucesos de las Islas Filipinas）の說く所によれば、

總督(ゴンサロ)は彼自身及び群島民の權限を以て彼(リベラ)をイスパニヤに派遣し、皇帝に對し、彼が實現方を要望せる諸件及び群島に利益ありと思はるる種々の問題を協議せしめた。(中略)ガブリエル・デ・リベラにより朝廷に於いて論議されたる諸件中の主要なる結果は、マニラの市にアウディエンシアを設立するやう命ぜられたる事であつて、其長官はフィリッピン全島の總督たるべきことであつた。(この時總督ゴンサロ・ロンキリョの死は未だ知られなかつた。(1))

とし、又チリーノ(Pedro Chirino)の未刊文書を主體として編纂せられた敎父コリン(Francisco Colin)の「耶蘇會フィリッピン布敎史」にもこの問題に關する記事は單にモルガのそれを採錄するに止まつてゐる。(2) 近世の學者中、マルチネス・デ・スニガ(Martinez de Zuñiga)の書には、

初代司敎たるドミンゴ・デ・サラサール(Domingo de Salazar)の報告により、一五八四年マニラの市に、初めて(アウディエンシア)創設せられたが、これはインド

地方に既に建てられたるものと同形式であり、同じ方法であつた。(3)と述べてゐるが、又モンテロ・イ・ビダル (Montero y Vidal) の「フィリッピン史」にはモルガとスニガの二說を含ましめたるが如き筆法を以て、

ゴンサロ・ロンキリョと司教サラサール兩人の合意により皇帝に提示されたる上中書の結果、マニラにアウディエンシア創設せられた。(4)

とその事情を述べてゐる。又「フィリッピン史」の善き概說書たるダビッド・ピー・バロウス (David. P. Barrows) の著にも、之は政教間の紛爭よりサラサール側たる教師派の獨裁政治排擊の上中の結果なりと略スニガの說を採つてゐる。(5) かくの如く前述せる諸說を見ればその原因と見るべきものは次の如くである。

一、總督ゴンサロの意思によるものとなす說
一、司教サラサールの上申によるとなす說
一、兩人合議の結果の上申によるとなす說

の三說であるが、其外に

一、リベラの訴願によるものとなす說

は、その經緯の表面的經過より類推して考へらるべき理由である。併し乍ら以

上の諸著書に見らるゝ所は單なる敍述に止まり、その典據を明示してない。然るに近年、米國のカニンガム敎授（Charles H. Cunningham）は「イスパニヤ殖民地に於けるアウディエンシア」なる著書を公にし、この特殊なる組織について、イスパニヤ及びマニラの古文書を涉獵して極めて詳細なる研究をものせられたのは確にこの方面の劃期的業績といはねばならぬ。所で氏の著書中に述べられたるマニラのアウディエンシア創設の事情を見るに、前掲各著の綜合案の如く察せられる。卽ちゴンサロ總督の意圖、サラサールの熱望と加へてリベラの說得の三事情が相俟つてこの制度の創設を見るに至つたと考察するものの如くである。而も此等には各〻それ相當の根據が擧げられてゐるから、今このカニンガム氏の說く所を基にし、延いては他の諸學者の說を批判し、以てその事情の眞相を窺ひたいと思ふ。

第一に總督ゴンサロの意向に基くものとなす見解につきカニンガム氏の說く所によれば、以前よりフィリッピン政廳がメキシコのアウディエンシアに隷屬する事の不合理なるを痛感してゐたゴンサロは、一五八二年七月十五日付皇帝に奉つた書翰(6)に於いて、彼が就職直後、皇帝の命に基き前總督フランシスコ・デ・サンデに對するレヂデンシア（Residencia 前任者治政調査制）[7]を行ひ、其結果彼よりすべての官職を剝奪してメキシコに送還せしめた事により、メキシコ方面にて自己に對する非難の聲生じたる事、及び而もそのサンデが再びメキシコに於いてアウディェンシアのオイドール（Oidor. 審議官）に就任せろ事によりその復讐の患ひあらん事を甚だ懼れ、若干のアシスタントを任命せらるゝよう懇願してゐる內容より察し、カニンガム氏は恐らくかゝるゴンサロの氣持が必ずや皇帝に對しマニラにアウディェンシアを創設せん事を望んだものであらう（手紙には何等見えてないが）と推測してゐる。[8] 併し乍ら今飜つてアウディェンシアなるものの本質を考へて見れば、多くの學者の說く如く、之は明に統治者の獨裁專制を防禦する一機關なる事は疑ない所である。[9] 而もこの問題の總督ゴンサロの施政の迹を見るに、彼は就任に當り私費を以て兵士を諸島に移入せしめた功績により皇帝より終身總督の地位を保障せられた最初の人物であつた所[10]より察せらるゝ如く、前代總督より遙に廣い權限を有し、かの前總督サンデに對するレヂデンシアといひ、又關稅制度の設定といひ、又翌一五八一年の支那人居住區域制定等一般の反對を斥けて之を强行し、その專制政治には宗俗兩方面より等しく反感を持たれてゐた實情であつた。かゝる性質の總督が、自ら進んで自己の專制抑制機關設置を乞ふが如きは甚だ不合理といふべきである。併し假りに一歩譲つてカニンガム氏の說く如く、前任者サンデよりの復讐を懼れたる結果なりと見る時に於いては年月に於いて喰違ひを生ずるのである。卽ち、前述のゴンサロの一五八二年(六)七月十五日付の書翰は前年フィリッピンより渡墨したサンデ、及びリベラのメキシコ到着、及びリベラのイスパニヤ行の情報をメキシコより得て後執筆したものなる事は文中より明瞭であり、從てサンデがメキシコのアウディエンシアのオイドールに就任した事實を知つた時は既にリベラによりイスパニヤ皇帝への覺書卽ちアウディエンシア設立の上申書が提出された時より後なる事は書翰のフィリッピン到着の時日より明かであるから、ゴンサロがサンデの就任に恐れを抱いて皇帝にアウディエンシア創立を願つたとの說は全然考へられぬ所である。而も後述する如く、リベラが一五八一年出發の際には總督より特別の指令が渡されてないように考へられるから、ゴンサロが皇帝に對して創設の希望を傳へたといふ事實も想像出來ぬのである。而も彼は皇帝により勅令の發布された時を先立つ事三ヶ月前の一五八三年二月に既に死亡してゐるのである。

第二に司教ドミンゴ・デ・サラサールの企圖に基くものなりとの説に對し、カニンガム氏の説く所は次の如くである。

當時、自己の眼に映じたる政廳の弱體を朝廷に報じつゝあつた司教は、他の教師連が昔の總督に對し爲したる如く、ロンキリョ・デ・ペニャローサに對する幾多の非難を報じた。而して單に司教自身繰返し認めたるのみならず、マニラの市會、教會をして總督の秕政に對し抗議せしむるよう働きかけた。キャプテン・ガブリエル・デ・リベラがこの殖民地の多くの有力者の署名になる訴願書を持參してイスパニヤに赴き、多くの改革を要求したのはサラサールの影響による事甚だ多いのである。この改革要求中に於いて官設アウディエンシア設立は特に要請されたのであつた。(11)

と、リベラのイスパニヤ行をサラサールの慫慂によるものなりとし、次いでサフサールより皇帝に對し總督ゴンサロの死を報じたる書翰(恐らく一五八三年六月十八日付のものと思はれるが)(12)に於いて總督ゴンサロの惡政を縷々述べ宗教者としての立場から土人壓迫を防止する方法として總督世襲制を廢止するよう力フィリッピンに於けるアウディエンシア創設の勅令は上記の覺書(サラサールの書翰)が朝廷に届く以前に發布されたが、司教サラサールの影響がこの群島に裁判所(アウディエンシア)の創設を生ぜしめるに大いに力あつた事には異論ない。(13)

と、繰返し力說し、又彼と共に幾多の有力者が、一五八三年六月十八日付を以て同樣願出てゐる事を附加してゐる。

成程司教サラサールが宗教家としての立場から總督の施政を非難し、その影響が宗俗兩方面に及んで各方面よりアウディエンシア創設の要望となつて來たであらう事は十分察知せられるが、其事を以て直ちにサラサールの努力とアウディエンシア創設とを結付ける事は甚だ輕卒といはねばならない。依て次に氏の論據を採上げて之を批判したいと思ふ。氏の根據とする第一の點はリベラのイスパニヤ行がサラサールの影響によるものとなす點であらう。それに就き、サラサールのフィリッピン着任の時期は一般に一五八一年三月マニラ着と記されてゐるが、(14)今一五八二年六月十日付を以てサラサールがアカプルコよりマニラへの行程を皇帝に報じた書翰によると一五八一年七月初のフィリッピンを認め、イバロン(今日のアルバイ港)に入港し、其後海路マニラへ向はんとしたが逆風の爲不可能となり滯留の後、陸路により出發し、九月十七日にマニラに到着したと明記してゐるのである。(15) 然るに一方ガブリエル・デ・リベラのフィリッピン出發時期については明記した史料は管見の限りでは見當らぬが、當時のメキシコ行船の出發時期、(16) 携行書翰の日付、(17) 及びメキシコ到着の時期(18)等を記した各文書より綜合して、遲くも七月下旬迄には出帆したと察せられるのである。而して今この雙方の史實を相對比する時にはリベラとサラサールとの間の交渉の存在は殆んど考へられぬのではあるまいか。强ひて會見したと解釋してもフィリッピン着後旬日も經ざる時のサラサールが、フィリッピンの施政について充分の認識、更に大改革等の意見を有するとは想像出來ぬのである。卽ちリベラの出發にはサラサールの影響は全然無かつたと考へるのが穩當であらうと思はれるのである。又更にリベラがイスパニヤに着いてアウディエンシア創設を願出でた以前にサラサールの書翰が到着したるや否やが問題であるが、之もその航海日數、船の往來狀態より考へて不可能である。故にカニンガム氏が一五八三年六月十八日付と覺しき書翰に着目して此書翰が本國に到着する以前に勅令發布を見たるも、サラサールの影響は疑なし云々と記したるが如きは全く牽强附會の説といはざるを得ない。要するにサラサールの影響なりとの説は彼の其後のフィリッピンに於ける行動より時を無視して類推した説にすぎないのである。

尙叙上の第一及び第二の兩説批判により、前掲のモンテロ・イ・ビダルの唱ふる所の總督ゴンサロと司教サラサール兩人の合意による創設説の誤りなる事は明白であらう。卽ち司教サラサールは總督ゴンサロより後るゝ事一年餘にして來島したのであつたが、この政治界の最高位者と宗教界の總帥との間は當初より圓滿を缺いてゐた。例へば、一五八二年六月十五日の書翰にもゴンサロはサラサールの事を記して、

予は彼(サラサール)を出來得る限り歡待に努めたるも、彼の性質たる傲慢と統治の欲望より、人々は彼を好まず宗俗兩方面の間に甚しき不滿を惹起せしめたり。(19)とほのめかしてゐる。其後總督の施政改革に當り、事每に之が反對の態度を示した事は史料より明かである。かゝる兩人がフィリッピン政治改革の重大問題に合意したとは推測され得ぬのである。年代を除外視してもかゝる考察は成立し得ぬと思はれる。

最後に考ふべき事はガブリエル・デ・リベラによる創設說であるが、今之を述ぶるに先立ち彼の人物を見る事とする。彼はフィリッピン開拓者たるミゲル・デ・レガスピの遠征隊に參加して一五六五年にフィリッピンに來り爾來引續いて在住した所謂最古參のイスパニヤ人の一人であつた。彼はカピタンとしてゴイチ(Martin de Goiti)のルソン遠征隊に加はり、以後或は一五七四年の支那人大海賊林鳳(Li-mahong)の鎭壓に從軍し、又或は一五七七年より九年にかけ、總督サンデの命をうけて南方經略の爲、ボルネオ・ミンダナオ・ホロ等に遠征を試み、結果は必ずしも滿足すべきものではなかつたが、當時のイスパニヤ人武將の尤なるものであり、一方彼は又同時にボンボン(Bombon)にエンコミエンダを有するエンコメンデロであつた。故に彼はイスパニヤ人としてフィリッピン占據の最初よりの事情を熟知する數少き一人であつた。一五八一年總督ゴンサロにより、フィリッピン最初の在住民代辯者として、フィリッピン施政狀況報告に本國に赴いたが、之はイスパニヤ國王よりの要求であつたのである。卽ち、一五七九年一月十五日付、皇帝フェリッペ二世よりフィリッピン總督へ送つた勅令に於いて、四年間ガブリエル・デ・リベラをイスパニヤに派遣すべき許可を與ふべしと命じてゐる。[20] 卽ち之は島内事情を知らんが爲に、特にガブリエル・デ・リベラを指名して派遣方を命じたものであつて、この勅令を携行してフィリッピンに來任した新總督ゴンサロが直ちに之が實行を爲したに過ぎぬもので、このリベラの派遣が決してフィリッピン側より出でたる案でない事と、特に彼を指名した事は注意すべき點といふべきである。

前述したる如くフェリッペ二世皇帝がマニラのアウディエンシア創設の勅令を發布したのは、このフィリッピン代表者たるガブリエル・デ・リベラの上申に基くものであつて、即ち一五八三年四月十日付を以て彼が印度諮問委員會を通じ提出したる覺書を、皇帝の命により諮問委員會之を審議したる結果、此要求を妥當なりと皇帝に上申したる事に基くものである。即ちリベラの覺書に見ゆるアウディエンシア設立要求を見るに、先づ第一にフィリッピン政廳がイスパニヤ皇帝と、メキシコのアウディエンシアとの管轄下にあるも、メキシコよりは二千レグワ程距りたる爲、島内にて訴訟ありたる時は上告の場合は一々之をメキシコに廻送せざるべからず、この事は月日の浪費と共に、又莫大なる經費を要するといふ二重の不便あり等しく遺憾としてゐるとし、次にこの諸島の最高機關としてアウディエンシアを組織し、民事刑事雙方取扱ひ上告をもなす權限を有するものたらしむべく、三人の判事を任命することの適當なるを訴願してゐる。(21)即ち之はフィリッピンがメキシコの管轄下にある事による精神的物質的不都合より、アウディエンシア創設を望んだものである。こゝには唯總督の專制政治の弊害については特別記してないが、この意圖が含まれてゐる事は本來の性質よりと、後述する事情より明白である。而してマドリッドの印度諮問委員會も、皇帝フェリッペ二世もリベラのフィリッピン代表者なる資格より、かゝる訴願を全在住イスパニヤ人の綜合的要望と觀、これが許可を與へたものと考へられるが、更に轉じて我々は此の要求が果して全住民の要望なりや否やについては十分吟味を要する問題と思考するのである。而してリベラがフィリッピン出發の際總督ゴンサロより何等かの指令を與へられたるやについては管見の限り見當らず、又同關係文書を多年涉獵されたカニンガム氏も記さぬ所より見ればかゝるものはなかつたのではなからうか。今敍上の問題を考ふるに當り注意すべきは、リベラと前總督サンデとの關係である。

元來總督サンデ在職中の施政方針は、前にも觸れた如くエンコミエンダ制度の匡正にその主點をおいたものであつて、當時各地に濫立する私有エンコミエンダを整理し、エンコメンデロの勢力を抑制し且他方政廳の財政救濟の手段を講じ以て國庫の收入增加を策し、各地に大規模なる遠征を試みる等、以前とは異つた頗る積極的政策を實行したのであつた。故に其處には當然壓迫さるゝ側に於ける不滿反抗が生じたのであつた。其事は彼が辭任後、新總督ゴンサロの手によりレヂデンシアが開かるゝや彼の政策を非難せる訴願殺到し、其結果すべての官職を剝奪された一事によつても明瞭である。而もかゝるサンデ秕政糾彈の先鋒に立つたのはガブリエル・デ・リベラであつた。例へば一五八〇年六月一日ゴンサロ總督着任するや、僅々一週間を經過したる同月七日にはリベラは警視長官の職名を以て新總督に對し、前總督サンデのなしたる施政を誹謗し、彼の財產すべてを沒收せん事を訴願してゐる。(22)かくの如き反サンデの急先鋒たるリベラは不可思議にもサンデと同行して一五八一年メキシコに赴いたのであつた。尙リベラがサンデと同行した事實を明記した記事は見當らぬが、例へば一五八二年六月十五日付の總督ゴンサロの書翰には、

當地よりメキシコへの途上に於いて、(リベラ)彼は上記のドクター・サンデの相棒とな

り……[23]

と見え、又同年一月二十五日付メキシコ太守コンデ・デ・コルニャ(Conde de Coruña)がドクター・サンデとガブリエル・デ・リベラの兩人の消息を皇帝に報じたる書翰[24]ある事により、略ゞ確實なる事實と考ふるのである。卽ち前述せる如く、總督ゴンサロは一五八〇年六月一日マニラに着任したので、前總督サンデ及びリベラはその職責上直ちにメキシコへ赴くべきではあつたが、サンデに對するレヂデンシアが約半ケ年繼續したのでその終了の時は既にメキシコへ航海の時期を失ひ、依て翌年の航海期を俟つて卽ち七月下旬頃にサンデ・リベラ相共に出發したものであり、恐らく同年の末か、遲くも翌一五八二年一月早々メキシコのアカプルコ港に到着したものと想像されるのである。而もこのリベラがサンデと同行してメキシコへ赴いた事は少くとも表面的にはリベラの態度を一變せしめた事は注意すべきであらう。この態度の豹變については、前掲總督ゴンサロの一五八二年六月十五日付の書翰に明瞭に窺はれるのである。卽ち彼は前任者フランシスコ・デ・サンデのレヂデンシアを行ひ、彼の官職を奪つた所、メキシコのアウディエンシアに於いてオイドールの職を得た事の甚だ不當なるを述べ、メキシコアウディエンシアの處置に不滿なる事を皇帝に訴へたる後、更に臣はこの町の(マニラ)督視たりし、カピタン・ガブリエル・デ・リベラに關し、次の如き報知を得たり。卽ち彼はドクター・サンデの最も重立ちたる敵の一人にして、彼のレヂデンシアに當りては大いに彼を論難したるか、そは彼自身の性格より窺はるゝ所なるべし。然るに當地よりメキシコへの途に於いて彼は上記のドクター・サンデと盟を結びてその相棒となり、虛僞の報告と、このドクターの道具たる若干の證人を以て、共に(メキシコの)ロイヤル・アウディエンシアに於いて臣に對する告訴を提起せり。これらの告發をなして後、このガブリエル・デ・リベラはイスパニャに赴きたるに、臣に對し、又臣の側にある如何なる人に對しても何等の審問も許さるゝ事なかりき。この最高法廷に於いて、陛下の御前に於いては、如何なる人に對しても、少くとも陛下に對し、過去に於いても且又現在に於いても、大なる廉直及び恐懼を以て奉仕し、長き經驗を有する臣に對しては、不正の如きは決して爲さるゝ事なかるべしと信ずるが正當なる事なり。臣は陛下が先づ第一に臣に對し審問を試みられ、而る後、生命と人格とに於いて臣の名譽と名聲を汚辱せんと試みたる人々を處罰する事により、臣の不實に對し賠償が爲さるゝやう命ぜらるべしと確信するものなり。此事を臣は自己の奉仕を考慮して、實行せられん事を陛下に要望するものなり。(25)と、述ぶる所で明かであらう。即ち從來反サンデ派の驍將であつたリベラはサンデと同行してメキシコに至るや態度一變友好を結び、嘗てはサンデの處罰方を要請した總督ゴンサロの攻擊に變じた事が明かとなつた。唯、然らば何故にリベラがかゝる豹變をなすに至つたものなるかは不明であるが、彼が初め反サンデの態度を採つてゐた際と雖も、必ずしもゴンサロとの間が友好的であつたとは考へられぬのである。リベラの派遣がゴンサロの意志でなかつた事もこの推測を助けるものであらう。

此後のリベラは總督ゴンサロ施政攻擊に終始するやうになり、例へば、一五八三年頃メキシコに於いて執筆されたと考へらるゝリベラの書翰には、ゴンサロのフィリッピン總督在職はフィリッピンを逆行させるものであり、結局は破滅に導かしむるものであらう(26)と痛烈に非難してゐる。これに加へて、ゴンサロにより官職剝奪を見たサンデのメキシコのアウディエンシア就職はメキシコ政廳に反ゴンサロ氣運を益〻助長せしむるに至つたものであつて、之を知つたゴンサロは前掲の書翰に於いて自己の立場の窮狀を皇帝に訴へたものであらう。而もメキシコ歸國後に於けるサンデの對ゴンサロ態度は辛棘を極めたものであつたらしく、事毎にゴンサロの施政を非難、妨害したものであつて、ゴンサロの甥で彼の死後、臨時にフィリッピン總督についたディエゴ・ロンキリョの記す處によれば、ゴンサロの死因は全くこのサンデとの葛藤に惱める結果に基くと述べてゐる[27]程である。

以上細說したる所によつて、一五八二年イスパニヤに赴いたリベラの心中には反ゴンサロ的氣運極めて濃厚であつた事は疑ない所であつて、自己の使命たるフィリッピン島政改革案とは取りも直さずゴンサロ施政匡正にあつたと見るべきであらう。かゝるリベラの心情と、アウディエンシア本來の性質と考へ、併せて彼がイスパニヤ到着に提出したる覺書の內容を檢する事により、私はその覺書中に見ゆるフィリッピンにアウディエンシア創設要望の件は全くリベラ一人の考、少くともサンデと同行してメキシコに入りてより俄に心中に生じたる考であると思ふのである。アウディエンシア創設がゴンサロ總督の專制とは相背馳するものなる事はさきに彼の創設說を批判した際に述べた所であるが、リベラがメキシコのアウディエンシアを親しく見て、マニラのそれを考案したる際、その組織等につき彼の後援者たるサンデの助力も必ずや相當あつたものと考へられる。か丶る如き雰圍氣の裡にイスパニヤに赴いたリベラはその使命を果すべく政府に改革案覺書を提出したのであつたが、この場合彼の職名たるフィリッピン最初の「總代辯者」(Procurador general)(28)なる名稱は恐らく先方には絶大なる效果を齎したものであらう。勿論彼はこの職名を故意に利用したか否かは判然しないが、略一個人の意見をばそれに挿入した事は恐らく先方には全フィリッピン在住民の一致した意見と見做されたものであらう。かくしてその要請の最大要件たるアウディエンシアは皇帝の勅許を得るに至つたのである。カニンガム氏はリベラのアウディエンシア設立についての重大役割を認め、彼は最初のフィリッピン代辯者であつたから殖民地及び殖民地在住者の要求を朝廷に代辯するのが彼の任務であり、か丶る制度の實現を見るに至つたのは彼の努力に據る所多しと考へ乍らも、彼はアウディエンシア設立の辯護に當つてはサラサールの私的代理人の役を演じたり(29)と恰も事實上の立役者はサラサールなるが如き感を與へしむる筆法を用ひてゐる。要するに氏の記述は甚だ妥當を缺くものと斷ぜざるを得ない。而して本論に於いて縷〻敍述した事に於いて、マニラのアウディエンシア設立の勅許が發布さるゝに至つた動機は、決して總督ゴンサロがメキシコ政廳よりの壓迫對抗の爲に要請せるものでもなく、又司教サラサールが布教上の立場より之を要望せる事によつたものでもなく、實にリベラが全フィリッピン住民代辯者たる職名を以て、個人的の考へから之を全フィリッピン人在住者の願望なりとして上申したが爲であるといふ事は略〻明瞭になつた事と思ふのである。但し、この場合フィリッピン在住者の若干の人々が後になつて總督の施政に對する不滿から、かかる制度の確立を望んだ事は確實ではあるが、その事と皇帝フェリッペ二世の勅令の發布の事實との間には何等の因果關係もないのは明かである。

註

1、Morga, Antonio de. Sucesos de las Islas Filipinas. Nueva Edición por W. E. Retana. Madrid. 1910. p. 24. 25. Phil. Isls. vol XV. p. 58. 59—60. 又尨大なる「フィリッピン通史」の著者パステルス師も、

「ドン・ゴンサロはリベラをイスパニヤに派遣し、陛下に對し、民事及び刑事を掌る三人の裁判官を有するアウディエンシアをフィリッピンに建設せられんことを訴願せしめたり。」と略〻モルガの趣旨と同說である。(Pastells, P. Historia General de Filipinas.

9 Tomos. Barcelona. 1925—33. Tomo II. p. C VII)

2、Colín, Francisco. Labor Evangélica, Ministerios, Apostolicos de los Obreros de la Compañia de Iesus en las Islas Filipinas. Nueva Edición por el P. Pastells. 3 tomos. Barcelona 1900—2. Tomo I. p. 171

3、Zuñiga, Joaquin Martinez de. Estadismo de las Islas Filipinas ó mis viajes por este país. 2 Tomos. Madrid. 1893. Tomó I. P. 243.

所がスニガの別著「フィリッピン史」には「總督ゴンサロ・ロンキリョはキャプテン・ガブリエル・リベラをマドリッドに派遣し當群島の全體の安寧に必要なる若干の問題を協議せしめ、特にロイヤル・アウディエンシアが同地に設立せらるべくそれはメキシコのそれに依存を餘儀なくせらるる事が甚しく不利益であつたからである。」と總督ゴンサロの提議説を掲げて居るが何れも當を得ざる記述なる事は後述する所により明であらう。(Zuñiga, A historical view of the Philippine Islands. Translated by J. Maver. 2 vols. London. 1914. vol. 1, p. 175)

4、Montero y Vidal, José. Historia General de Filipinas. 3 tomos. Madrid. 1887—95. Tomo I. p. 88.

5、Barrows. David P. History of the Philippines. New York. 1926. p. 124.

6、カニンガム氏の著に見ゆる日附は恐らく六月十五日のものの誤りかと思はれる。然しブレア・ロバートソン「フィリッピン群島志」に引用さるる六月十五日の書翰と比較

7、すると若干相違が見らるゝが恐らく同一のものであらう。

イスパニヤ殖民地政治の特殊なる制度の一で、前任者は後任者の着任まで任地を離るゝを得ず、新任者の手によりその在職中の治績検査が行はれ其際一般民衆は前任者に對する不滿を上申する事が許された。之は恐らく統治者をして過激なる治政をなさしめざらんが爲の制度であつたであらうが事實は之に反し悲慘なる結果に陷入つたもの多かつた。モルガの著に見ゆるレヂデンシアの記述は、「任期滿了となれば、ロイヤル・アウディエンシアは各役人のレヂデンシアをなすべきやう命ず、而して運命はそれに依つて定まる。レヂデンシア完了せざる中は在職者は他の如何なる職にも任命され得ざりき。」(Phil. Isls. vol XVI. p. 166)

8、Cunningham, *op. cit.* pp. 39—40.

9、スニガの著には、「レアル・アウディエンシアは總督の獨裁を抑制せんが爲に建てられたものにして、それは(他の方法では)決して妨害され得ざるものなり。」とあり、(Zuñiga, Estadismo. Tomo I. p. 244) 又一六〇三年、イエロニモ・デ・サラサール (Hieronimo de Salazar) の書翰にも「又佛人博物學者ル・ヂェンチル (Le Gentil) のフィリッピン旅行記にもアウディエンシアを以て總督獨裁・不正匡正機關なりと記してゐる。 (Phil. Isls. vol XII. pp. 132—3, vol L. pp. 50—1. 註)

10、Barrows. *op. cit.* p. 122

11、Cunningham, *op. cit.* p. 41

12、Torres y Lanzas, Catálogo de los documentos **relativos a las Islas Filipinas.** 9 tomos. Barcelona, **1926—33.** Tomo II. **p.** 131—2 に同日付にて**死を報じ**たるサラサールの書翰數通を掲げてゐる。

13、**Cunningham,** *op. cit.* p. 43.

14、Montero y Vidal. Historia. Tomo **I. p.** 85.

15、**Perez, Lorenzo.** Origen de las Misiones Franciscanas en el Extremo Oriente. Madrid. 1916. **p.** 228.

16、季節風の關係上早くて五月中旬遲くて七月下旬迄には出帆せねばならなかつた。

17、Torres y Lanzas Catálogo. Tomo II. p. 80. 81—83

18、*ibid.* p. 101.

19、Phil. Islas. vol IV. p. 3

20、Torres y Lanzas. Catálogo Tomo. II. p. 41.

21、Colin-Pastells, Labor Evangélica. Tomo II. p. 669. 本文には一五八三年四月十日と括弧して記されてゐるが、トルレス・ランサスの目錄には見えず、リベラの覺書としては一月二日と二月五日の二通見えてゐる。而もコリン・パステルスの次頁には二月五日附として、印度諸問委員會がリベラの提出した覺書の審議經過を記した文書が記載されてゐるから、四月十日の日附は妥當を缺くやうに思はれる。然し今校訂する材料も見當らぬから暫く疑を存する。

(Torres y Lanzas. Catalogo. Tomo II. p. 112—113)

22、Torres y Lanzas, Catalogo. Tomo II, p. 60.

23、Phil. Isls. vol IV. pp. 311—2.

24、Torres y Lanzas, Catalogo. Tomo II. p. 101

25、Phil, Isls. vol IV. pp. 311—2

26、Phil. Isls vol V. p. 208.

27、Colin-Pastalls, Labor Evangelica. Tomo I. p. 170. (Torres. y Lanzas, Catálogo II. p. 136 參照)

28、Procurador の意義及びリベラの任務については Cunningham. *op. cit.* p. 44. 及び Phil. Isls. vol V. p. 207 註に記述されてゐる。

29、Cunningham, *op. cit.* p. 44.

かくして愈〻マニラのアウディエンシアは設立される事となり、初代長官に任命せられたサンチャゴ・デ・ベラは一五九四年五月二十八日マニラに着任し、總督ゴンサロは既に死亡したる爲、その職責上臨時總督ディエゴに代つて總督の地位をも兼ねるに至つたのである。而してこのアウディエンシアの首腦者としてはオイドール(又はアウディトール Auditor とも稱す)にメルチョール・ダバロス(Melchior Davalos) 及びペドロ・デ・ロハス(Pedro de Rojas)、フィスカル(Fiscal 檢察官)にはガスパル・デ・アヤラ(Gaspar de Ayala) 任命され、後アントニオ・デ・リベラ(Antonio de Rivera) がアウディトールとして加はる事となり、漸時その形を整ふるに至つたのであるが、[1] 實施後に於けるかゝる機關の存在は必ずしもフィリッピン在住民より歡迎されず、寧ろ之が廢止は既に設立當初より叫ばるゝ有樣であつた。而して一五八六年七月、初めてマニラに開かれたるフィリッピン在住民全體會議に於いて、フィリッピン治政討議の際にも問題として採上げられ、その結果之はむしろ廢止すべきものなりとの決議を見るに至つた。[2] この會議の決議事項を携行してイスパニヤに渡つた耶蘇會敎師アロンソ・サンチェス(Alonso Sanchez)は一五八八年初頭、イスパニヤに着き同年三月より七月に至る五箇月間印度諮問委員會にて愼重討議された末、マニラ・アウディエンシアは廢止すべしと決定し、翌一五八九年八月九日のフェリッペ二世の勅令發布せられ、[4] その結果新に總督を王選する事となり、ゴメス・ペレス・ダスマリニャス(Gomez Perez Dasmariñas)任命され、彼は一五九〇年五月三十一日着任したので、この日を以てマニラのアウディェンシアの機能は停止さるゝ事となり、總督兼長官のベラ初め職員の多くは漸時歸國し、フィリッピン殖民政治上の重大改變も僅々六年足らずにして一應解消せらるゝ事となり、その政治組織は再び過去の總督獨裁に移行せらるゝ事となつた。後一五九八年に至り〔5〕再びアウディェンシア建設せられ、以後はイスパニヤのフィリッピン施政期間を通じ繼續存在したので、前述のを第一期アウディェンシアと假稱する事とする。

然らばこの第一期のアウディェンシアは何故にかくも短日月の中に而もフィリッピン側から廢止が要請せられたのであらうか。今その問題を考ふるに先づ一五九五年十一月二十六日付の皇帝の第二期アウディェンシア設立認可の勅令中に、第一期のそれの廢止原因が觸れられてゐる。卽ち、

(第一期の)アウディェンシア設立の後、かゝる新しき、且人口稠密ならさる地には必要なき事經驗により判明したれば、此が廢止を命じたり。その代りに總督を送りたり。彼の統治は立派なりしも社會生長したれば、更にその發展を望み上記のアウディェンシアを再び設立するがよろしかるべしと考ふるに至れ

り。(6)

とあり、極めて簡略乍らもその廢止の原因をフィリッピン社會の未發達、即ち時期尚早であつた事に歸してゐる。今更に之の事情を具體的に述べれば、先づ前述の一五八六年のマニラ市民全體會議に於けるアウディエンシア廢止に關する決議條項には、

この町(マニラ)及び此群島の住民は甚だ數少なく、且貧乏にしてロイアル・アウディエンシアの如き大負擔を負ふこと能はず、且その官吏に要する多大の經費あり。故に若し、アウディエンシアが存續せざるべからざる特別の理由あらば、彼等官吏の俸給はメキシコの國庫より支拂はるゝやう許容せられたし。(アロンソ・サンチェス)教父はこの兩方の側の意見を陛下に奏上すべし。(當地にて表明せられたる議論及び意見、詳細なる覺書により)陛下は何れが適當なるか處置せらるべし。(7)

と記されてゐる所より、その原因の一は財政上の點にある事明瞭である。元來フィリッピン政治初期は特に財政の窮乏甚しく、歷代の總督の施政は皆この點に注がれた。例へば、サンデ總督の私有エンコミエンダ整理の如き、又ゴンサロ總督の關稅制度設定、又支那人居住區域劃定の如き何れもその目的に出た政策であ

つたが、財政窮乏は到底救はるべくもなく、年々多額の補給をメキシコ政廳に仰ぐの止むなき狀態であつた。一例として一五八四年のフィリッピンの歳出入表を見れば歳入は三三〇〇〇ペソなるに比し、歳出は四一八三一ペソとありて差引八八三一ペソの不足を見てゐるのである。(8)而もこの表は特別費、例へば軍事費を含まなかつたから、當時頻りに試みられた各地への遠征費を合すれば莫大の不足額に上つた事であらう。而してこの歳出の中、單に明にアウディエンシア關係のものと思はるゝもののみにても二二〇〇〇ペソを超え、總額の七割にも及んでゐたのであつたから、(9)敍上の意見が、マニラ市民の間より唱へられたのは決して偶然ではないのである。

この財政問題以外にも尙設立當初より幾多の困難があつた。卽ち人的問題に於いては長官とアウディトールとの抗爭特に甚しく(10)アウディエンシア本來の機能は到底發揮さるべくもなかつた。一五八六年六月三十日付にてペドロ・デ・ロハスがフィリッピン・アウディエンシアは廢止がよろしかるべしと報じた後、但し長官有能の士なる時は考慮すべしと述べてゐるが如き、又サラサールも亦人的要素に主眼をおいてゐる點(12)より蓋し想像される所である。ダバロスの書翰によれば、長官ベラの眞意はアウディエンシアを廢し獨裁の意ありとしてゐるが、[13]眞僞は兎も角としてかゝるアウディエンシア内部に於いて内紛多くては廢止も亦止むを得ざる結果といふべきであらう。

その外當時のフィリッピン社會の極めて幼稚であつた事は例へば人口の點よりも窺はれる。即ち占據後二十數年を經過した時代と雖もフィリッピン在住イスパニヤ人は極めて少數であつて而もその大部分はマニラに住するもので、他はセブ、ヌエバ・セゴビヤ、[15]ヌ・エバ・カセレス等の小中心地に散居するに過ぎなかつたのであつた。

以上通觀する時、マニラのアウディエンシア廢止は、勅令に示さるゝ如く時期尚早であつたのである。即ちかゝる高等な且複雜なる政治機關を設置する程フィリッピン社會は發達の段階に達してなかつたと考ふるが最も穩當であらう。而もかく考ふる時はこゝに廢止の原因は設立の事情に關係を及ぼしてくるのである。即ち私はかゝる短期間しか存在しなかつたその原因は、その設立が前述せる如くガブリエル・デ・リベラ殆んど一人の立案になつたが爲と考察するのである。ここに多少の無理あつたればこそ實施後直ちに幾多の缺陷を曝露したものであらう。唯幸ひなる事に創設には直接關與せざるもかゝる機關の設置を要望するサラサール一派の人々があつたが爲、兎に角機能は開始せられたのである。このアウディエンシア廢止を論じたるフィリッピン在住のイスパニヤ人の書翰を讀んで恰もこの機關の設立が全然彼等の意圖の外に出でたるが如き甚だ冷淡なる態度を以て記され[15]不思議に感ぜらるゝ事も、その創設事情の一班を窺ひ得るものであらう。元よりかゝる當時のフィリッピン社會實情に副はぬ機關を設けたる事はイスパニヤ政府側の認識不足によるものではあるが、同時にその責任の一班は之をフィリッピン在住民代表として要請したるリベラにある事は勿論である。彼は總督ゴンサロの獨裁政治を憎むの餘り、これが防遏にはアウディエンシヤ設立以外には方法なしと一途に考へたものであらう。而してその場合設けらるべきアウディエンシアの組織については眼前に見るメキシコのそれを模倣したものであらう。さればこそ、マニラに開かれたるアウディエンシアには何等フィリッピンとしての特殊性も含まれてなかつたのは當然である。唯この制度そのものに缺陷があつたのではない事は、後に一五九五年、再開されたるアウディエンシアは全く同樣の組織[16]の下に開始された事によつても明瞭である。卽ち實情に添はざりし點がこの第一期アウディエンシアをしてかくも短期間に廢止を見るに至らしめた最も主要な原因であつたと考ふるのである。

かくの如くマニラのアウディエンシア創設は、從來の總督政治の稍もすれば獨裁的傾向に移行するを芟除する上に於いて、又フィリッピン社會の殖民地的立場の高揚の點において極めて重要なる改革であつたが、その人選及び在住民の相互の暗鬪により整備するに至らず、再び過去の總督の而も從來に勝る獨裁政治が實現するに至つたのである。こゝにフィリッピン在住民の不統一、政教紛爭の狀は遺憾なく曝露され、後世この社會の癌はこゝにその源泉を見出し得るのである。新總督ゴメス・ペレス・ダスマリニャスはイスパニャ國王の愼重なる人選による銓衡を經た甲斐あつて、イスパニャ統治時代を通じ最も有能なる總督の一人であつたが、總督の才能に統治の動きの左右されるフィリッピン社會においては、人物拂底となれば國勢衰ふるは自ら明白といはねばならぬ。イスパニャのフィリッピン統治の混亂は早くも施政後僅々二十年にして現れたのであつた。

註

1、 Phil. Isls. vol V. pp. 274—5, フェリペ二世の勅書によればイスパニャ及び殖民地にある他のアウディエンシアと同一の權威を有するものとされ、その管轄地域はフィリッピン諸島は勿論支那大陸にも及び、其他今後發見さるべき地域をも含むものと規定されてゐた。

2、Phil. Isls. vol VI. p. 169.

3、Pastells, Historia. Tomo. III. p. XXVI.

4、*ibid.* p. XXXIV

5、再設の勅令は後述の如く一五九五年十一月二十六日發布されたが機能の開始せられたのは一五九八年六月八日である。(Pastells, Historia. Tomo. IV. p. CXXXV.)

6、Cunningham. *op. cit.* p. 78. 尚 Phil. Isls. vol IX. には the Audiencia of Manila reestablished としてフェリッペ二世の勅令が譯載されてゐるが上記引用文は見當らないが、誤譯ではあるまいと思はれる。

7、Phil. Isls. vol VI. p. 169.

8、*ibid.* pp. 47—8.

9、長官、審議官、檢察官の年俸は合計一六五四四ペソであり、その下の財務委員(二名)の年俸は四六八七ペソ四トミンに上つてゐる。

10、Phil. Isls. vol VI. p. 259.

11、*ibid.* p. 252. 267.

12、Colin-Pastells, Labor Evangélica. Tomo I. p. 446. nota.

13、Cunningham, *op. cit.* P. 66. 同氏の記す處によれば、一五八五年六月二十日付皇帝宛の書翰に見ゆるといふ。

14、一五八八年頃マニラ在住のイスパニヤ人は百餘名にすぎず(Phil. Isls. vol VII. p. 32)又一五九一年調査の全島在住者も土人六十六萬七千六百十二人なるに比しイスパニヤ人は六百名を超えなかつたと想像される。(Pastells. Historia Tomo. III. p. CLXIII.)

15、一五八六年六月二十五日付、マニラ市會より皇帝に報じたる書翰によれば、アウディエンシアの存在は國家の破滅を導くものなりと見えてゐる。(Phil. Isls. vol VI. p. 243)

16、再設のアウディエンシアはオイドールが四人に増員せられたのみである。(Torres y Lanzas. Catálogo Tomo IV. p. 30)

トライチュケとブレッスラウとの論争に就て

菅原　憲

トライチュケとブレッスラウとの論爭に就て

菅原　憲

一、

獨逸の猶太人が完全な市民權を得たのは一八六九年である。爾來隣接諸國、例へば波蘭、露西亞、羅馬尼、ボヘミア、モラヴィア等の猶太人が多數移住し來り獨逸の猶太人の人口は急激に增加した。そしてこれら新來の猶太人は所謂東方猶太人と呼ばれ、無智貧困粗暴、しかもその素質を無遠慮に露骨に呈示したから獨逸人の指彈を受けたのである。一八七三年獨逸に財界の恐慌が勃發した、それは戰勝景氣償金景氣に對する反動であつた。濫立した泡沫會社は相次いで沒落する、之が爲に職を失ふもの產を壞るもの夥しい數に上つた、然るに之等の投機事業を計畫し會社の要職を占めたものに猶太人が多かつたから猶太人は一般社會の憎惡の的となつた。此の際被害者の多數は中產階級に屬し、つまり恆產あり恆心ある社會の中堅層をなすものであつた、だから彼等の憎惡は輕擧妄動、徒に直接行動となつて現はれぬにしても極めて深刻であり、永續的であつたとしなければならぬ。數年の後、シテッカー派やマル派の反猶運動が發生する、之等の運動に馳せ參じたものも勞働者無產者よりは寧ろ中流層の商工業者・學生などが多かつたのである。

これまでの反猶主義では宗教的要素が主流をなす。宗教、信條を異にするから人生觀、世界觀、社會觀、政治觀みな異ならざるを得ない、從つて政治的反猶主義・社會的反猶主義もある筈だが之等は矢張り宗教的反猶主義から派生したものと見てよからう。然るに此の頃から經濟的要素が濃厚を加へ經濟的反猶主義が顯著になつて來た。之は宗教的反猶主義に並行するものである、言ひ換へると洗禮を受けて基督教に改宗しても猶太人は猶太人にとゞまり嫌忌の對象たることを免れ得ないのである。啓蒙主義・自由主義の普及した十九世紀の後半に及んでは必ずしも宗教的信條を問題にするものではない、今や利害關係の日常生活に直接影響する經濟的要素が重大な役目をするに到つたことは毫も怪むに足りない。

一八七九年、普魯西年報の十一月號に載つたトライチュケの一文Eein Wort über

unser Judentum は當時獨逸人の云はむとして云ひ得なかつたことを明快に宣明したのであるから丁度熾烈を極めてゐた獨逸の反猶主義反猶運動に拍車をかけ一大センセーションを捲き起したことは周知の事實である。トライチュケの論文に對しては同意のもの、反對のもの陸續論說を公にし甲論乙駁、論戰之努め時ならぬ一奇觀を呈するに到つた、之はトライチュケも意外の感に打たれたらしい、が兎も角彼は之等の反駁論に數次辯駁を試みた、そのうち特に重要のものを纏めて翌一八八〇年、矢張り Eein Wort über unser Judentum の表題を附し一小冊子を出してゐる、之は五編から成る論文集であつて第一編は本來の Ein Wort 第二編以下が所謂辯駁論である。

反對論者中代表的と思はれるのは基督教徒側で歷史家モンゼン、猶太人側ではブレッスラウ、グレッツ、ラザルス等であらう。トライチュケは特に力を入れてグレッツとブレッスラウを反駁してゐる、がグレッツとの應酬は大體から云つて枝葉末節に走り重大問題からは逸してゐる憾がある。トライチュケはグレッツの「猶太民族史」を猛烈に痛擊したからグレッツは之が辯明を試みそしてトライチュケは更にまた之を駁論したのであつて例へばトライチュケはグレッツが基督教徒を

Erbfeind と呼んだといふことに對し、グレッツは Erbfeind と書いた覺えはない、Erzfeind の間違であらうと報い、トライチュケの引用したタキッスの「人類憎惡」をグレッツは基督教徒のことを意味すると云ひ、トライチュケは基督教徒及び猶太教徒を意味しなければならぬとしてゐる。兎に角グレッツの「猶太民族史」は略〻一八六〇年頃までにしか及んでゐないのであるから一八七〇年以後の問題には關係するところがない。

ブレッスラウ（Harry Bresslau 1848—1926）は一八九〇年以來ストラスブルク大學の史學正教授になるが此の頃はまだ伯林大學の員外教授でつまりトライチュケの同僚であり、また後輩である、だからブレッスラウの論旨も極めて愼重着實、これに對するトライチュケの辯論も割合穩健妥當と思はれる、從つて兩者の論爭は當時の猶太人問題を考察する場合好個の資料を提供するものといはねばならぬ。

二、

先づトライチュケの「Ein Wort」の大要を記して見よう、

白な性格的汚點を非難するものは全新聞界から『野蠻人』、『宗教的迫害者』の烙印を押された。然るに今や調子が變つて來た、ブレスラウの多數選擧人は猶太人を地方議會に選出せぬことを誓ひ、また幾つかの『反猶協會』が成立し猶太人問題は忌憚なく討議され反猶的小册子は書肆に溢れてゐる。之等は單に『賤民的暴狀』『商賣人根性』の所爲だけであらうか、否々決して然らず、民衆は實に獨逸人の生活上重大危難深憂に堪へぬ災厄を正視してゐるからであつて今日獨逸の猶太人問題を論ずることは無用の空論ではないのである」。

若し英吉利人や佛蘭西人が獨逸人の猶太人に對する狹量を冷笑するならばそれは認識不足と云はねばならぬ、彼等は斯うした狹量を生ずるに到らぬ幸福な境遇にある。西方歐羅巴の猶太人は極めて少數に過ぎぬから國民性、國民的習俗の上に何等の影響を受けることはない。然るに吾が獨逸では無盡藏な波蘭の搖籃から年々勤勉な行商青年が群を成してやつて來る、彼等の子、孫がやがて獨逸の取引市場及び新聞界を支配せんとするのである、此の來住者は逐年目立つて多くなる、そして此の外來の民族性を獨逸の民族性と如何に調和さすべきかはますく重大な問題になる。西方及び南方の猶太人は『西班牙系』といはれる、彼等は比較的誇るに足る過去を有し且西方歐羅巴の風習にも同化し、多數のものは事實上大體善良なる佛蘭西人、英吉利人、伊太利人になつてゐる。之に反して獨逸の猶太人は『波蘭系』に屬する、之は歐羅巴人卽ち日耳曼人の本質とは甚しく違つた特異のものと云はねばならぬ。吾々の獨逸に於ける猶太人に要求することは極めて簡單である、卽ち彼等の信仰、彼等の神聖な古來の追憶を棄てよといふのではないい之等は吾々にとつても尊敬に値するものでなければならぬ。吾々は唯ゝ彼等に獨逸人たれ、獨逸人として自覺せよといふに過ぎぬ、何故ならば吾々は數百年に亙る日耳曼文化に獨逸猶太混合文化時代の續くことを欲しないからである。可なり多數の猶太人、例へばフェリックス・メンデルスゾーン、ファイト、リーサー等—現在の人を除く—受洗したると否とを問はず最善の意味に於ける獨逸人であつた、吾々は彼等に獨逸精神の尊貴な善良な特色を發見するのであつてこの事實を看過するものではない。がしかし現在の多數の獨逸人の間には獨逸人たらむとする意志なきものが少くないやうである、現今猶太人の間には驕傲不遜且危險な思想が見えてゐる、猶太精神の獨逸精神に對する影響は從來善き方面であつた、然るに今や有害な傾向を示してゐる。」

「先づグレッツの『猶太民族史』を讀むがいい『宿世の敵』即ち基督教に對して何といふ激怒であらう、ルターからゲーテ、フィヒテまで日耳曼精神の代表者に對して何といふ憎惡であらう、何といふ淺薄な無禮なそして驕慢であらう、彼の著書には到る所罵詈讒謗に充ちてるが彼によればカントの國民は猶太人によつて初めて人道主義に導かれた、レッシングやゲーテの國語はベルネとハイネとにより初めて優雅生命機智を備ふるに到つたといふ。斯樣な思ひ上つた類例は甚多いのであつてグレッツに限つたことではない。」

「獨逸の如何なる商業都市にも猶太人の大商店は多いが彼等セム人は虛僞欺瞞、會社詐欺にも關係するところ深く、すべての勤勞を營利化する唾棄すべき現代の唯物主義は彼等猶太人の精神の影響と見なければならぬ、數千の村落にも猶太人は其の魔手を伸ばし純朴な農民も彼等の毒牙にかゝつてゐる。藝術科學の方面で指導的地位を占める猶太人はまだ多くない、それだけまた努力を吝まぬセム的能力の所有者が第三流の藝術家・科學者として群を成してゐる、中にも似而非文士群と新聞社とは相互補助的に結合し新聞は荐りに囃し立て文士は些かの報酬で書き並べる。」

「猶太人の過大の勢力に因る最大の危險は新聞雜誌で看取される、之は從來法律が學問を必要とする多くの職業から猶太教徒を遠ざけて來た宿命的結果である。此處十年多數獨逸都市で輿論は猶太人の筆端から作られたとしなければならぬ、猶太人に新聞紙上過分の活動を許したことは自由派にとつて不幸でありまた同派衰微の一原因となつた、この不自然な狀態が必然的結果として現在の新聞の無氣力を招來した、彼等猶太人は熟練と敏腕とを以て昔から新聞界に貢獻して來た、此の點獨逸の新聞は猶太人に感謝すべきだが、同時にまた其の惡い感化をも受けてゐる。第一にベルネは獨逸のジャーナリズムにあの特殊な厚顏無恥な調子を輸入した、それは祖國に何の敬意をも表することなく、自ら獨逸に屬するものではないかの如くに祖國獨逸に對する輕侮誹謗を平氣で無視し得られるやうな傾向である、更に猶太人が僭越にも基督教教會の内情に關しても五月蠅い酷評を加へる、猶太人記者が基督教に對する侮蔑嘲弄は洵に憎むべきだが斯樣な冒瀆は獨逸の『啓蒙』の最新の特價品として提供されるのである。解放されるや彼等猶太人は之を大膽に主張し諸般のことに於て文字通りの平等を要求し、そして吾々獨逸人は基督教徒であり、彼等猶太人は吾々の間に住む少數者たることを忘れてゐる、聞くところによれば基督教猶太教混合學校に於て基督教側の影像の撤去、並に猶太教側の安息日の祭事承認をも要求するものがあるといふ。」

「之等の事情を考へると現在の反猶運動は偏狹で亂暴だとも見えるけれど、また外來要素に對する日耳曼的民族精神の自然的反撥とも云ひ得るのであつてこの外來要素は吾々の生活に於て甚しく跋扈し過ぎると思ふ。之まで何人も感知しながら觸れることを避けてゐた災厄は今や反猶運動に依つて明らさまに論議されるに到つたのである、誤解してはいけない、此の運動は由つて來るところ甚深鞏固である愚劣な基督教的社會主義者流(三)の常套語などを揶揄し以て抑止し得る程度のものではない。平常は餘り教會的偏見や國民的矜恃を口にしない最高教養階級のものまでも今や國民として基督教徒として堪へがたきを覺え異口同音に曰く『猶太人は吾々の禍である。』」

「完全なる解放の撤廢又は其の縮少は識者間に於て問題にならぬ、之は明に公正を缺き獨逸の傳統に背く、そして吾々を悲しましめる民族的對立を緩和せずして却て激化せしめるであらう。佛蘭西や英吉利で猶太人を市民社會の無害な、いな寧ろ有用な要素たらしめ得たのは此の兩文化國の國民的自信力及び國民的道義心のお蔭である、獨逸では之等がまだ稚い、吾々には國民的風格、本能的自負、完成した特質といふものが十分に出來上つてゐない、だから吾々は外來要素に對して從來無防禦の狀態にあつた、しかし吾々は彼等の長所を採用するを沮むものではない、そしてまづ獨逸の猶太人が獨逸の國家成立に於て必然起るべき變化を正視せんことを望む。諸所に『猶太協會』といふものが出來、高利貸反對を唱へてゐるが其の效果は少くなからう、之は慧眼な猶太人の事業であり、猶太人をして基督教徒の思想風習に接近せしめんとするものである、斯うした觀點から爲すべきことはまだ〳〵ある筈だ、獨逸人をして猶太的ならしめる、これは不可能である、だから猶太人が獨逸的にならねばならぬ、其の前例は乏しくないのであつて彼等にもまた吾々にも大變仕合なことであつた、がこの問題は容易に完全には解決されぬ、タキッスが『人類憎惡』(odium generis humani ―異民族に對する憎惡)を指摘して以來歐羅人とセム人との間に溝壑の横はることは何人も皆認めるところである。唯獨逸語を話す東方人たる猶太人はあらう、特に猶太的なる文化は依然として榮えよう、彼等の文化も超國家的（コスモポリチツシユ）勢力として歷史的權利をもつ、しかし之等の對立は緩和され得るのである、即ち常に寛容を唱へる猶太人が自ら寛容になり、そして獨逸人の信仰、道義、感情に對して相當尊敬を示すならば此の緩和は可能である。既に獨逸人はこれまでの不正を放擲し猶太人に人間として市民としての權利を與へたではないか、だが如上の尊敬は一部の商人的三文文士的猶太人には全く缺如してゐるのであつてこれが現代紛擾激昂の根本的原因をなすものである。」

「物論囂々底止するところを知らざるは新獨逸に於て瑞兆ではない、獨逸人は粘液質といはれる、しかしまたすぐ昂奮し易い民族でもある、病的な衝動に驅られるだけでまだ新しい觀念が見られない、斯うした不安時代の擾亂不滿のうちから國家及び國家の使命に關する嚴正堅實な解釋が見出され、確乎たる國民意識の現はれむことを念願してやまないのである。」

以上はトライチュケの「EeinWort」の論旨であるが要するにトライチュケは猶太の獨逸化を切望し、且之を可能なりとするものであつた、そして此の獨逸化といふ事實は消極的な妥協的なものと云つてよからう、即ち宗教的信仰、道德的觀念其の他風俗、習慣孰れも獨逸人のそれらと同化するならば無論申分ないのであるけれども、それが多數の猶太人に望まれぬならば、彼等が少くともそれらを輕侮することなく十分に尊重して欲しいといふのである、だから第二編に於て曰く、

「吾が國家は猶太人を單に信仰團體と見做すものであつて此の解釋は如何なる事情あつても變ることはない、國家は彼等が獨逸化せんとする意圖努力を豫想して彼等に平等權を與へた、吾が古來の文化は寛大であり、幾多の反對要素をも包擁し得るものである、從つて吾が國民中の一部のものがひそかに自ら『選民』を以て任じても吾々は虛心坦懷敢て之を非難するものではない、しかし彼等の民族的自負が昂じて公然其の國民性の承認を要求するならば解放の理由となつた立法的基礎は壞崩することゝなる、云々。」

つまりトライチュケは猶太人の信條・傳統にまで容喙を試みるものではない唯「猶太人が所謂獨逸化を欲せず「特殊國民性」をを維持し異分子的存在としてとゞまり、そして其の異分子的要素を添加して獨逸の文化を歪曲せんとすることは彼の忍ぶ能はざるところであつた。

註(一)「ヘップ・ヘップ騒ぎ」は一八一九年から二〇年代にかけての猛烈な反猶運動

註(二) Eelix Mendelssohn (1809—1847) は音楽家、 Moritz Veit は (1808—1864) 銀行家、政治家 Gabriel Riesser は (1806—1863) 政治家、トライチュケはリーサーを「十九世紀に於ける獨逸史」に於て獨逸の愛國家と稱揚してゐる

註(三) アドルフ・シテッカーの一派

三、

ブレッスラウは旅行先でトライチュケの論文を見たのであるが伯林に歸つてから一八八〇年の早春 Zur Judenfrage と題する二十五頁の小册子を公にした、そして Sendschreiben an Herrn Prof. Dr. H. v. Treitschke と附記してある、此の論文は語句鄭重を極めてゐるけれども可なり峻烈な攻撃を加へたものである。

當時宗教的信條により猶太人を排斥する傾向は先づ稀薄になつてゐた、でブレッスラウはトライチュケがフェリックス・メンデルスゾーンやベルネなど洗禮を受けたものでも猶太人のうちに數へてゐるから謂ふ所の猶太人は猶太教徒でなく人種的民族的な猶太人を意味すると解し、そしてブレッスラウ自ら謂ふ猶太人は兩

親共に猶太人の場合を指すと念を押して曰く、

「貴下は『數月前まで反對のヘップ・ヘップ騷ぎが行はれてゐた、………今や調子が變つて來た……今日獨逸の猶太人問題を論ずることは無用の空論でない』といはれる。しかし新獨逸帝國に於ける猶太人排斥は數月前に始まつたものではない、一八七五年既に現はれてゐる、同年六月、クロイツ・ツァイツング(二)は『ブライヒレーダー＝カンプ＝ハウゼン＝デルブリュック時代』に關する有名な五論文を公にしゲルマニアは之を『普魯西及び獨逸に於ける猶太人經濟に關する論文』と名づけたが蓋し適評であらう、論旨は卽ち當時の普魯西及び獨逸政府の財政經濟政策を痛擊したものであつて、政府は意識的か、それとも無意識的か若干猶太人の影響の下にあるといふことを高調し民間に潛在的反猶感情を煽揚し政府攻擊に利用したのであつた。其の後此の例に倣ふもの相次いで續出した、極端保守派のライヒス・ボーテ、やドエッチェ・アイゼンバーン・ツァイツング(ライヒス・グロッケの前身)の如き、當時まだ有力ともいへぬ農民黨の機關紙ドエッチェ・ランデスツァイツングの如きそれであつて最後のものはゲルマニアから『猶太人の山師や金儲に對する戰爭に倦むことを知らず』と讚辭を貰つてゐる。ゲルマニア自らも八月十七日以來猶太人攻擊を開始し同年の晩秋の頃まで殆ど每日猶太人問題を社説に掲げた、そして『文化闘争も猶太人問題と密接の關係がある、故に最近猶太人問題の檢討されることは文化闘争のためにも喜ぶべきである……猶太人は獨逸國民の注意を文化闘争に集め他を顧みるの暇なからしめ其の間に獨逸民族を搾取せんとする』などの文句も見えてゐる。シターツビルガー・ツァイツングやノイエ・フライエツァイツングを初めとして超急進派の新聞にも九月頃から猶太人攻擊の論調が明白である。かくて所謂猶太人問題は一般社會流行の題目となり各種の新聞は長短の差こそあれ皆此のことに關する論説を掲げぬものは甚少いのである。翌年卽ち一八七六年になると反猶的小册子も常に絕えず、いや日を逐うて增加した。數月以來新に加はつたものは實は宮廷說教師シテッカー氏一派の運動だけであつてそれは文筆でなく辯舌を以て一層廣く民衆に反猶主義を弘布せんとするものである、……殊に悲むべきは貴下また此の運動に參加されむとすることでなければならぬ。」

「以上は現代獨逸の猶太人排斥の由來であり特質である、貴下のいはれるやうに民衆の要求から出發したのではなく政黨的偏見を利用して政争の具に供せられてると見るべきではあるまいか。」

「西南歐羅巴、英吉利、佛蘭西、伊太利諸國の猶太人問題に關しても貴下は誤解して居られるやうだ、貴下は猶太人を西班牙系、波蘭系と分ち前者は西南諸國に、後者は獨逸に多數を占め、そして前者は後者よりも歐羅巴の風習に順應するとされる。此の假定は伊太利に通用する、しかし英吉利・佛蘭西には適合しない、佛蘭西では今世紀の初年西班牙系の猶太人は數千を數へたにとゞまり、それも南部、主としてボルドーの附近に集まつてゐた、東部北部の地方では獨逸から殊にエルザス・ロートリンゲンから十七八世紀頃移住して來たものの子孫が優勢である。一八〇六年ナポレオンのサネドリン（三）に參集した佛蘭西猶太人の所謂名士中西班牙系のもの十人、獨逸系のもの五十二人、混合系のものは六人となつてゐる。現在でも獨逸系卽ち波蘭＝佛蘭西＝猶太人が西班牙系のものよりも遙に多い、數が多いだけでなく智力に於ても優る。將軍二名、佛蘭西學會會員四名皆獨逸系である。英吉利の猶太人もクロムウエル時代西班牙から多數移住して來た、しかし現在では獨逸系のものが多い、下院議員四名、猶太人で最初の倫敦市長になつたもの、高級裁判所長となつたものなと皆獨逸系である、西班牙系で知名の人といへばヂスレリとモントフィオールだけである。英吉利では猶太人に對する社會的偏狹が獨逸よりも薄いといふ、これも間違だ、唯〻現在の獨逸のやうに露骨でないとはいへよう。」

「之に反して佛蘭西、伊太利は獨逸と稍〻趣を異にする、私見によればこれが獨逸では反猶的偏見の激烈になる一要因だと思ふ、佛蘭西や伊太利の猶太人は外見も服裝も佛蘭西人伊太利人と餘り區別がつかぬ、また戸籍や納税者名簿・選擧人名簿にも信條を記入しないから、一般に如何なる種族に屬し如何なる信條を奉ずるかは餘程懇意の仲でなければお互に知る機會は少い。然るに獨逸では遠方からでも一瞥して以て猶太人たることが解るやうになつてゐる。予の幼時の追憶、それは憂鬱極まるものであつた、七歳の頃何の邪氣もなく民族的相違に就いても殆ど知るところはなかつた、然るに街頭で頑童は憎々しそうに『猶太人』と呼びかける、それは予に如何ばかり苦痛と屈辱を覺えしめたか。だがそうした罵詈も今では餘り氣にならぬ、それは自分でも驚く程である。獨逸では十六世紀に信條の分裂があり、宗派的對立は拉典系の諸國よりも激烈になつた、だから宗教的偏狹の存在は殊に下級社會に於てはやむを得ぬものであらう、斯うした傾向も漸次薄らぎ現在と二三十年前とを較べるならばこれは明に看取されるのである。」

貴下は『猶太人に要求することは極めて簡單である、唯獨逸人たれ、……數百年に亙る日耳曼文化に獨逸猶太混合文化の時代の續くことを欲しない云々』と云はれる、其の言葉の華やかなるに反し實は甚當を得てゐない、如何なる愛國者と雖ども歷史家の否定することを主張する譯には行くまい、獨逸の文化は決して單純に日耳曼の文化ではなく、元來混合文化であり、三つの要素卽ち日耳曼要素、基督教要素及び古典要素から成る、そして第二のしかも最有力な要素は猶太教と緊密の關係をもつ、獨逸猶太混合文化を排斥せんとしても獨逸民族の文化に新舊約全書程深き感化を及ぼしたものはなからう、之は疑もなく猶太人の所產である。」

「其の他貴下の要求される點に就いては予も同意する、しかし從來有り觸れた言說同樣、唯〻否定的に攻擊することなく肯定的指導的態度を執られむことが望ましい。それには先づ獨逸で生れ獨逸で敎育され、山師でもなく高利貸でもない猶太人が何故に同等の敎養、同等の地位にある獨逸人と區別されるかを考察すべきであらう。予は此の問題を屢〻提出した。しかし今迄満足な解答を得たことがない、貴下ならば恐らく適當の回答を與へられることゝ思ふ、そして更に貴下が獨逸化を促進する方法を指示されるならば天眞にして偏見なき猶太人は喜んでこれを採用するであらう。然るに若し多數の猶太人は獨逸人たらむとする意志なし、依然として日耳曼人と區別される特質を意識的に固持するといふのが貴下の主張ならば予は其の謬論なることを斷言して憚らざるものである。予も次のことを認める、少數の所謂極端正統派のラビはパレスチナを今も尚猶太人に約束された國土と解し猶太人の獨逸居住を唯一時的假寓とし從って全然獨逸化するを肯んじないのである、しかし其の數は甚だ尠い、多數の猶太人を彼等同樣に見ることは丁度二三の狂信的ウルトラモンタンが法王の命令を絶對とし國民的感情をも之に隷屬せしめんとするが故に獨逸の多數の加持力教徒をも此の理由で非難するやうなものであらう。」

「意識して獨逸化を欲しないものゝ數の多少は問題にならぬ、兎も角斯うしたものゝ存在に就いて一言しなければならぬ。かやうなものは主として普魯西の東部地方によく見られる、獨逸では大體猶太人を獨逸化し得ないやうにして來たと云うていゝ。宗教の對立や僧侶の非寛容もさることながら就中法律制度が猶太人の獨逸文化に浴することを不可能ならしめた、猶太人をゲットーに隔離し人間として市民としての權利は全然與へられぬ、普魯西の猶太人が初めて人間としての存在を認められたのは一八一二年であるが其の後も獨逸では種々の制限を加へられ結局獨逸の猶太人が完全に解放されたのは一八六九年である、此の事實を公平なる歷史家として考察されたい、貴說の如く可なり多數の猶太人が既に獨逸化したといふだけでも寧ろ不思議ではなからうか、また現に猶太人は同化に努めてゐる、多數の猶太青年が學業に勵んでゐる。(四)それには色々の理由もあらうが彼等も意識的に又は無意識的に獨逸の慣習、獨逸の精神、獨逸の文化を吸收せんが爲に外ならない、そして事實之等を吸收しつゝあるのである。」

「貴下も普通の論者と同樣、猶太人中の詐欺師や高利貸を非難される、基督教徒にも多數の詐欺師、高利貸のあることは暫く措く、伯林の人名錄を見ると質屋古物商中猶太名のものよりも日耳曼名(五)のものが遙に多い、また裁判記錄によつて伯林の將校相手の高利貸中最惡のものは實に獨逸の古き貴族ではなかつたか、しかも猶太人は多年職業に制限を加へられて來たに反し基督敎徒にはそうした制限のなかつたことを忘れてはならぬ。ある反猶主義者の説では高利貸や投機は猶太人の發明だといふ、しかし羅馬共和國時代既に高利貸があり、佛蘭西のロー倒産事件(六)英吉利の北海會社事件・和蘭のチューリップ投機事件等は皆所謂猶太人の會社詐欺以前のことである。」

「藝術科學の方面では猶太人にして指導的地位を占めるものが多くないといふ、それは不可解といはねばならぬ、大學年鑑によると教授七十人が純粹の猶太人に屬する、其のうちには神學者、法學者、哲學者、史學者、數學者、醫學者、自然科學者として著名の人も少くない、兎に角人口の割合から云へば獨逸の大學教授中猶太人は獨逸人の三倍に當ることゝなる、つまり猶太人は物質的方面にとゞまらず精神的方面でも獨逸の文化に多大の貢獻をいたし獨逸の名聲を高からしめてゐるといふべきである。」

「猶太人の新聞も反猶論者の攻擊の的となる貴下も此の點を力說し過去十年間獨逸の多數の都市の輿論は猶太人の筆端で作られた云々と云はれる、しかし今や『猶太人が書く』といふことは新聞界の禁忌になつた、何故なら唯それだけで新聞は信用を失ふからである、其の結果新聞は反對派の新聞を『猶太新聞』と呼ぶことが流行してゐる、例へば加持力派のケルニッシェ・フォルクスツァイツングはケルニッシェ・ツァイツングを『猶太新聞』と名づけたが後者の編輯部に實は一人の猶太人もゐないのである。また伯林のライヒス・ボーテは最近ナチョナルツァイツングを『サロモン氏の新聞』と呼んだ、が出版者は新聞の政策態度に直接與り知らぬ筈である。伯林のフォッシッシェ・ツァイツング、ナチョナルツァイツング、ポストを初めとして大都市の一流新聞十六種中猶太人で編輯部に關與してるものは殆ど見えてゐない、だから貴下の主張されることは新しい新聞か、二三流の新聞のことであらう、また伯林の狀況から全獨逸の新聞界を結論されたものと思ふ、それは之は予の同意しがたいところである……此處にむつかしい問題がある、それは基督教教會の事件を解釋するに當り猶太人記者は如何なる態度を執るべきかであり、全然觸れぬといふ譯には行かぬ、(七)教會の問題が激烈に論爭され公生活の重大部分をなしてゐる今日此の論爭を不問に附するならば多數の讀者を失つてしまふ、が斯樣な問題を正しく扱ふには特殊の才識を必要とする、然るにこの才識が必ずしも適當に活用されてゐない、しかし之は猶太人の記者に限られた缺陷であらうか、寧ろ獨逸の新聞の通弊ではなからうか、獨逸の新聞界には立派な信頼し得る名士も多いが同時に如何はしい人物も少くない、(このことは予の聞くところでは英吉利・佛蘭西も同様だといふ)かうした連中は他の職業よりも新聞記者が一番好都合なのであらう、……最惡の暴論も猶太人側のではなくして猶太人排斥の先頭に立つ連中のではあるまいか、其の例としては手近のもので十分だ、予の知るかぎりゲルマニアの如きライヒスグロッケの如きファーターランドの如き如何なる猶太新聞でも及び難いものがある。」

「貴下はまた猶太人が獨逸の新聞界に破壞的影響を與へた、まづベルネがあの特有な厚顏無恥な調子を獨逸のジャーナリズムに持ち込んだ、これは祖國に何等の敬意をも捧げず、まるで『獨逸人でないかの如く』だと說かれる。ベルネのあの銳利な批判は特得のものであるが私見によればそれは獨逸の特質の最惡の部分には觸れてゐない、此の點寧ろ貴下の尊敬される二百年前のサムエル・フォン・プーフェンドルフが(八)一層猛烈であつた、彼は實に獨逸の實狀を忌憚なく批判せんとして伊太利人の假面を被り『獨逸人でないかの如く』に裝うて自國の弱點を全世界に摘發したではないか、貴下がプーフェンドルフの著書を論ずるに當つては其の嘲笑を偉大なる文人の特權としながら愛國の熱情に於て決して劣らぬベルネをば全然異なる尺度で測定されることは甚公正を缺くと思ふ。ベルネの影響が獨逸の新聞に重大なることは予も貴下と見を一にする、しかしその影響の重大性は違つた意味でなければならぬ、七月革命以來獨逸の新聞が巴里の新聞から明暗兩面に互つて影響されたことは貴下も否定されぬことゝ考へる、其の一例が所謂厚顏無恥の調子であらう、自嘲自棄、奇怪矯激な警句諷刺を弄する、それは現在の狀態に於て滿たされぬものゝ表現であつてベルネは其の代表的作家と云はねばならぬ。」

「以上によつて略〻要點を論じ盡したと信ずるが予は貴下の結語『猶太人は吾々の禍である』に就いては斷然抗議を敢てするものである、此の言葉を十分に理解する爲には言葉の部分部分をよく吟味して見なければならぬ、貴下は祖先から子孫に傳來した、そして廣く一般に有り觸れた反猶感情でなく獨逸國民の精神運動の第一線に立つ有識階級の信念を意味するのであり、斯うした範圍の個人個人が反猶思想を懷抱するといふのではなく全部の人々の共通觀念であるといふ、また獨逸の猶太人の二三の過失や弱點を指すのではなく獨逸の猶太人全體が獨逸民族に對して禍であると云はれる、然るに予は先週孰れも敎養高き基督教徒の友人數氏と會見し意見の交換を試みる機會を得たが貴下と見を同じうするものは一人もなかつたのである。」

「現代のやうに不平滿々たる時代にあつては代罪者が必要だ、そして之に自他の罪を負はせることは其の例に乏しくない、獨逸では昔から斯うした役目を猶太人が勤めて來た、保守派は自由主義の立法を、ウルトラモンタンは文化鬪爭を先づ猶太人の罪に歸する、所謂新聞の堕落も經濟的危急も一般的窮迫も皆猶太人の責任だといふ、之等を總括し要約したのが卽ち貴下の結語であらう、しかし貴下が斯樣な斷案を下されたことは予の甚だ苦痛とし失望措く能はざるところである。」

「貴下は學界に於ても政界に於ても責任ある地位を占められる、無名の徒、張三李四の輩ならば誹謗罵詈を恣にし快哉を叫ぶもよからう、苟も貴下が猶太人問題の論爭に參加を思ひ立たれたならこの問題を如何にして解決すべきかに言及されねばならぬ筈である、然るに全編を通じて其の提案は何處にも見えてゐない、解放を撤廢するか、制限するかは貴下も全然反對の意見を述べられた、結局貴下は道德的警告を以て滿足し、そして如上の提案を試みることなく解決を猶太人自身の手に委せられ、最後に繰り返して獨逸人たれと云はれただけである。昔の如きは忽ち煽動運動家に惡用され獨逸人・猶太人間の牆壁を遠ざけずして高うし固うするに到るであらう。」

註(一) クロイツ・ツァイツングは保守黨の、ゲルマニアは中央黨の機關紙

註(二) ブライヒレーダーは猶太人銀行家、カンプハウゼン、デルブリュックは共に獨逸人、前者は藏相(一八六九年首相(一八七三年)稅制の改革を行ふ、後者は北獨同盟書記官長、ビスマークの片腕として帝國創立に功あり

註(三) サネドリンは元來法廷、ナポレオンは宗法と國法との調和を計らんとして猶太敎徒宗俗の名士をサネドリンの名で召集した

註(四) 猶太青少年が各種の學校に多數入學することは否定しがたい、一八七五年の普魯西に於て人口では一分に過ぎぬ猶太人が中等學校生徒中一割を占む

註(五) 一八一二年市民權を與へられた時猶太人は獨逸名を採用したものが多い、從って日耳曼名でも猶太人でないとはいへぬ

註(六) 英吉利生れのジョン・ロー巴里で銀行家となるミシシッピ地方で事業を行はんとし商事會社を設立したが失敗しヴェニスに逃る(一七二〇年)
英吉利の北海會社一七一一年創立英吉利の國債を引受け投機を試み破產す(一七二〇年)

十七世紀の中葉和蘭でチューリップの観賞流行す、チューリップ狂の名もある、之を當て込んで種々の投機行はる

註(七) 當時所謂文化闘爭が行はれてゐる

註(八) プーフェンドルフは伊太利人 Severinus de Monzambano の假名で「獨逸帝國論」(一六六七年)を公にし獨逸帝國の現狀を痛撃した、一八七五年トライチュケは普魯西年報でプーフェントルフの著書に關し執筆してゐる

四

トライチュケは此のブレッスラウの反駁に對し辯明して曰く、

「予の十一月の論文に對し反對論は新聞や小册子で多數見られるのであるが、其の中で讀んで衷心から遺憾に堪へぬのは同僚ハリ・ブレッスラウ氏のものである、予が例の論文を書いた時、識らずく故人となつた昔の竹馬の友を想ひ出した、それは猶太血統の但し善良な獨逸人で予の曾て相識つたうちでは最忠實な親切な私心のない人物の一人であつた、予は舊友と相語らふ氣持で腹案執筆し、そして自ら遲疑することなく獨逸人と感ずる猶太人達の同意を得るものと豫想し

たのであつた、然るに全然獨逸風に思惟する猶太人、即ち予の論難に關係のない猶太人、例へばブレッスラウ氏の如きでも予の論文によつて侮辱を覺えるといふ、して見れば獨逸の猶太人には佛蘭西や英吉利の猶太人とも違つた異常の過敏性があるらしい、此の過敏性は病的ともいふべきで一體彼等を如何なる名稱で呼ぶべきかさへ解らなくなる、セミテンといふ言葉は意地惡き侮蔑を含むとあつて抗議を受けた、イスラエリテンといふたらある新聞から氣障な言ひ方だと小言を食つた、然るにある大學教授は將來猶太人といふ言葉をやめてイスラエリテンと呼んで貰ひたいと希望して來た。斯様な過敏性には對策に困る、古い獨逸の俚諺だが『怒るものには怒らせよ』といふ外はあるまい。」

「ブレッスラウ氏が此の運動を一八七五年以來極端保守派やウルトラモンタンに由つて喚起されたとするならばそれは間違である、此の運動の起原はもつと古い、予は十年以上も前から冥々の裡に起りつゝあつたと思ふ。猶太人の增加する勢力、驕慢に對し獨逸の古來の特質を如何にして保護すべきか、此の問題は數年以來上流社會では黨派の別を超越して熱心に且屢〻話題になつてゐた、今日尙勇敢達識の人でさへ其の意見の公表を躊躇するのはある極端な兩黨派が現に廣く行き亙つてゐる不平の氣分を各自特殊な目的に利用せんとするを恐れるからである、また何人も不寛容なる僧侶派に屬すると非難されるのが厭だからである。しかし予は斯うした誹謗で片づけられる恐れのない人が敢然立つて現在の運動を嚴正に批判することは望ましいと信ずる。」

「吾々は今目前に起りつゝある社會狀態の重大なる變化を看過して居られようか。伯林だけでも佛蘭西全體と略〻同數の猶太人が住んでゐる。予の入手した最近の官署の調査によると佛蘭西には四九四三九人、伯林でも一八七五年に四五四六四人、そして一八一一年以來全人口は六倍したに過ぎないが猶太人は十四倍に增加した。吾が政治及び文化の中心に入り込んだ彼等猶太人中には尊敬すべき善良な愛國的な人もないとは云へぬが正眞正銘の東方人も少くはない、彼等は鄕國なきインタナショナルのジャーナリストであり、コスモポリタンな黃金勢力である――ロスチャイルド家の如きは何人といへども獨逸的といへまい――つまり一般的に有害な分子である。解放は猶太人に法律上の難問を除去した、この點では有利であらう、しかし種族的對立を緩和するためには何時でも最有效な手段と見られる血統の混合を困難ならしめた、猶太人にして基督敎に改宗するものも減少したが基督教徒との雜婚は殊に稀有の例外になつてしまつた。」

「猶太人は新帝國の解放令に感謝しなければならぬ、何故なら國家の事業に參與するといふことは決して一切の住民の自然的權利ではなく各自の國家が自由裁量により決定すべきものだからである、然るに彼等は感謝するどころか驕慢極まるものも少くない、それは二三の新聞記者が基督教を冷笑するといふだけでなく多數者たる基督教徒の信仰をも侵害せんとするものが見えるのである。こゝでは新聞に出た信ずべき一例だけを擧げる。ライン河畔のリンツに加持力教派の小學校があり、猶太教徒の子弟も通學する、宗教教育の教科書として『聖書物語』を使用してるが無論猶太教徒の子弟は之に關係がない、この教科書は新約全書によるのであつてその中に『基督は猶太人のために罪なくして十字架にかけられた』とある。之に對し會堂は苦情を持ち出し猶太人に對する輕侮と憎惡を刺戟するものとし此の教科書の撤廢を政府に申し出た、つまり寛容の名に於て僅少少數者が基督教徒の宗教教育に對しても抗議し得ると考へ無制限の自由を要求するものである、斯うした態度に對してはブレッスラウ氏も辯解の辭があるまいと思ふ、そこで解放後數年、既に斯樣な事件を見るに到つた思想傾向に斷平對抗し少數者が吾々多數者の忍耐につけ込んで一層横暴を恣にすることのないやう對策を講ずるのが今や焦眉の急であると力說してもブレッスラウ氏は吾々基督敎徒を無理だといひ得るであらうか。」

「歐羅巴の猶太人の兩種族に就てまた一言せざるを得なくなつた、ブレッスラウ氏は予が勝手に此の區別を附したかの如くにいはれる、しかし予の述べたことは佛蘭西の法律の公文書に由つて明かに立證される。革命時代地方選擧の際に國民議會は一法案を提出しあらゆる非加持力敎徒にも選擧權及び公職就任權を與へようとした、然るにモーリ、リュベル(エルザス人)の二議員はエルザスに於て猶太人が甚しく嫌はれてることを理由とし之等の權利を猶太人に與へることには反對した、結局此の法案は猶太人に關する規定を保留するといふ但書を加へて通過した。翌年(一七九〇年)一月二十七日の討議により『南方の猶太人』所謂西班牙系の猶太人は選擧權を與へられたが當時平等論の流行してゐたにも拘はらず獨逸系の猶太人は除外された、彼等が初めて平等の權利を得たのは一七九一年九月三日の憲法によつてゞである。この事實から察するに佛蘭西人は猶太人中の種族を區別してゐたことと、西班牙系の猶太人は獨逸系の猶太人よりも嫌はれてゐなかつたことが明かである。南方佛蘭西は古來宗教的に熱狂的な國土として知られてゐる、アルビジョア戰やユグノー戰は云ふに及ばず、十八世紀になつてもカミサール事件(一)やジュアン・カラ事件がある、更に一八一五年にも所謂『白色恐怖時代』(二)があつてニムやモンペリーなどで多數の新教徒が暴徒に殺戮されたことは周知の事實である。斯樣に有名な狂信的な人民の間に在りながらエルザスに於けるよりも大體平穩無事に暮し得たとするならば西班牙系の猶太人は獨逸系の猶太人よりも歐羅巴の習慣風俗に順應し得るのであらう、此の西班牙系の猶太人の態度狀況が一般に佛蘭西では猶太人の地位に有利の影響を與へたものと思はれる。」

「新聞に於ける猶太人の過大な勢力に對する予の論旨は唯猶太人が編輯に直接關與しないといふだけでは反駁にならぬ、例へば通信員の中にも割合猶太人が多い、獨逸の新聞の內情をよく知るものならブレ、スラウ氏の想像するやうに編輯は通信と無關係に獨立してるものでないことも熟知してゐる筈だ、それは新聞で書き立てることだけではない、恐れをなして沈默する場合も同樣である、多くの編輯者は巴里や倫敦の通信員の機嫌を損じてはならないのである、加ふるにまた豫約購讀者をも顧慮しなければならぬ。一八七八年の夏シレジッシェ・ツァイツングは忽ちにして六百人の猶太人の購讀者を失つた、それは單に猶太人の不遜なることを正直に詳論したからであつた。最後にあらゆる獨逸新聞は廣告料で利得を上げるのである、何故なら普通の購讀料は甚だ安いのでそれだけでは引き合はぬからである。廣告欄の顧客たる猶太人が新聞にとつて何を意味するか、このことは地方新聞の第四面を一瞥すれば直に領會されると思ふ。予も猶太人が互に結束して鞏固なる潛在的社會的勢力をなすことを最近になつて初めて知つた、それは予に好意を寄せる人々から知らして貰つたのであるが之等の人々は皆猶太人の報復を怖れてその姓名を祕してくれといふ、かうした事情から何故自由新聞が基督敎徒の不寛容に就ては攻擊を忘れぬ癖に猶太人の驕慢に關しては其の十分の一も攻擊を試みないかゞ解るであらう」。

「ブレッスラウ氏は獨逸の文化を混合文化だといふ、之は言葉の遊戲に過ぎぬ、過去一千年の一般的思想・事業はいづれの民族の文化に於ても其の根幹になり支柱となつてゐる。獨逸の文化も古典要素・基督敎要素・日耳曼要素の三源泉から成ることはブレッスラウ氏の說く通りである、しかしかるが故に混合文化だとはいハない、古典及び基督教の理想は吾々本來の本質と緊密に融合し、其の肉とな り血となつてゐる、吾々は此の三文化要素に新猶太要素を加へたくないのであ る、何故なら猶太精神中價値あるものは既に基督教を通して吾々の文化に採用 してあり、吾々の精神に對立する新猶太要素は吾が民族を邪道に導くことを十 分に經驗してゐるからである。」

「正體の知れぬ所謂『青年獨逸派』時代獨逸の文壇はベルネとハイネとに支配さ れた、時日の遠ざかるに從ひ冷靜に觀察するとあの頃は道德的精神的に墮落し た時代であつた、獨逸の文學史上クロップシトックク以來あれ程何等の遺產をも殘 さぬ時代はあるまい、無氣味な過激な抽象的な觀念が吾々の生活を蝕み外國物 を奴隷的に崇拜することが自由の名に於て宣傳された、そして今でも尙當時の 非獨逸的觀念を芟除し國民を本來の精神に復歸せしめる爲に多大の努力を要す る始末である。ブレッスラウ氏がベルネの書でブウフェンドルフのあの卓越した 警告を再び發見し得るとするならば飛んでもない錯誤である、ベルネにはあの 專門的研究に基づく卓識がない、ブウフェンドルフの深き造詣とベルネの皮相の 見とでは非常な懸隔がある、ベルネは政治上の問題に關して眞面目に熟考したり調査したりしたことがあらうか、政治に關する諷刺はそれが愛國の熱情から、堅き國民的矜恃から流露するものでなければならぬ。プウフェンドルフは如何なることを諷刺したか、それは腐朽した崩壞した帝國、空虛な無價値な小邦分立主義ではなかつたか、しかし獨逸國民に關しては其の最も頽廢沈淪した際であるに拘はらず彼は之を侮蔑することなく寧ろ激勵するにつとめた、そして國民中第一の人物たる大選擧侯に頌德表（デンクマール）を捧呈した、之はシリューター(三)の立像と共に永久に殘るであらう。之に反しベルネは當代最大の偉人ゲーテをも『詩を作る奴』と貶し、獨逸人を婢僕的民族と罵り、まるで獨逸人と共鳴共感するところなき外國人の態度を執つてゐる。」

「ベルネは死と共に其の思想も忘れられた、今尚彼の著書を讀むものは特殊の專門家以外にはあるまい。ハイネは今でも生きてゐる、將來もまた生き殘るであらう、何故か、ハイネはベルネより天分豐かであつただけではない、韻文は散文よりも生命が長いためだけではない、ハイネはベルネよりも遙に獨逸的だからである。ハイネの不朽の名作はあの『唯一の巴里詩人』と呼ばれたインタナチョナルの機智ではなくして唯獨逸的に感じたあの幾多の詩句である。『ローレライ』の如き洵に獨逸浪漫派の嫡流たるを想はしめ、『アポロ神』の如きウインケルマン以來希臘世界の美に就て歌はれた一切のものを網羅する、加之、ハイネにはあらゆる獨逸の文人同樣其の用語に地方的語韻をほのめかす、ゲーテはフランケン人、シラーはシュワーベン人たることを知らすやうに、またレッシングとフィヒテは相互間根本的に相違するのであるけれども兩者共に上ザクセン人たることを示すやうにハイネは其の特色の明かなところではラインランドの產たることをうなづかせる。然るにベルネはあの抽象的なジャーナリスチッシな言葉を用ひる、それが如何に華やかであつても幻惑的であつても獨逸的でなく力がない、本來の力である『土の香』が缺けてるから聽く者讀む者の心肝に徹底じてひゞかないのである。」

「現在の獨逸では猶太人の學者藝術家中一流のものは獨逸精神に從つて初めて大成し得ることを心得、且これにつとめてゐる、唯生意氣な中所のものが自負して騎士的日耳曼人に對抗せんとする、彼等は實に商賣上の廣告文句や株式市場の符牒見たいなものを文學の殿堂に持ち込まんとするのであつて吾々が斯うした不純の分子を除去せんとする時にブレッスラウ氏の如き人々も恐らく予を支持するだらうと思ふ、だから最も嚴密な意味でいへば予とブレッスラウ氏との間にには深き意見の相違は見出しえないのである。」

註(一) カミサール(Camisards)はセウェン山岳地方の新教徒達である、政府及び舊教教會の壓迫に堪へず前後二回(一六八九―一七〇五年)暴動を起し却てより悲境に陥る

註(二) ジュアン・カラ(Jean Calas)はツールーズの新教徒である、舊教徒たらんとする子息自殺す、之は父が新教を强要したためだらうとの嫌疑をうけ轢殺される(一七六二年)

註(三) 白色恐怖時代は反動革命的暴虐の時代卽ちナポレオン派、新教徒など多數暴徒のために迫害さる

五

以上はトライチュケ對ブレッスラウの論爭の要旨であるが此の論爭に於て吾々の注意を惹く二三の點を擧げて見よう。

反猶主義・反猶運動の表面化したことに就きトライチュケは最初、數月以前からといひ、ブレッスラウは一八七五年以來とした、トライチュケは次いで實は十年來暗々裡に廣く擴がつてゐたと訂正したが一八七三年の恐慌事件が口火を切つた

と見てよからう、但し此の恐慌に對して猶太人の責任を高調するものが多かつたに拘はらず實は其の的確な證據を握つた譯でなく、且泡沫會社の要職には獨逸人たる名門貴紳顯官も少くなかつたから直接猶太人を攻擊する理由は見出し難かつたこと〻思はれる。然るにグラガウが一八七六年「相場及び會社詐欺」と題する書を公にし猶太人の欺瞞不正行爲を抉剔してから反猶主義を激化し反猶運動を熾烈ならしめたのであつた。しかしトライチュケの所論にも見えてるやうに猶太人を攻擊することは種々の危險を覺悟しなければならぬ、先づ第一は新聞の反擊であらう、當時の新聞界に於ける猶太人の勢力に關しブレッスラウは百方辯明否認につとめ多數新聞の編輯部に猶太人は殆ど關係してゐないと說いてるが、果して然りとしてもそれは丁度泡沫會社の重役に獨逸人たる名士を祭り上げたと同工異曲であつて猶太人は實勢力を占めながら表面に立つことを避けたに過ぎぬ、ある說によるとこの頃獨逸の「自由新聞」中其の六分の五まで猶太人の掌中にあつたといふ、之は資本の關係を意味するのであるが其の數字に拘泥する必要はない、兎に角猶太人の新聞界に振ひ得た勢力は甚大なりと云はねばならぬ。

猶太人の解放問題と自由主義・民主主義の唱道との關係、猶太人が所謂輿論を利用し又は製作したことは本誌前號で述べた通りであるが「英吉利の慈善事業家」で知られてゐるモントフィオール（Sir W roses montefiore, 1784—1885）は「全世界の新聞を悉く皆掌中に收めざるかぎり吾々の覇業は夢想にとゞまる」として猶太人を激勵したと傳はつてゐるが其の眞否は暫らく措くとして獨逸の猶太人が新聞界を舞臺に活躍したことは天下周知のところであらう、其の代表的新聞として有名なフランクフルター・ツァイツングは既に一八五六年創立され（創立者は猶太人の銀行家レオポールド・ゾンネマン）社會民主黨の機關紙、實は猶太人の機關紙であつた。伯林の二大出版會社を創めたウルシタインもモッセも猶太人であるがモッセ系の新聞雜誌は一八六七年以來數種發行されベルリーナー・ターゲブラットは一八七一年の創立である、ウルシタイン系の新聞として著名なフォッシッシェ・ツァイツングの同社經營に屬したのは一八八七年であるけれども同社系のベルリーナー・ツァイツングは既に一八七七年以來發行されてゐた。

之等の猶太系新聞が國內の問題のみならず、外國の事件に關しても或は世人の耳目を掩ひ或は之を誇張して宣傳するなど專ら猶太人の利害を目標としたことも贅言を要しない、本誌前號で述べた通りアドルフ・シテッカーが猛然反猶運動のために蹶起したのも實に猶太系新聞の悪辣極まる手段に憤慨した結果であつた、また皇帝ウィルヘルム一世を狙撃した(一八七八年六月二日)ノビリングは猶太人といふことになつてるが此の事件には猶太人銀行家ブライヒレーダー家のものも關係ありとの風説も立つたのであるけれども猶太系の新聞は擧つてそれらの默殺につとめホンのお坐なりの記事を揭げたに過ぎなかつた。

解放された猶太人は忽ちこれを栖とし自由主義に藉口してあらゆる方面に於ける完全の權利を要求したから彼等の驕傲不遜の態度は獨逸人或は基督敎徒の反感をそゝるものであつた、トライチュケは其の一例としてライン河畔のリンツの事件を擧げてゐる。このことに對しては其の後リンツの會堂(ジナゴーグ)から事實相違の旨を發表し且、これをトライチュケにも通告した、たからトライチュケも其の第四論文では之を訂正してゐる。卽ち會堂が文部大臣に請願したのはトライチュケの記した理由によるのではなく敎科書の聖書物語中の文句「カイン(弟殺し)は現今全世界に擴がつてゐる猶太人の模範的人物である云々、」を削除して貰ひたいといふにあつた。しかし之と類似の事例ならば決して珍らしくないのであつて其の適例はアンゲンロット事件であらう。上ヘッセのアンゲンロットといふ村の學校で一人の猶太人教師が基督教徒(八十五人)猶太教徒(三十五人)の學童を受け持つてゐた、此の教師は學校のお祈りの時にイエスの名を唱へることを禁じ、且法定の教科書中イエス又はキリストに關する個所をば省略して教へなかつた、そこで基督教徒の父兄は其の子弟をしてこの教師の授業を受けさせぬことゝし之が爲に學業懈怠で罰せられた、父兄委員會は之をダルムシタットの政府に訴へ結局罰は免れ此の教師は直に轉任さすといふ言質を得たけれどもそれは基督教徒組合が宗教教育の費用を負擔するといふ條件附であつた。それは一八七九年七月以後のことで此の論爭當時からいへば最近の出來事に屬するのである。

斯うした問題に關してブレッスラウは何等言及してゐない、唯二三低級新聞記者などが宗教問題を輕卒に取扱ふことを述べてるに過ぎない、しかし斯樣な驕慢の態度は啻に新聞記者の筆端にとゞまるのでないことはトライチュケの說いてる通りである、そしてトライチュケも彼等新聞記者が結束して社會的一大勢力をなしてることを最近に至つてやつと知つたとあるから彼等が巧妙の方法周到の用意によりひそかに一大聯絡網をつくり横行濶步を敢てしたことが此の頃から既に著しかうたものと見える。

「青年獨逸派」時代、佛蘭西風の自由主義・民主主義が獨逸の青年層に歡迎され、ベルネやハイネの執筆した巴里通信は現狀を慊たらずとするものにとり天來の福音とも響くのであつた。トライチュケは獨逸の文壇に不純なジャーナリズムを輸入して獨逸の青年に外國崇拜・祖國呪咀の傾向を帶びしめた首魁として極力ベルネを痛擊してゐるがハイネに對しては寧ろ好感をもつことが注目を惹く。ベルネもハイネも所謂受洗猶太人であるけれども兩者共に基督教を信奉するものではない、そしてベルネは主に政治問題・社會問題を取扱つたに對し詩人ハイネは主として思想問題・信仰問題に關心を置いた、だからハイネは猶太教又は猶太民族に愛着を感じたことはベルネよりも强く且深かつたやうである、殊に其の晩年病床に就いてからは愈〻熱烈な猶太教徒であつたことは疑ふ餘地もないのである。また獨逸を呪ひ佛蘭西に心醉したこともベルネに劣るものとは思はれない、彼にとつて巴里はイェルサレム、山上の說教師（山嶽黨）は議會から三色の福音（革命主義）を傳へるものであり、ラインはヨルタン、自由の聖地と卑俗の國土とを分つ境界線であつた。加之、ハイネは一八三六年頃以來ギゾーの政府から年額四千八百フランの支給を受けて反獨主義の宣傳に竭したことは其の後十年を經て暴露し掩ひがたき事實である、從つて現在ナチの獨逸ではベルネよりもハイネが攻擊の的になつてゐる。トライチュケは「ローレライ」を以てハイネの獨逸的なる例證にしてゐるが、青年保守的國粹派の指導雜誌たる「獨逸民族主義」の發刊者、ウィルヘルム・シターペルの如きは「同じ『ローレライ』でもハイネのとアイヘンドルフのとでは甚だしく違ふ、後者は神祕的で淳朴だが前者は刺戟的で矯激だ、ハイネの『悲しいのは何の爲か解らぬ、昔からの物語を私は忘れられぬ云々』を口誦んでゐるといつの間にか肩をそびやかし兩掌を擴げるやうになる、之は正しく猶太人特有の身振りではないか」というてゐるが斯うしたことは獨逸人ならず猶太人ならざる吾々の窺知し得ないところであるけれども現在の獨逸ではトライチュケ程もハイネに好意を示してゐるものはないやうである。

ブレッスラウはハイネに關して何も言及してはゐない、がベルネをプウフェンドルフと比較しての辯明は牽強附會の說と云はねばならぬ、こゝでベルネに就いて述べる暇はないのであるがあの峻烈骨を刺すやうな痛罵毒筆は內外人をして獨逸憎惡の感情を喚び起したに相違ない。

最後に指摘したいのは此の頃まで所謂民族的反猶主義がまだそれ程顯著でなかつたことである、トライチュケ以前又は同時代でもゴビナウの如きデューリングの如きワールムンドの如き猶太人を民族的に劣等のものとした學者論客もないとは云はぬが、しかしそれは一般の通念になつてゐなかつた少くともトライチュケを以て當年の反猶主義者の代表者と見做すならばこのことは明白に斷言し得るのである、トライチュケは猶太人の獨逸人たらむことを反覆して切望し且其の可能を確信した。また古來猶太人にして洗禮を受けても受けなくとも最善の意味に於ける獨逸人たりしものが稀有ではなかつたというてゐる、そしてフェリクス・メンデルスゾーンやモリッツ・ファイトを其の例證に擧げリーサーは獨逸の愛國者でありハイネも「獨逸的」なることを認めたのである。つまり彼に從へば猶太人といへども敎化し善導じて獨逸化し得るといふことになる、此の點十九世紀末から著明になる民族的反猶主義論者と異なるものである。但しブレッスラウも述べてゐるやうにトライチュケは猶太人の獨逸化に關し其の實行方法を指示することなく、また其の妨害となるものゝ除外手段に就いては何等論及するところがなかつた。

華夷變態　目錄

華夷變態　目録

華夷一[illegible] 目錄

二十五番福州船風說

七

己未

壹番普陀山船ノ風說

宗對馬守朝鮮ノ注進三通

貳番思明州船ノ風說

宗對馬守ヨリノ注進

三番思明州船ノ風說

四番東寧船ノ風說

五番南京船ノ風說

八番暹邏船ノ風說

十番廣東船ノ風說

十一番思明州船ノ風說

二十六番普陀山船風說

新カピタンロ上書

十六番思明州船ノ風說

二十番東埔寨船ノ風說

三十二番普陀山船ノ風說

庚申

十四五六番暹邏船ノ風說三通

十七番廣東船ノ風說一通

二十番萬丹船ノ風說一通

二十五番東京船ノ風說一通

廣東船主書翰

二十九番福州船ノ風說一通

一九二
辛酉
一番東寧船ノ風說
一番東寧船陳檀官風說
二番暹邏船風說
三番咬𠺕吧船ノ風說
新カピタン船ノ風說
四番五番東埔寨船ノ風說
六番七番東寧船ノ風說
南京船風說
八

壬戌
一番南京船風說
二番福州船風說
四番東京船風說
五番廣東船風說
七番廣東船風說
八番咬𠺕吧船風說
九番暹邏船風說
十六番十七番東寧船風說
十八番東寧船風說
新カピタン口上書
十一二番東埔寨船風說
十番咬𠺕吧船風說
廿三番東寧船風說

廿四番東寧船風說
廿五番暹邏船風說
廿六番東寧船風說

癸亥

二番廣東船ノ唐人共申口
九番東寧船風說
十番東寧船風說
阿蘭陀人風說
十一番大泥船風說
十二番東寧船風說
十三番東寧船風說
十四番東寧船風說
十五番廣南船申口
十六番[illegible]說

十八番東寧船風說
十九番暹邏船風說
四番東寧船風說
五番暹邏船風說
六番咬𠺕吧船風說
七番暹邏船風說
八番東寧船風說
廿番東寧船風說
廿一番東寧船風說
廿二番暹邏船風說
廿三番暹邏船風說
廿四番暹邏船風說
廿五番東寧船風說
廿七番南京船風說

甲子

乙丑

十一

丙寅

丁卯

風說

戊辰

十五

戊辰

風說書

百七十七番廈門船風說
百七十八番廈門船風說
百七十九番南京船風說
百八十番廈門船風說
百八十一番南京船風說
百八十二番廈門船風說
百八十三番寧波船風說
百八十四番廈門船風說
百八十五番廣南船風說
唐通詞共ヱ廣南通詞ヨリ差越書管
寫
仝和ケ
唐通詞共ヱ安南官役ヨリ差越書管
寫
仝和ケ

長崎奉行ヱ安南國王ヨリ差越書管
寫
安南國王ヨリ御奉行所ヘ來ル書
仝上
長崎奉行ヱ安南國王ヨル差越書管
寫
公儀ヱ安南國王ヨリ差上書管寫
仝和ケ
風說書
百八十六番廣南船風說
百八十七番臺灣船風說
百八十八番廣東船風說
百八十九番安南船風說
百九十番寧波船風說
百九十一番廣東船風說

十六

己巳

十七

庚午

十八

辛未

新かひたん風說書
六十四番暹羅船風說
六十五番寧波船風說
六十六番厦門船風說
六十七番山東船風說
六十八番廣南船風說

二十

癸酉
一番寧波船風說
二番溫州船風說
三番寧波船風說
四番寧波船風說
五番福州船風說

六十九番山東船風說
七十番福州船風說
七十一番暹羅船風說
七十二番南京船風說
七十三番寧波船風說
五島ニテ破船ノ暹羅船風說
六番福州船風說
七番福州船風說
八番寧波船風說
九番寧波船風說
十番福州船風說
十一番福州船風說

二十一

風說書

二十四

二十五

戊寅

己卯

二十七

庚辰

辛巳

二十九

壬午

三十

癸未

三十一

甲申

三十二

乙酉

二十四番南京船風說
二十五番南京船風說
八十七番廣南船風說
八十八番廣南船風說
風說書

寶永三年丙戌

一番福州船風說
二番臺灣船風說
三番南京船風說
三十四番南京船風說
三十五番南京船風說
三十六番南京船風說
三十七番南京船風說
三十八番南京船風說

三十九番臺灣船風說
四十番南京船風說
四十一番南京船風說
四十二番臺灣船風說
四十三番臺灣船風說
四十四番臺灣船風說
四十五番厦門船風說
四十六番廣南船風說
四十七番臺灣船風說
四十八番臺灣船風說
四十九番臺灣船風說
五十番南京船風說
古かひたん申口
九十番海南船風說
九十一番臺灣船風說

三十三

戊子

八十番臺灣船風說
八十一番厦門船風說
八十二番南京船風說
八十三番南京船風說
八十四番南京船風說
八十五番厦門船風說
　南京船主包子佩書
　　風說書
百番暹羅船風說

百一番東京船風說
百二番東京船風說
百三番廣南船風說
百四番東埔寨船風說
　異人申口覺
　異國人所持品
　以別紙申入之口
　以別紙申入之口

三十四

己丑
十六番南京船風說
十七番南京船風說

十八番寧波船風說
二十番南京船風說
二十一番寧波船風說

庚寅

正德六年

廣東船主李韜士爲報明事

丙申

廣東船唐人共申口

廣東船頭李韜士物語之覺

草案一扣

草案二扣

寧波船風說

寧波船風說

寧波船風說

寧波船風說

三番廣東船風說

四番廣南船風說

丁酉

暹羅船風說

南京船風說

福州船風說

附記　內閣文庫所藏本所載ノ目錄ハ不完全ナルヲ以テ足ラザルモノハ本文中ヨリ摘出シテ本目錄ニ加ヘ括弧ヲ附シタリ。

文字モ原目錄ノマヽトシ敢テ訂正セズ。

彙報

昭和十四年度史學科講義題目

講義題目	擔當
國史概說(二) (足利時代以後)	中村教授
國史概說(二) (鎌倉時代以前)	小葉田助教授
東洋史概說　前半(二)	桑田教授
東洋史概說　後半(二)	青山助教授
南洋史概說(二)	岩生教授
西洋史概說(二)	菅原教授
土俗學・人種學概論(二)	移川教授
地理學概論(二)	小野講師
國史特殊講義(二) (國體觀念の發達)	中村教授
國史特殊講義(二) (日支交涉史)	小葉田助教授
東洋史特殊講義(二) (資治通鑑)	桑田教授
東洋史特殊講義(二) (極東史の諸問題)	青山助教授
南洋史特殊講義(二) (近代南洋華僑史)	岩生教授
南洋史特殊講義(二) (比島初期外國關係)	箭內助教授
南洋史講讀及演習(二) (蘭印華僑史)	岩生教授
南洋史講讀及演習(二) (Jordana y Morera : La inmigración Chinas en Filipinas)	箭內助教授
土俗學・人種學特殊講義(二) (東南亞細亞民族誌研究)	移川教授

箭內講師の助教授任官

南洋史學講義分擔の箭內健次講師は昭和十三年六月三十日附を以て助教授に任官せられた。

岩生教授の南洋出張

岩生成一教授は昭和十四年八月三十一日神戸出帆華僑關係資料並南洋史學資料調査の爲蘭領瓜哇島へ出張されたが同年十二月二十五日歸學せられた。

昭和十三年度史學科卒業生氏名及論文題目

昭和十三年度史學科卒業生及その卒業論文題目は左の如くである。

國史專攻

徳川幕府の參覲交替政策　中澤孝一郎

臺北帝大夏期講習會

臺北帝大では本年七月十三日より廿二日迄、日曜を除く九日間にわたり史學に關するものと物理化學に關するものの夏期講習會が開催せられた。講習員は中等學校教員、視學にして小公學校教員其の他希望者にも傍聽せしめた。史學に關するものの講習科目及び講師は次の通りである。

1、人種民族論　教授　移川子之藏
2、獨逸に於ける猶太人問題　教授　菅原憲
3、最近國史學上の二、三の問題　教授　中村喜代三
4、帝國と極東との干繋　助教授　青山公亮
5、歷史上より見たる我が國と福建との交渉　助教授　小葉田淳
6、南洋華僑發展の一形相　助教授　箭內健次

史學科研究年報既刊目次

第一輯（昭和九年五月）

近世に於ける出版取締法發布の沿革と出版手續法並に檢閱制度　中村喜代三

日本と金銀島の關係形態の發展　小葉田淳

南洋崑崙考　桑田六郎
金朝行臺尙書省考　青山公亮
ジャガタラの日本人　村上直次郎
「長崎代官」村山等安の臺灣遠征と遣明使　岩生成一
米國人の臺灣占領計畫　庄司萬太郎
「パツ」を周る太平洋文化交渉問題と臺灣發見の類似石器に就いて　移川子之藏

第二輯　（昭和十年六月）

ジャガタラの日本人補遺　村上直次郎
南洋日本町の盛衰（一）　岩生成一
歷代行臺考　青山公亮
鎌倉時代に於ける博奕の社會的考察　中村喜代三
足利時代明錢輸入と國內流通事情　小葉田淳
明治七年征臺の役に於けるル・ジャンドル將軍の活躍　庄司萬太郎
臺灣パイワン族に行はれる五年祭に就いて　宮本延人

第三輯　（昭和十一年九月）

三佛齊考　桑田六郎
日明交通史上の所謂永樂宣德兩要約の疑問と其眞相　小葉田淳

南洋日本町の盛衰(二)　岩生成一
(暹羅日本町の盛衰)
近代日暹交渉史年表稿　岩生成一

第四輯　(昭和十二年十月)

「足利後期の」遣明船通交貿易の研究　小葉田淳
南洋日本町の盛衰(三完)　岩生成一
(呂宋日本町の盛衰)
皇明實錄に見えたる明初の南洋　桑田六郎
鴉片戰爭と臺灣の獄　松本盛長

第五輯　(昭和十三年十二月)

猶太人問題とビスマーク　菅原憲
モルッカ諸島移住日本人の活動　岩生成一
マニラの所謂パリアンに就て　箭内健次
三佛齊補考　桑田六郎

昭和十五年十月十日印刷　史學科研究年報（第六輯）
昭和十五年十月十五日發行

編輯兼發行者　臺北帝國大學文政學部

東京市蒲田區仲六鄉一丁目五番地
印刷者　株式會社　三省堂蒲田工場
代表者　喜多見昇

發賣所　臺北市明石町二丁目六番地
東都書籍株式會社臺北支店
電話臺北四一二六番
振替口座五七五八番

臺北帝國大學文政學部

史學科研究年報

第七輯

臺北帝國大學文政學部

史學科研究年報　第七輯

目次

日南林邑に就いて

桑田六郎

目次

日南林邑に就いて

桑田六郎

秦の始皇帝は南支方面を經略して、そこに桂林、象、南海の三郡を置いた。秦亡ぶや南海郡の尉であつた趙佗は自立し桂林、象郡を併合して南越國を建てた。その後前漢の武帝は南越を亡ぼしそこに九郡を置いた。

元鼎六年の事であつた。九郡は蒼梧、鬱林、南海、合浦、交趾、九眞、日南、儋耳、珠崖で、このことは史記漢書により明かである。但しそこで秦の三郡が即ち漢の九郡とは云へないであらう。その間に南越國自身の領土擴張を考へる必要があらう。尙ほ秦の象郡の位置に就いて、漢書地理志は日南郡の條に故秦象郡と記して居るが、是に就いては秦の象郡は今の廣西にあつたと考へる說がある（佐伯義明「秦の象郡の位置に就いて」史學雜誌三十九編十號）然し武帝は秦の三郡を領有せる南越を亡ぼしてそこに九郡を置いたのであるから、秦の三郡は當然漢の九郡の中に含まるべきで、九郡の中に象郡の名がなければその時は象郡は省かれなかつたと見るのが穏當と思ふ。廣西說の根據となる茂陵書の象郡治臨塵の臨塵が漢書地理志では鬱林郡下の縣であることや、漢書昭帝紀元鳳五年の條の秋罷象郡分屬鬱林牂牁やその他山海經の文句等は是は別に考ふべきではなからうか。卽ちその象郡は秦の象郡ではなく九郡を置いた元鼎六年以後一時的に短期間置かれたものではなからうか。何となれば漢書が昭帝紀に象郡が鬱林牂牁に分割されたと記しながら地理志で秦の象郡を日南郡に比定するのは、昭帝紀の象郡が秦の象郡であつては矛盾するわけになる。漢書が秦の象郡を日南郡にしたのは、秦の象郡が秦の最南の郡であつたと考へて居た結果で、それを漢の最南の郡日南郡に比定したものと思ふ。若し秦の象郡が鬱林牂牁に分屬された象郡と同じであつたなら、秦の象郡を秦の最南の郡とは考へないのである。秦の象郡は秦の滅亡後久しく南越領內に含まれて居たので、その位置は漢人に分明しなくなつて仕舞つたが、象郡が秦の最南境であつたと云ふことが傳承されて居たのではなからうか。そして漢書は南越の領土擴張と云ふことは考へず、秦の三郡卽ち漢の九郡と云ふ考へから秦の象郡を漢の日南郡にあてたのではあるまいか。本論文は秦の象郡には直接關係せず漢の日南郡殊にその郡下の象林縣に就いて研究し、更に林邑の勃興に論及したい。

一、日南郡の北境。

漢は今の東京 安南地方に交趾、九眞、日南の三郡を置いた。此の三郡の順序同時に北から南への順序であつた。こゝに問題とするのは支那の最も南になる日南郡についてである。先づその境域を考ふるに、その北境に就いては、幸に是を確定し得べき好史料がある。梁書卷五四の林邑國傳によると、東晋の穆帝永和三年夏侯覽なるもの日南郡の太守となつたが、侵刻尤も甚しく、林邑先に田土無く、日南の地の肥沃なるを貪り、常に之を占領せんと欲せしが、是に至り民の怨めるを利用し遂に兵を擧げて日南を襲ひ、覽を殺しその屍を以て天を祭り、日南に留ること三年にして林邑に還つた。そこで交州刺史朱藩は督護劉雄を遣はし日南を戍らしめた。林邑王范文は復た之を屠滅し進んで九德郡に進寇し吏民を殘害し、使を朱藩の許に遣はし日南の北境橫山を以て界となさんと願ひしも朱藩は許さず又督護陶緩李衢を遣はし之を討たしめ、文林邑に歸つたと記してある。此の文中で九德郡とあるのは、吳の時九眞郡の南部を割いてそこに九德郡を置いたもので、日南郡の北境と接して居るわけである。又此の文では日南郡の北境を橫山と明記して居る。橫山は大南一統志卷一三にも見え、河靜省と廣平省との間に橫はる山脈であり、そこに橫山關がある。歐洲人は是を安南の門 Porte d'Annam と呼んで居る。橫山が今の安南の門であることは P. Pelliot 氏が既に一九〇四年の B. E. F. E. O. IV. p. 190 に述べて居る所である。橫山は昔も今も變はらず、是が日南郡の北境であつたことは學界に異論がない様である。

二、日南郡の南境と象林縣の位置。

大南一統志卷二頁四には日南郡五城卽今大嶺以北横山以南八九百里界內と記して居る。文中の大嶺とは富安 Phu-yen 省の南界に横はる山脈である。然し日南郡の南境は P. Pelliot 氏が一九一三年の通報 T'oung Pao, P. 459, note 3 に象林縣を Tourane の海岸に置くべきであると提議し、G. Maspero 氏も Royaume de Champa, P. 46 に象林縣の位置に就いては正確には云へないが、今の Thua Thien 承天かも知れぬ、そして日南郡の南境は Aivân 山である。日南の南境を Col des Nuages より南方に置くことは出來ないと思ふと云つて居る。是によれば象林縣を承天卽ち順化 Hue 地方に置き、日南郡の南境を Tourane の北方に横はつて居る雲の峠として居ることになる。Col de Nuages を雲の峠と譯したのは Gaspardone 夫人の譯に從つた。(三田史學卷十四號二)

さて日南郡の南境を考へるには、郡下の諸縣を考へる必要がある。前漢書卷二八下は日南郡の縣として朱吾、比景、盧容、西捲、象林を記し、後漢書卷卅三は順序は此の通りではないが、縣は同じものを記して居る。此の五縣の中日南郡治の所在地はどの縣[illegible]つたか、是が先づ問題となるが、是に就いては前後漢書とも西捲縣の注に水入海有竹可[illegible]曰日南亭とあり、王莽が日南亭と名付けたことが注意され、又王先謙の合校水經注　頁一九裏に應劭地理風俗記曰日南故秦象郡漢武帝元鼎六年開日南郡治西捲縣とある故　捲縣に郡治があつたと思はれる。水經注もかく推論して居る。然らば西捲縣は今の何處か。是に就いては是と關聯して區粟城のことを考へる必要がある。

區粟城は何時頃建設されたか一向に分明せぬ。水經注卷卅六頁二三裏に古戰灣の注として吳赤烏十一年魏正始九年交州與林邑于灣大戰初失區粟也と記して居るが、是と同年の記事は別に頁一九裏に魏正始九年林邑進侵至壽冷縣以爲界卽此縣也とあるが、壽冷縣は晉武(帝)太康十年分西卷立と宋書卷卅八にあり、吳の時に此の縣があつたわけではないから前記の記事は當時のものではないことがわかる。從つて區粟の名も吳の時已にあつたと云ふ證據にはなし難い。水經注卷卅六頁一九裏に攷古志竝無區粟之名と記して居る。區粟の名があらはれたのは南北朝時代南朝の劉宋の初めからの樣に思はれる。水經注卷卅六頁卅四表に元嘉元年交州刺史阮彌之が林邑を征したが、林邑王陽邁は出でて在らず奮威將軍阮謙之は七千人を領し先づ區粟を襲はんとし、已に四會浦を過ぎ未だ壽冷浦に入らず三日三夜風波に惱まされて居る所に陽邁が婚都の部伍三百許船を以て來り闇夜の中で壽冷浦裏に戰つた話が記してあるが、そこに區粟城攻擊を目差したことがうかがはれる。又同書同卷頁廿一表に元嘉廿三年に交州刺史檀和之が區粟城を攻めて陥れ區粟王范扶龍の首を斬つたことを記し、揚旌從四會浦有入郎湖次區粟進逼圍城云々と記して居る。范扶龍に就いては梁書林邑傳に乃遣大帥范扶龍戍其北界區粟城と云ひ前鋒蕭景憲が城を攻め扶龍を斬り進んで林邑に向つたが林邑王陽邁は逃げ去り、宋軍は珍異未名之寶を獲又其の金人を銷して黄金數十萬斤を得たが檀和之後に病死したので胡神の祟りと云はれたと記して居る。以上の記事に見える四會浦と云ふのは九徳郡にあるべきこと(元嘉)八年又寇九徳郡入四會浦(梁書卷五四)及び元嘉初侵暴日南九徳諸郡……八年又遣樓船百餘寇九徳入四會浦口(宋書卷九七)によりて知らる。四會浦は今の又安 Nghe-an の海岸かも知れぬ。又元嘉廿三年の記事に見える郎湖は Hue の東方の Lagune と見當付けらる。この事は水經注卷卅六頁一九―廿一に記された所によつて推察されると思ふ。右の記事によると、盧容水は區粟城南方の高山長嶺より流れ來り區粟城の北側に沿ひて東に流れ、壽冷水は壽冷縣界より流れ來つて區粟城南を矢張り東に流れ、盧容、壽冷の二水合し東方金山郎究或は單に郎究と云ふ河に注ぎ、郎究の水積る所湖となる、是を郎湖と謂ふとある。これらの記事を見るに區粟の名ありて、日南郡治西捲の名がない。所が東晋時代の記事を見るとその反對に日南郡治の名あつて區粟の名見えず。即ち水經注卅六頁(十一裏)に所記を見ると、永和五年桓溫は督護滕畯を遣はし、交廣二州の兵を率ゐ林邑王范扶龍　自日南郡の盧容縣に伐たしめたが、范文の敗る所となつた。滕畯は退いて九眞に次し師[illegible]收めたが、その中に范文は創を被つて死し、その子范佛が後をついだ。永和七年滕畯[illegible]州刺史楊平と共に復た軍を壽冷浦に進め郎湖に入り、范佛を日南故治に討つた。范佛は蟻聚連壘五十餘里であつたが敗れて川藪に逃竄し大帥を遣はし降伏したと記してある。是によると壽冷浦から郎湖に入り上陸して日南故治を攻めて居る。こゝには區粟の名は見えず始めに盧容縣の名があり後に日南故治の名が見える。此の日南郡治西捲縣と區粟城との關係に就いて水經注卷卅六頁一九裏には林邑記曰城去林邑步道四百餘里交州外域記曰從日南郡南去到林邑國四百餘里準遥相符然則城故西捲縣也と斷じて居る。

　前記永和五年の記事に見える日南郡盧容縣に就いては疑問がある。即ち水經注卷卅六頁廿一裏に晋太康三年省日南郡屬國都尉以其所統盧容縣置日南郡及象林縣之故治晋書地道記曰郡去盧容浦口二百里故秦象郡象林縣治也と記してあるがこれに不審がある。林邑の日南郡治侵寇は東晋の世范文が林邑王になつてからであり、西晋第一代の武帝の太康年間には日南郡治は未だ侵されて居ない筈。然るに日南郡及象林縣之故治と云ふのが怪しい。按ずるに太康三年に日南郡屬國都尉を廢したことは事實であらう。然しその以下の記事は或る誤解に本づくのではあるまいか。誤解とは漢代の日南郡は秦の象郡であり、象郡治は象林縣であつたから日南郡治も象林縣であると云ふ見方にあるのではあるまいか。晉書地道記の郡去盧容浦口・百里の郡を象林縣とすれば、康泰扶南記曰從林邑至日南盧容浦口可二百里從日南往扶南諸國常從此口出也(水經注卷卅六頁廿一裏―廿二表)と一致するわけである。何となれば林邑は象林縣附近から起つて象林縣を攻略して是に據つたものと思はれるからである。晉書卷十五地理下に日南郡の五縣を記すに前後漢書と違ひ象林縣を最初に揭げたのは又盧容の注に象郡所居としたのは同樣の誤解から來て居ると思はれる。秦の象郡に就いては確かな史料がなく、それが漢の日南郡と一致するか否か分明せぬ。又そこに象林縣があつたことも同樣で分明せぬ。從つて吾々が研究するのは漢代日南郡及びその象林縣であり秦代までは溯る必要がない。

さて右に引用した記事に盧容浦口の名が見える。然るに前に盧容水は區粟城の南方から流れて來て區粟城の北を東に流れ郎究に注ぎ郎湖に流れ込むと述べた。思ふに盧容水の名は郎湖に注ぐまで適用することもあつたのであらう、そしてその郎湖に注ぐ所が盧容浦口と呼ばれたと見なければならぬ。盧容縣は勿論盧容水に沿うた地に置かれたものと考へられるが、どの邊か分明せぬが唯盧容浦口ではなかつたかと思はれる。康泰の扶南記 [illegible] ると盧容浦口は當時扶南諸國に渡る港であつたのであるから、そこに盧容縣の設置が考 [illegible] る。

前に述べた康泰の扶南記の文句は又林邑の所在を知るに重要な史料と　邑は盧容浦口より二百餘里と云へば、卽ち林邑は盧容水の上流と考へてよいと思ふ 從つて林邑の起つた象林縣も同地方でなければならぬ。そして區粟城が盧容水の中流にあることになるとして、日南郡治西捲縣は水經注の斷じた如く區粟城と見るべきか或は兩者別者と見れば西捲縣を區粟城と盧容浦口との中間と見るべきかと云ふに、是は困難な問題である。日南郡治は東晋時代度々林邑の侵寇を受けて居ることは梁書に見える如く、范文が日南太守夏侯覽を殺し日南に留ること三年と云ふ日南とは日南郡治西捲縣と思はれ、文の死後佛は猶ほ日南に屯して居たので滕畯の征伐を受けて降を乞ひしこと已に述べた如く、その後又これも梁書によると溫放之の討伐を受けたが、佛の後順達は復た日南太守炅源九德太守曹炳を執へたり、長史を殺して居る、交趾太守杜瑗が兵を遣はし一時之を討伐したが、瑗の死後林邑歲として寇せざるなく日南九德諸郡殺蕩甚多く交州遂に虛弱を致すと記して居る所を見ると日南郡治は東晋の末には最早や林邑の手に歸して居たかと思はれる。然らば宋代の記事に區粟城の名ありて日南郡治の名なきも當然であり、從つて林邑が日南郡治西捲縣城に占據することも考へられるが、是を改めて區粟城と呼んだか或は別に區粟城を造つたか、この點が實は分明せぬと思ふ。水經注の論據丈では十分と思へぬと思ふのは區粟城が日南郡治と餘り距つて居なければ、何れからも林邑までの距離を二百里と云ひ得るからである。

さて以上色々述べたが、結局盧容水の位置が分明すれば林邑或は象林縣及び區粟城或は西捲縣盧容浦口もわかることになる。所で盧容水が郎湖に注いで居り、その郎湖が Hue の東方の Lagune と見當附けられることは既に述べたが、更に區粟城に就いて L. Aurrousseau 氏の研究が此の問題に重要な參考となる。同氏は一九一四年の B. E. F. E. O. XIV, 9. に G. Maspero, Le Royaume de Champa の書評を書いたが、その中に區粟城、漢の西捲縣を Hue のすぐ西方香江南岸の Long-Tho (Ban bô) にある占婆故城に比定して居る。區粟城の詳細な描寫記事は水經注卷卅六頁廿表に出て居るので、それによると城の大きさとか、形が東西に長く南北に狹いことなどは大體似て居る。唯其城治二水之間三方際山南北瞰水東西澗浦流湊城下の二水は盧容水と壽冷水と思はれるが、その中城北を流れる盧容水を Hue 河(香江)として、城南を流れる壽冷水が分明せぬ。然し區粟城に就いては L. Aurrousseau 氏の説以外には考へられぬ樣に思はれる。壽冷縣は晉太康十年西捲から分立したもので西捲の南方海岸の Lagune に面する地方であることは壽冷浦の名があることから察せらる。

尙ほ日南郡の北部を見るに西捲縣の北に朱吾縣があり、その北に比景[illegible]があり、横山に至つて居る。朱吾は朱吾縣浦の名が水經注卷卅六頁廿四表に見えて居るか、[illegible]面して居た。

按ずるに今の日麗江口の洞海 Dong-hoi 邊かも知れぬ。水經注卷卅六自廿四裏—廿五表に林邑記曰渡比景至朱吾朱吾縣浦今之封界とあるのは、林邑によつて盧容水岸が奪はれたからであらう。

日南郡は東晋から南北朝にかけて頻りに林邑の侵入を受けたが、晋軍及び宋軍もよく屢々林邑を討伐して居ることは前に述べた所でもわかるが、然し次第に林邑を擊退する力を消失したことは、隋が大業元年四月劉方を遣はし林邑を平定して蕩州（統縣比景、朱吾、壽冷、西捲）農州（統縣新容、眞龍、多農、安樂）冲州（統縣象浦、金山、交江、南極）を置き、後にそれ〴〵比景郡、海陰郡、林邑郡と改めたことによつて察せられる。卽ち是によると漢の日南郡下の諸縣が比景郡に含まれて居り、比景郡は林邑を平定してその地に置かれたのであるから、隋の林邑征伐の時には林邑の北境は橫山であつたことは明かである。林邑郡は今の廣南地方で、象浦は廣南の灣に沿ふ所、金山は廣南の柴江上流の金山、交江は柴江のことで都市としてはその下流の林邑の都であらう。是は又後に述べる。さうすると海陰郡は雲の峠 Col des Nuages 地方で Tourane 地方ではないかと察せられる。隋は又從來の九德郡を日南郡と改めたことも注意せねばならぬ。梁は九眞郡を愛州とし、九德郡を德州とし、隋は開皇十八年德州を改め驩州としたが、煬帝嗣位、州を改め郡となすに及んで驩州を日南郡としたものである。是を新日南郡とでも名付けると、漢以來の舊日南郡に就いて見るに、九眞、九徳二郡には梁代に愛州徳州の名があつたが、舊日南郡に對する州名が傳はつて居ない。恐らく梁代には已に横山以南の舊日南郡は放棄されて居たのであらう。

三、林邑の南下

林邑の祖先は普通區連となつて居る。然し或は區逵（水經注卷卅六頁廿四裏）、區逵（梁書卷五四）と記したものもある。杉本直次郎氏は桑原博士還暦記念論文集に「林邑建國の始祖に就いて」と題して此の問題を詳細に論ぜられたが、それによると杉本氏は區逵を正しい名として、是と南方慶和 Khanh-hoa 省の Vo Chanh (Vo-canh ou Phu-vinh) にある岩石碑に見える Çri Māra とを Synonyme として解釋せんとし大分苦心されたが、同氏の說には無理な點があることは三田史學卷十四號二のガスパルドヌ夫人の批評にもうかがはれる。是は矢張り區連を是とし、是を後漢書南蠻傳の永和二年日南象林徼外蠻夷區憐等數千人攻象林縣燒城寺殺長史とある區憐と關係させる通說がよいと思ふ。前に述べた如く日南郡の象林縣は盧容水の上流であつたことを明かにする時尙ほさらさう信ぜざるを得ない。盧容水は今 Hue 河（香江）で、その上流は左澤源と右澤源に分かれて居るが、象林縣は左澤源の方ではないかと思はれる。この點分明せずとも兎に角雲の峠の北麓であつたらう。晋書卷十五に象林縣の注に貢金供硯也とでる、是がどんな史料に本づいたか分明せぬが、大南一統志卷二頁二五表に金山の條あり富祿縣南七山相傳產黃金昔有官採掘とあるから、象林縣地方の蠻夷はこの金を採取して盧容水を下り漢人と交易したものではなからうか。梁書卷五四に林邑に田土なく、日南の地の肥沃なるを貪り是を略取せんと欲して居たと記して居る。是は林邑が山地であつたことを示して居る。林邑は范文以來即ち支那の方で云へば東晋時代から日南へ頻りに侵入したが、東晋の林邑に對する反擊振りも相當なものであつた。恐らく林邑はその爲めに日南郡下に下つてそこに根據地を作ることはあきらめて雲の峠を南に下り廣南省下に出でたのではなからうか。

然らば林邑は何時頃南下したか。是はハツキリわからぬが、東晋の升平二年（水經注卷卅六頁卅六裏）或は升平三年（同書頁卅四裏）に交州刺史溫放之が林邑王范佛（文の子）を攻めた遺跡として壽冷浦の南に溫公浦があり、（水經注卷卅六、頁卅四裏）林邑の都典沖城の南門の外五里の所に溫公壘があつた。（水經注卷卅六、頁卅七表）典沖は廣南の西方にある Tra Kien 即ち大南一統志卷十五頁卅九表の維川縣茶蕎社の古城址にあてられて居る。是は L. Aurousseau 氏が B. E. F. E. O. XIV, 9.p.33 に比定した所である。水經注卷卅六頁卅四裏に渡壽冷浦至溫公浦入新羅灣至焉下一名阿賁浦入彭龍灣隱避風波即林邑之海渚浦西即林邑都也治典沖去海岸四十里とある。この中 L. Aurousseau 氏は焉下を河名として居るが (B. E. F. E. O. XIV, 9, p. 21) 如何かと思ふ。彭龍灣は確かに廣南の灣で、廣南の柴江 Song Thu Bon 口である。新羅灣の名は隋の海陰郡の眞龍縣の名と似て居る。海陰郡は始め農州と云つたが、是は多農縣の農を採つたものかも知れぬが、さうすると林邑郡の沖州の沖は林邑の都典沖の沖かも知れぬ。然し典沖と云ふ縣名は林邑郡下に見えぬ。隋の林邑郡下には象浦、金山、交江、南極の四縣があつたことは先きに述べたが、象浦は卽ち彭龍灣であらう、秦の象郡は漢の日南郡象林縣地方であり、日南の象林縣は卽ち林邑であると云ふ考へ方から、林邑の海渚彭龍灣を象浦と云つたのであらう。又水經注卷卅六頁卅九表の象水象渚も同樣の考へ方から來たものと思ふ。自分は先きに隋林邑郡下の交江を林邑の都典沖に比定したが、交江の名はその地の水流の交錯して居ることから名付けたものであらう。又金山縣は大南一統志にも見えて居る廣南の柴江の上流の金山に關係あるものである。林邑記（太平御覽八一一、又說郛所收）に從林邑往金山三十餘里至遠望金山嵯峨而赤城照曜似天澗谿谷中亦有生金形如虫豸細者似蒼蠅大者若蜂蟬夜行耀光如螢火とある。南齊書卷卅六にも林邑有金山金汁流出於浦とあり、梁書卷五四にも其國有金山石皆赤色其中生金夜則出飛如螢火とあり、是が有名な林邑の黃金で、宋交州刺史檀和之の林邑を征するや、其の金人を銷して黃金數十萬斤を得た話（梁書卷五四）も首肯される所である。

先きに大南一統志により富絛縣南の山地卽ち雲の峠地方にも金山あることを述べたが、是と廣南の柴江上流の金の豐富さとは比較にならなかつたと思ふ。林邑が雲の峠の北麓の象林縣の地から廣南の柴江下流域に南下したのも一つの理由としては柴江上流に黄金があると云ふことが考へられさうである。

要するに典沖城外に溫公壘と云ふ東晉升平二―三年に林邑の范佛を征伐した溫放之の遺壘があるとすれば、その時は既に林邑は南下して居ると考へてよいであらう。

一方林邑の南方發展は已に范文の時に見られる。水經注卷卅六頁廿六表に通鑑卷九五晉紀成帝咸康二年の條が引用してあるが是は晉書林邑傳にもある。その文に范文が范逸の子を毒殺して自立するや兵を出し大岐界小岐界式僕徐狼屈都乾魯扶單等國を攻めて皆之を滅ぼしたとある。この滅ぼされた夷王諸國の中徐狼は水經注卷卅六頁廿四裏に林邑の四國を記し東濱滄海西際徐狼南接扶南北連九德とある西の徐狼及び同書頁廿八裏に船官川源徐狼とある徐狼と同じ、船官川は今廣南の柴江 Song Thu Bon と思はれるから、徐狼は廣南省西方の夷族である、それが Moi 族中の Jarai であらうと云ふ自分の說は後に述べる。次ぎに屈都乾魯扶單を見るに、是を (G. Maspero 氏の如く屈都、乾魯、扶單と讀むべきか (Le Royaume de Champa p. 53, note 4) と云ふに一方に屈都乾と云ふ名がある。水經注卷廿六頁廿四表に晉書地道記曰朱吾縣屬日南郡去郡二百里此縣民漢時不堪二千石長史調求引屈都乾爲國林邑記曰屈都夷也とある。藤田博士は「前漢に於ける西南海上交通の記錄」（東西交渉史の研究、南海篇）に屈都乾を論ぜられ、引屈都乾爲國の引は入の僞とされた。それは交州以南外國傳（太平御覽卷七九〇）に從西屠南去百餘里到波遼十餘國皆在海邊と云ひ又從波遼國南去乘船可三千里到屈都乾國土地有人民可二千餘家皆曰朱吾縣民叛居其中とあるに本づく。交州以南外國傳は隋書經籍志に見えて居るが著者は記して居ない。博士は引用されなかつたが、今外國傳には有銅柱表爲漢之南極界左右十餘小國悉屬西屠有夷民所在二千餘家の文がある。是は博士引用の第一のものと關係があり、波遼に至る十餘國は後文によれば矢張り西屠夷となつて居る。藤田博士はこの西屠を島夷誌略の賓童龍の條の尸頭蠻と同じと見られ Panduranga 即ち今の Phanrang 以南に在りとしそれより南百餘里を經て更に南三千里ばかりにして屈都乾に至るとすれば扶南より南三千里に在る邊斗、都昆、拘利、比嵩（通典卷一八八、邊斗の條）などと差異がない樣であるとされた。自分は此の說に疑問を抱く。西屠西國に就いては別に述べるが、交州以南外國傳の波遼國と云ふのは、先きに述べた廣南の灣を彭龍灣と云つた水經注の記事と關係あるものと思ふ。さうすると博士とは屈都乾に至る南三千里の計算の出發點が全く違ふことになる。波遼を彭龍灣とすれば、それは林邑の海渚で、水經注卷卅六頁廿九表の扶南記曰扶南去林邑四千里、南州異物志曰扶南國在林邑西三千餘里（太平御覧七八六）梁書扶南傳曰在林邑西南三千餘里が參考として考へられる。屈都乾に似た名に屈都昆があり、梁書扶南傳によると扶南大王范蔓に攻略されて居る。屈都乾と屈都昆が同じものらしいとは博士の説の通りであらう。然し博士は是を通典の都昆國に比定され、それをスマトラ島北岸にあつたと思はれる明代の記錄の那姑兒に比定された。

而して尙ほ水經注卷卅六頁廿四表に記されて居る元嘉元年交州刺史阮彌之が林邑王陽邁を征伐した記事の中に陽邁出婚不在及び楊邁攜婚都部伍三百許船來相救援と云つて居るのに對して婚の上には都を脫し、婚都は都婚の倒置であらうとされた。出婚不在の出婚を G. Maspero 氏の如く妻を娶る意味にとるべきか、(Le Royaume de Champa, p. 69, note 4, p. 70, note 2) 或は博士の如く都婚と見るべきかと云ふに、自分は博士の如く婚都を倒置する必要を認めず、出婚都不在と讀むべきではないかと思ふ。さうすると次ぎの婚都部伍と相應じ文脈がハッキリすると思ふ。さて屈都乾、屈都昆、婚都を同じとするならば、是をスマトラ北部に比定するわけにゆかぬ。その理由として一つは先きに述べた如く波遼卽彭龍説もあるが、朱吾縣民が地方官吏の調求を逃れる爲めにスマトラ北部まで逃げたり、又林邑王范文がスマトラ北部まで征服するわけはないからである。博士は范文の征服の中に屈都乾があることを見落されて居た。康泰の呉時外國傳云流黄香出都昆國在扶南南三千里（證類本草卷三）や通典の都昆に就いては別に考へるべきであらう。尚ほ太平御覽七九〇には（交州以南）外國傳曰從屈都乾國東去航行可千餘里到波延洲有民人二百餘家專採金賣與屈都乾國とあり波延洲はボルネオでその西岸の金に就いて云つて居る樣に思はれるが、波延は波遼の誤りで、その金は林邑の金山かも知れぬ。要するに屈都乾は林邑の南方扶南との中間にあつた國と考へられる。屈都乾に就いては尚ほ疑問があるので後に又述べる。

水經注卷卅六頁廿六裏－廿七表に林邑の都典沖城の描寫があるが、是等は多分元嘉廿三年檀和之が林邑王陽邁を攻めた時の智識かと思はる。城は周圍八里一百步で區粟城より稍大いが、東西横長南北縱狹の形は同じ。其の東門の方に古碑あり夷書銘讃前王胡達之德とある。范胡達は碑文の Bhadravarman 王とされて居る。王の刻文は現在あるもの五つである。即ち富安 Phu-yen 省綏和 Tui-hoa 府內 Nhan-thap 村にある Cho-dinh rock inscriptions（刻文二つ）と廣南 Quang-nam 省內では Mi-son の碑文と Mi-son と Tra-kieu との間にある Chim-son (Chim-son) 村の Song-thu-bon 河岸に二つある。上流の方にあるのを Chim-son rock inscription と云ひ三五〇米下流にあるのを Hon-cuc (Hon-cut) rock inscription と云ふ。從つてこゝに水經注所記古碑は現存して居ないのであらう。然し水經注所記の夷書とは勿論他の碑文と同樣に印度文字に相違ない。水經注は又内城内に神祠鬼塔ありと云つて居るのは同王が Nli-son の Siva 寺建立から考へて當然と思はれる、鬼塔は同書頁廿四裏に檀和之の破區粟已飛旌蓋海將指典沖于彭龍灣上鬼塔與林邑大戰とあるを見れば彭龍灣岸にも鬼塔があつた。南齊書及梁書林邑傳に檀和之が林邑征服後病死したのに就いて胡神の祟りの樣に記して居る胡神は城内神祠の Siva 神であらう。

四、林邑とモイ族。

水經注卷卅六を見ると安南地方の蠻夷の名が散見する樣に思はれる。先づ頁卅裏に林邑記曰建武十九年馬援樹兩銅柱于象林南界與西屠國分漢之南疆也士人以之(趙作其)流寓號曰馬流世稱漢子孫也と記して居るのに就いて考へて見たい。馬援の銅柱のことは一つの謎で、後漢書卷五四馬援傳によると彼は銅鼓を得て、是を銷して馬式を作つたことは記して居るが銅柱のことは記してない。唯後漢書の章懷太子賢(唐高宗の子)の注には廣州記曰援到交趾立銅柱爲漢之極界也とあるが、この廣州記は四行許り後の馬式の注に引いて狸獠の銅鼓の説明に用ゐてある裴氏廣州記と同じものらしく、是は即ち水經注卷卅七や太平御覽卷七〇四―八二〇の所々に引用されて居る裴淵廣州記である。

裴淵が東晋成帝以後の人であることは東晋成帝咸和六年に設けられた東官郡の記事がある

ことから察せらるがその他はわからぬ。是に反して水經注卷卅六頁卅表に兪益期牋曰として馬文淵が兩銅柱を林邑岸北に立てたが、その遺兵十餘家が內地に反へらず、壽冷岸南に居り銅柱に對して居たが、彼等は悉く馬姓で、馬姓內で婚姻し今二百戶あり、その流寓して居る點から馬流と呼ばれたが、言語飮食は華人と同じ、一方山川移り易く、銅柱は今海中に在り、唯此の馬流の居ることによつて銅柱の故處を識る也と記してある。兪益期のことは同書同卷百卅九表に豫章兪益期性氣剛直不下曲俗容身無所遠適在南與韓康伯書曰惟檳榔樹云々とあり、又太平御覽卷七七一に兪益期與韓豫章牋曰馬伏波昔開道篙跡鑿石猶存とあり卷八三九には兪益期牋曰として交趾稻再熟云々の記事がある。按ずるに兪益期が豫章太守韓伯字康伯に送つた書面なるものがあり、それが斷片的に引用されて居るのであらう。韓伯は晋書卷七五に傳があり、東晋の簡文孝武の時代の人である。兪益期は恐らく交趾に居たのかも知れぬ。その時は前に述べた溫放之の林邑征伐後久しからぬ時てあつたと思ふ。彼はそこで馬援の銅柱のことや、馬流のことを聞いたのであらう。而してそれらの話を內地に傳へた最初の人は兪益期ではなかつたかと思はれる。何となれば銅柱や馬流のことを記したものは林邑記、廣州記、交州以南外國傳の中著者不明の林邑記、交州以南外國傳は劉宋以後のものであり、唯裴淵の廣州記丈が前に述べた如く東晋成帝以後の作とのみしかわからぬが、裴淵の廣州記は要するに廣州記で交州記ではない。兎に角東晋の中頃には馬援の銅柱やその遺兵馬留の話があつたことは兪益期の與韓康伯牋によつて確かである。然もその時は銅柱は既に海中に沒して居たと云ふのであるから、銅柱を見たと云ふ記錄は全然ないわけである。唯馬援が銅柱を建てたと云ふ話が後世傳はつて行つたにすぎない。所が唐代になり憲宗元和年間安南都護馬總が馬援の後裔たるの故を以て、二銅柱を漢の故處に建てたと唐書卷一六三馬總傳に記してある。是は同傳資治通鑑及大越史記全書を參考すると元和三年以後十二年までの間のことゝ思はれる。是に關係して唐末劉恂の嶺表錄異卷上に愛州刺史韋公幹が馬援の銅柱がその境內にあるを聞き、賈胡に賣らんとし、土人は是を神物となし、是を壞はせば海人に殺されると反對し都督韓約に訴へたので韓約が中止させた話がある。韓約は唐書卷一七九に傳があり、通鑑及大越史記全書を見ると太和二年安南軍亂あり都護韓約は逐はれた記事があるので、韋公幹の賣らうとして銅柱は馬總の建てた銅柱かも知れぬ。

馬援の遺兵が銅柱の故處の附近に居て馬留と呼ばれた。此の話は兪益期の記す所を見ると不審の點が少くない。即ち遺兵十餘家が悉く馬姓であること、又同姓娶らずが古くからの習慣である支那人が自婚姻今有二百戶とあること、馬姓の流寓せるもの故馬留と呼ばれること等一寸理解し難い。林邑が日南郡を攻略したのは范文、范佛父子でそれも滕畯や溫放之によつて討伐されて居る。從つて壽冷の南に居たと云ふ馬援の遺兵は兪益期の時までは夫れ程支那人と隔絶して居たわけではない。日南郡下には相當支那人が入り込んで居たと思ふ。從つて馬留を遠い島流しの様に考へたり、他國に流寓して居ると考へるわけには行かぬと思ふ。兪益期の言語飲食尙與華同は馬留が馬援の遺兵であると云ふ考へから生じたものと見て、馬留と云ふ名を別の方面から見ることは出來ないであらうか。即ち馬留と云ふ名稱が先きにあつて、それに色々の話が附會されたのではなからうか。然らば馬留を如何に見るかと云ふに、自分は此の名は文郎と云ふ名と似て居ると思ふ。

　文郎の名は水經注卷卅六頁廿三裏―廿四表に林邑記曰渡比景至朱吾朱吾縣浦今之封界朱吾以南有文郎野人野居無室宅依樹止宿食生魚肉採香爲業與人交市若上皇之民矣縣南有文狼究下流逕通朱吾浦內とある文郎野人に見える。又文狼究の究は同書同卷頁廿二裏の笠枝扶南記山溪瀬中謂之究地理志曰郡有小水五十二並行大川皆究之謂也とある究で、要するに文狼河の意味で、この文狼は前の文郎と同じものと思ふ。又その次ぎに見える無勞湖無勞究の無勞も同じではないかと思ふ。無勞は宋書の州郡志に晉武分比景立とあるから比景縣から分立したもので、朱吾縣以北にあるべきもの、水經注の無勞に關する記事はよくない。自分は朱吾を今の洞海 Dông-hói ではないかと思ふので、文狼究は大南一統志卷八の日麗江であるまいか、そして無勞究はその北方の灑江と思はれる。自分は此の文郞、文狼、無勞は皆同じ言葉で、是をMoi族のBahnar（Prononcez banhàr）族でBorneoのBruneiを文萊とする如くnとlの轉訛と見たい。何故文郞野人をMoi族のBahnarに比定するかと云ふに他にも次ぎの如くさうと思はれる例があるからである。

水經注卷卅六頁廿七裏に林邑の四周を東濱滄海西際徐狼南接扶南北連九德と記して居るが、西の徐狼をこゝに問題とすると、徐狼の名は又頁廿四裏にも船官川源徐狼と記されて居る。船官川は水經注の記事によつて廣南を流れる柴江と推定されるから、船官川上流の徐狼は林邑の西の徐狼と同じことは論がない。柴江の上流で、林邑の西に接するものは山地でそこはMoi族の居處である。それで自分は徐狼をMoi族の中のJarai（Djarai）族の名に比定したいと思ふ。范文が攻略した諸國の中にも徐狼がある（水經注卷卅六頁廿六表）、勿論是も同樣に扱ふべきものである。

第三には本章の始めに引用した林邑記の馬援樹兩銅柱于象林南界與西屠國分漢之南疆也の西屠國が問題となる。是は文郞野人や徐狼よりもつと早く支那人に知られて居る。卽ち吳丹陽太守萬震の南州異物志に西屠國在海水以草漆齒用白作黑一染則歷年不復變一號黑齒（太平御覽卷七九〇）と記されて居る。又交州以南外國傳には有銅柱表爲漢之南極界左右十餘小國悉屬西屠有夷民所在二千餘家（太平御覽卷七九〇）とあり、梁書林傳邑には其南界水歩道二百餘里有西國夷亦稱王と記して居る西國夷は西圖夷とすべきこと藤田博士の指摘された所である（島夷志略考證賓童龍條）、又梁書は林邑を漢の象林縣として考へて居るので其南界云々は廣南省に移つて大國となつて居る林邑に就いて云ふのでなく、象林縣の南界云々の意味である。從つて以上の史料は大體漢日南郡の象林縣以南に西屠夷か住んで居たことを示して居る。藤田博士は西屠、西圖同音異字原爲國名或云今 Chaudoc 殆其遺也と論ぜられ、島夷誌略の賓童龍の條にある尸頭蠻に就いては西屠の訛りでそれに飛頭の話が附會したとされたが、自分は此の Chaudoc 說に賛成出來ぬ、然し誌略の尸頭蠻は西屠、西圖と同じものと思ふことは博士と同じである。然らば西屠、西圖夷は何を指すかと云ふに、自分は是は Moi 族中の Sedang 族であると思ふ。

所で是れらの Moi 族の現在の住地を見るに、Sedang 族は廣南省の西部に居り、Jarai 族はその南に接し、Mekong 河支流の Sre-pok 河上流の北の Jarai 高地に住み、Bahnar 族は西は Jarai 族に接し北は Sedang 族に接し、平定 Binh-dinh 省及廣義 Quang-ngai 省の西方に住む。

以上三族の會合する所に崑嵩 Kon-tum の町かある、即ち同市の東南に Bahnar 族、西南に Jarai 族、北方に Sedang 族か居るのである。(G. Maspero, L'Indochine の附圖參照)。自分は徐狼=Jarai 西屠(或圖)=Sedang に就いては疑ひを持たぬ。そして彼等は支那史料から見て現住地より稍北方に昔は住んで居た樣に察せられる。唯文郎野人が Bahmar 族であるか否かに就いては、文郎野人は朱吾 Dong-hoi? 以南に住むと記されて居るのに、Bahmar 族の現住地は廣義、平定省の西方である點、何らかの說明を要するわけである。Dong-hoi 以南の地方の西には Kha Lang と Laos 人に呼ばれる Moi 族が居る。Kha は Laos 人が普通 Moi 族を呼ぶ語とすれば部族名は Lang である。位置から云へば是を文郎野人に比定するのが當然であるが、文郎と Lang との比定に於て郎 Lang は宜しいが、文を發聲上の前置音とするのが如何かと思ふ。それで自分は Bahmar 族の南下と云ふことを考へては如何かと思ふ。それは前に述べた如く朱吾縣民が地方官の調求に堪へず屈都乾に入つて國をなしたと云ふ晋書地道記の記事、林邑記は是を屈都也と記し、又林邑王楊邁が婚都の部伍三百許船を携へて歸つたと云ふ記事、何れも水經注所引、これらを考へると朱吾縣民卽ち文郎が南方屈都乾或は婚都に次第に移住したのではないかと想像する餘地がある。自分は屈都婚都の名が今に殘つて居るのが Kon-tum ではないかと思ふが、然し昔の屈都、婚都卽ち Bahmar 族の移住地はもつと海岸の方に發展して居たものと思ふ。同樣の事は西屠 Sedang に就いても云ひ得ると思ふ。

晋書林邑傳に范文の攻略した國を擧げ大岐界小岐界式僕徐狼屈都乾魯扶單等と記して居ることは已に述べたが、此の式僕、乾魯、扶單を矢張り Moi 族の Chema, Gar, Bedung(第二、三は Pnong or Mnong 族)にあてゝは如何かと思ふ。是等は Moi 族中の最南の者であるが、范文に征服されたとすればもつと北方に居たのではあるまいか。かく觀ると屈都乾と讀まず單に屈都とした方がよい樣に思はれる。

要するに象林縣附近の蠻夷から林邑が起つたことを民族的に考察するならば、林邑は Moi 族殊に Sedang 族の一部ではないかと思ふ。何となれば安南の海岸地方に Moi 族以外の民族が分布して居たことが考へられず、却つて Moi 族は今日は山地に居るが、昔は海岸地方まで一帶に住んで居たとしか考へられぬからである。

五、Śr Māra の碑文と林邑。

Varella 岬から西方に横はる大嶺の南慶和 Khan-hoa 省内慶和と海岸の芽莊 Nha-trang との中間に Vo-chanh (Vo-Canh) 村がある。そこで發見された花崗岩石に Śri Māra 王家の王の梵語刻文がある。此の碑文の年代に就いては大體二、三世紀とされて居た (R. C. Majumdar, Champa, book III, p. 1) 從つて林邑の始祖區連との關係が考へられたことは本論文

第三章の始めにも述べたが、尚ほ R. C. Majumdar 氏はその後 La paléographie des inscriptions du Champa (B.E.F.E.O. XXXII, p 127-139) を書き此の碑文に用ゐられて居る Alphabet に就いて新らしく北印度起原說を主張した。その中碑文の年代に就いて矢張二、三世紀說にして居る。Majumdar 氏の說に對してその後 K. A. Nilkanta Sastri 氏は L'origine de l'alphabet du Champa (B.E.F.E.O. XXXV. fasc 2, p. 233-241) を書き舊來の南方印度說を支持したが、碑文の年代には直接觸れて居ない。所が更にその後 The Journal of the greater India Society, vol. VI. No. 1, January, 1939 A. D. に D. C. Sircar 氏の Date of the Earliest Sanskrit Inscription of Champā と云ふ論文が出た。三頁の短い論文であるが、それによると印度の碑文は始め Prakrit で書かれ、Sanskrit は二世紀から次第に用ゐられ始めたが、後者が前者に取つて代はつたのは四世紀である。Vo-chaṅh 碑文の作者達が若し西印度から移住したとしても、碑文は二世紀中頃より後であり、若し東印度からの移住者とすれば碑文の年代はもつと遲くなる、何となれば Sanskrit は Gupta 王朝勃興 (320 A. D.) 前には東印度では popular になつて居ない。然し南印度の Krsnā, Godāvarī 河口から移住したと信ぜられるなら、碑文の年代は四世紀末葉より早くはない。四世紀の中頃まで此の地方の碑文は Prakrit を用ゐて居た。尚ほ Vo-chanh 碑文に用ゐられて居る Vasantatilakā と云ふ韻律 Metre は Gupta 王朝以前には確かに popular でもなく一般に使用されて居なかつたことは碑文が證明して居る。從つて少くも Vasantatilakā metre の二つの Verses を含む Vo-chanh 碑は早くて四世紀の前半、否もつと後であつても早くはないことは確かだと論じてある。論旨が簡明すぎる様に思ふが Sircar の説によると Vo-canh 碑の年代は大分後世になる。

自分は前から述べて居る如く、林邑は雲の峠 Col des Nuages の北麓にあつたと思はれる日南郡象林縣地方に起つた Moi 族の國とするので、大嶺以南の Vo-canh の碑を殘した印度からの移住者とは始めは何の關係も無かつたと思ふ。然し林邑王范胡達即ち碑文の Bhadravarman には十分印度文化の影響が認められ、同王の碑文の一が大嶺の北麓富安 Phu-yen 省南部の綏和 Tuy-hoa の傍近 Nhan-thap 村にある岩石に刻まれて殘つて居る。普通是を Cho-dinh 刻文と云はれるが、近くの市場の名の由、それには Dharma Mahārāja Śri Bhadravarman の名が記されて居る。此の林邑に對する印度文化の影響は何處から來たか。扶南の様に分明に傳はつて居ない所を見ると、大嶺以南の印度移住者の影響も考へられる。

Vo-canh 刻文には佛敎的色彩があると云はれて居るが、林邑にも王名に范佛（胡達の父）がある、胡達は Śiva 信者であるが、Vo-chanh 地方の印度移住者は全部佛敎信者であつたらうしも考へられぬから、その中の Śiva 信奉者が林邑に影響を與へたとも考へられる。Vo-canh 地方の印度移住者が林邑に征服されたか、何時征服されたか、是等のことは分明せぬが、林邑の勢力が大嶺まで及んだことはその北麓に范胡達の碑文があることから推察され、從つて大嶺以南の印度移住者との接觸も考へ得る所である。

六、Champā と Cham 及び敵眞 Gaṅgārāja の年代。

林邑が Champā と云ふ國號を用ゐる樣になつたのは何時頃か分明せぬが、碑文の上では Prakāśadharma Śambhuvarman 王の碑からである (R. C. Majumdar, Champa, book III. p. 12 etc.) 此の王の父 Rudravarman は梁書の中大通二年 530 A. D. 入貢の高式律陁羅跋摩である。是はその前に林邑王であつた弼毳跋摩、高式勝鎧卽ち Vijayavarman が陽邁以後其の直系相次いだ最後の王で、律陁羅跋摩からは Gaṅgārāja 王朝と云はれる別の系統に屬して居ることは次に述べる理由からである。此の王統に屬する王で、七世紀の後半に卽位前は Prakāśadharma と云ひ卽位後は Vikrāntavarman と云つた王があるが、Mi-son に此の王の碑文 (579 Saka) がある。(R. C. Majumdar, Champa, book III. p. 16-26) 碑文の始めの方に先祖を Gaṅgārāja と云ひ智勇共に名聲があつたが、'The joy arising from a view of Gaṅgā is very great' と云ふ理由で Jāhnavī 卽ち Ganges 河に赴いたと記してある。數多い碑文の梵語王名と支那史料の漢字王名とは形の似ないもの卽ち漢字名が梵語名のまゝである場合はわかり易いが、漢字名には土名と思はれるもの多いので面倒であるが、幸に碑文にも日附のあるもの多く、支那史料には入貢年月があるので、年代の上で大體比定 identification が可能となる。所で Gaṅgārāja の場合は少し事情は違ふが、同王が印度に隱退したことは特異な事柄で、Gaṅgārāja と稱せられたのも此の理由からと思はれるが、是と似た話が梁書林邑傳に見えて居る。それによると范須達卽ち胡達 Bhadravarman 死し子敵眞立ちしが、その弟敵鎧は母を連れて出奔した。敵眞は追恨其母弟を容るゝ能はず、國を捨てゝ天竺に行き、位を其甥に讓つた。國相藏驎固く諫めたが從はず、其甥立つや藏驎を殺したが、彼も亦藏驎の子に殺された。敵鎧の同母異父之弟文敵立ちしが、文敵は扶南王子當根純に殺された。大臣范諸農が其の亂を平定して自立し王となつた。諸農死し子陽邁立ち宋永初二年入貢したことになつて居る。然しこの記事に誤謬あることは南齊書林邑傳と矛盾することから指摘されて居る。南齊書の記事によれば、當根純の橫領は陽邁の子孫の時で彼は南齊永明九年に入貢した。陽邁の子孫范諸農が種人を率ゐ當根純を討ち復本國を得た。諸農は永泰元年入朝したが海上暴風に遭つて溺死したことになつて居る。又梁書の扶南王子當根純は南齊書扶南傳にある扶南王闍耶跋摩 Jayavarman の上表に見える奴鳩酬羅と同一人物であることも早く P. Pelliot 氏に

よつて指摘された (B. E. F. E. O. III. p. 258-279, note, 2) 水經注卷卅六頁廿七裏によると陽邁は胡達の子となつて居り、G. Maspero 氏は系圖ではこれに從つて居るが、又是を疑つて居る點もある (Le Royaum de Champa, p 67, note 2) 然し同氏は敵眞を胡達の子とすることは梁書に從つて居る。

R. C. Majumdar 氏も同じ (Champa, book 1. p. 34) 自分はこゝに疑問を持つ。即ち先づ東晋末義熙九年 413A D. に九眞に胡達が入寇したことは梁書林邑傳や晋書本紀の所記で、晋書本紀は林邑范湖達寇九眞交州刺史杜慧度斬之と書いて居るが、梁書林邑傳は行郡事杜慧期與戰斬其息交龍王甄知及其將范健等生俘須達息那能及虜獲百餘人と記して居る。

梁書の杜慧期は杜慧度(宋書卷九二)の誤りと思はれ、須達は胡達の誤りであるが、胡達の斬られたことは云つて居ない。一方宋書林邑傳には永初二年 421A. D. に陽邁が入貢したことを記して居る。義熙九年と永初二年との間は七年の距りにすぎず、如何でその間に敵眞やその甥の在位及その後の內訌等梁書の所記の如きことを考へることが出來やうか。晋書本紀によると義熙九年以後十年九月、十三年六月、に林邑が入貢して居るが王名は記して居ない。然らば敵眞の話は何時のことかと云ふに、自分は梁書や又それに從ふ Maspero 氏や R. C. Majumdar 氏の如く胡達のすぐ後に置くことは出來ぬとする以上扶南王子當根純の簒奪のすぐ前に置くべしと考へる。その理由どして、一つは范神成と當根純との間に若干の間隙があり敵眞の話を容れることが出來ると思はれることである。宋書によると孝建二年林邑の使として長史范龍跋來り大明二年には林邑王范神成又長史范流を遣はし來つて居る。范龍跋、范流は同一人らしく、從つて孝建二年の入貢も范神成と思はれる。是は梁書の孝武建元大明中林邑王范神成累遣長史奉表貢獻にあたるものであるが、この梁書の文中の建元大明中は孝建大明中の誤りである。G. Maspero 氏は此の誤りに氣が付いて居たが (Le Royaume de Champa, p. 74, note 5) R. C. Majumdar 氏は然らず建元二年 480A. D. まで神成が位に居たと考へた (Champa, book 1, p. 34) そしてその年に當根純に位を奪はれたと解した故に神成と當根純との間に少しも間隙がない樣になつたのである。その後泰豫元年 472 A.D. に林邑の入貢があり、G. Maspero 氏は是も神成の入貢と考へた。或はさうかも知れぬが分明せぬことである。一方當根純の入貢は南齊書林邑傳に永明九年 491A. D. とあるが、同書扶南傳に記されて居る永明二年 484A. D. 入貢の闍耶跋摩の上表中の奴鳩酬羅を前述の如く、當根純と同一人物とすれば、當根純は永明二年には既に林邑王となつて居るわけである。そこで泰豫元年の入貢を范神成の第三回の入貢としても永明二年までの間に十二年の距りがある。若し泰豫元年の入貢を神成でないとすれば大明二年 458A. D. と永明二年との間には廿六年の距りがある。敵眞の話を當根純簒奪の前に置く理由の二は、梁書の敵眞から當根純の簒奪までの話は一貫したまとまつた話であると思ふからである。然るに G. Maspero 氏や R. C. Majumdar 氏が敵眞の話は梁書に從つて胡達の直後の話とし、當根純の話は南齊書によりその年代が明かなので、是を神成の後に置くことにより、一個の話を二分して居るのが自分には了解出來ない。

自分の考へでは敵眞が國相藏驎の固い諫めに從はず其甥に位を禪つて天竺に行つたが、藏驎は敵眞の甥に殺され、敵眞の甥は又藏驎の子に復讐され、藏驎の子は敵眞敵鎧の同母異父弟文敵を迎へ立てた。かくの如き内訌が扶南から來た鳩酬羅の乘ずる所となり、永明の初め林邑王位を奪ひ、永明九年范當根純の名で齊に貢したが、彼は大臣范諸農によつて平げられ、諸農王となり早速永明十年齊に貢獻したのが眞の歴史と思ふ。又南齊書に楊邁子孫相傳爲王未有位號夷人范當根純攻奪其國簒立爲王とあるが、此の楊邁子孫相傳爲王未有位號は神成敵眞等を云ふものである。神成は大明二年入貢したが、林邑王に封ぜられた記事なく、敵眞は入貢したか否か分明せぬと云ふのは、泰豫元年の林邑の入貢が神成か敵眞かわからぬからであるが、兎に角未有位號と記される所以であらう。又思ふに敵眞敵鎧兄弟の名に排行が行はれて居るのを見ると諸農の次ぎに南齊書によると林邑王となつたその子文款と前述の文敵とは兄弟ではなかつたかと思ふ。梁書によると齊永明中范文贊が累りに遣使貢獻し、梁天監九年には文贇の子天凱が奉獻して居るが、この文贇の名は南齊書に見えないので問題である。G. Maspero 氏は文款文贇を同一人物と考へて居る (Le Royaume de Champa, p. 76) 元來梁書の齊永明中文贇累遣使入貢の文句が怪しい。永明二—九年間は簒奪者當根純の世であり、永明十年から永泰元年までは范諸農の世であることは南齊書によつて明かで、從つて永明年間に文贇を容れる餘地はない筈である。從つて永明中貢獻の文句は抹殺するとすれば、問題は范諸農が死んだ齊永泰元年と天凱が入貢した梁天監九年との間の十一年間に諸農の子文款(南齊書)と天凱の父文贇(梁書)の二人を置くか或は兩者を異名同人として一人を置くかになる。自分の考へでは梁書林邑傳の梁以前の記事は大分誤謬があり、晋書宋書及南齊書に據る方が確かである點から見て梁書の文贇は誤りで、南齊書の文款を正しいと認めるべきものと思ふのである。唯敵眞、敵鎧、文敵の話は梁書以外には見えないので、梁書の記事をそのまゝ採るより他ないが、その年代的位置に就いて梁書の記事に疑問があつたのである。次ぎに自分の考へに本づいて林邑の世系を次ぎに記し (G. Maspero 氏のそれと對照して見る。

一、マスペロ氏表 (Le Royaume de Champa, p. 76)

胡達—文敵
　　—敵鎧
　　—陽邁—陽邁—神成　當根純　諸農—文款（或文贇）—天凱
　　—×—×
　　—敵眞

二、論者表

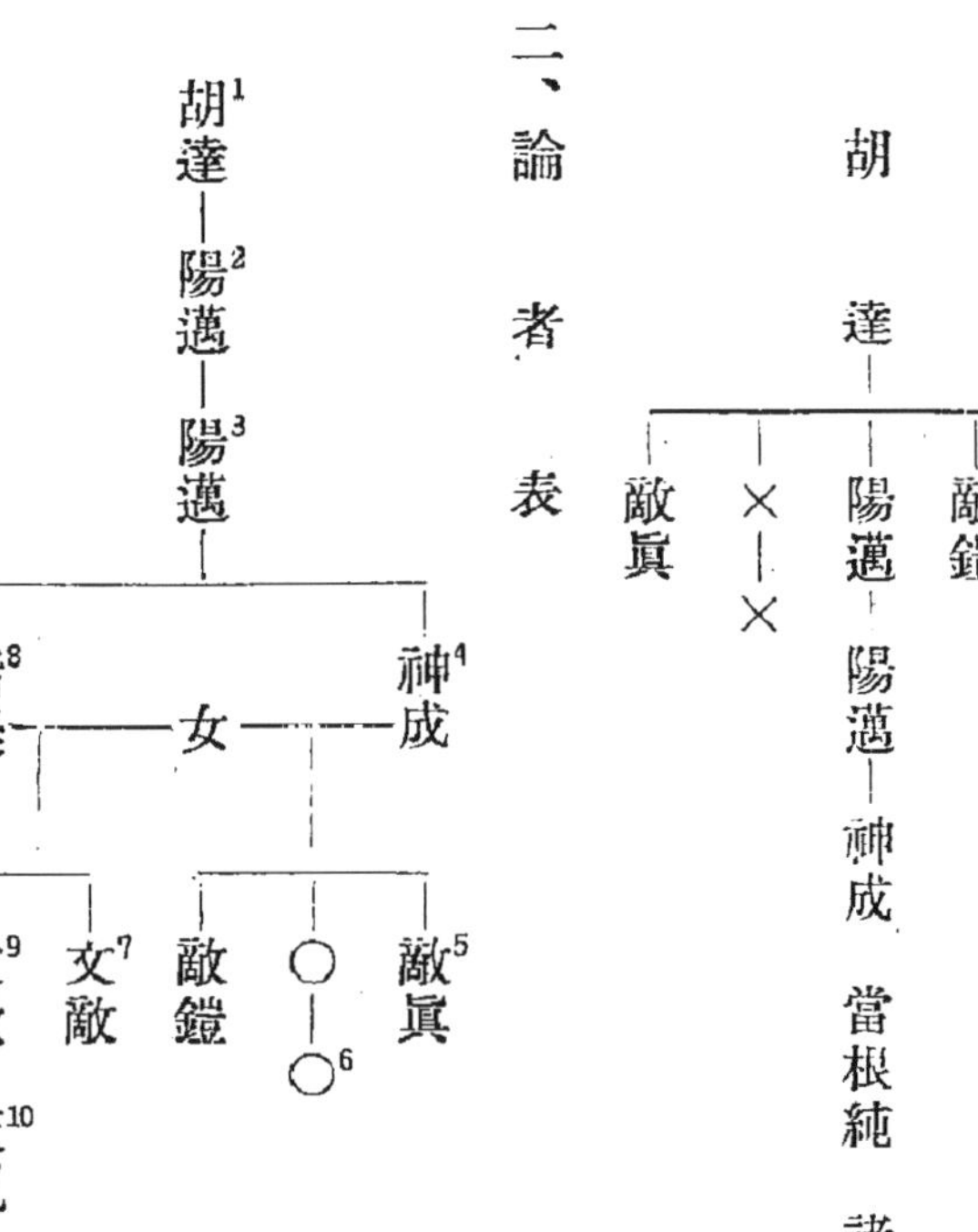

さて Mi-son の Prakāśadharma Vikrantavarman の碑文は Gangārāja の次ぎに Manoratha-varman を記して居るが、碑文の缺損の爲め兩者の關係は分明せぬ。R. C. Majumdar 氏は Manorathavarman を敵眞の甥かも知れぬとした (Champa, book I. p. 36) Manorathavarman の曾孫が Rudravarman で、其の子孫相次ぎて八世紀の中頃まで林邑を支配し、所謂 The

Dynasty of Gaṅgārāja を作ることになる。Rudravarman の子 Śambhuvarman の碑文に Champā と云ふ國號が用ゐられて居るが、Rudravarman の碑文は現存しないのか R. C. Majumdar 氏は記して居ない故、Rudravarman が國號 Champā を用ゐたか否かはわからぬ。然し Gaṅgārāja の子孫が王位に復活して國を Champā と稱したとすれば、その國號 Champā は印度Ganges 河畔の Champā と關係あることは想像される。

支那史料では唐の玄奘の西域記に摩訶瞻婆 Mahā Champā に始めて林邑の新國號が見えるが、玄奘は西域に十七年間巡歴の旅をつゞけて貞觀十九年 645 A.D. 歸つたのであるから、彼が Champā の國號を聞いたのは Śambhuvarman の次ぎの Kandarpadharma の世らしい。Champā はその後占波、占婆とも記されるが、宋以後占城の名が見える。此の占城は占婆城 Champāpura の省略した形としか思はれぬ。碑文は常に Champā と記して居る。所が一旦占城と記す書し様になると、占が本名の様になり、こゝに今の Cham 族とか Cham 語とかの Cham と云ふ名が生じたのである。從つて Cham は特種な部族名ではなく、國號 Champā の略形である。この點は明かでないと、Cham 族と云ふものが外から來た樣な誤解を招く恐れがある。自分は Cham 族は原來林邑國民であるから、安南の土著民族で Moi 族と同一系統のものである。唯 Moi との區別は外來文化によりその文化の開けた點による著しい相違から生じたものである。即ち北方からは支那文化、南方からは印度、サラセン、馬來の文化が入り、或は宗教に或は言語に著しい影響を與へ、山地の住民とは別種の民族の觀を呈するに至つたのであるが本來は同じ民族系統に屬するものである。かくの如きは以上長く述べ來つた歴史的觀察から必然的に生れて來る結論であると思ふ。從來林邑と Moi 族の關係に注意するものが無かつたのは不思議なことであつた。

七、卷髮黑身の崑崙。

舊唐書卷一九七林邑傳に自林邑已南皆卷髮黑身通號爲崑崙とあるが、是れこそ崑崙に就いての一般の常識を表現して居る言葉ではあるまいか。夫れで冒頭に引用したわけであるが、詳しく見ると卷髮黑身に就いては、梁蕭子顯撰南齊書卷五七林邑傳には人色以黑爲美南方諸國皆然とあり、是には髮のことは云はず、然るに唐初編纂の梁書晋書を見るに、扶南國の條に醜黑拳髮とある。拳は卷と音通である。卷は又鬈ともかく。同じく唐初編纂の隋書には林邑の條に鬈髮而色黑と云ひ、眞臘の條には人形小而色黑……拳髮とある。

一方崑崙に就いて見るに、吳の丹陽太守萬震撰南州異物志（太平御覽卷七八四所引）に扶南國在林邑西三千餘里自立爲王諸屬皆有官長及王之左右大臣皆號崑崙とあるのが最も古い。G. Coedès 氏は扶南國の碑文二つを指摘した（Études Cambodgiennes XXV.-Deux Inscriptions Sanskrites du

Fou-nan. B. E. F. E. O. XXXI, p. 1-12) その一つは交趾支那 Sadec 州の Tháp Mu'oi の Prasat Pram Lovên の廢墟にあり、他の一つは Kompong Cham の西方の Ta Prohm にある。是は大體扶南の領域を示して居る樣に云ふ。此の扶南國が隋の世にその北方に勃興した眞臘國に亡ぼされたことはこゝに記すまでもない。この扶南の名は普通その地方の地名に多い Phnom 即ち山と云ふ語を以て說明されて居る。是は Mekong 河や Tonle Sap が每年氾濫することに關係するものである。所が松田壽男氏は國學院雜誌卷四七號一に崑崙國攷を書かれたが、その中（頁廿三）に今日カムボヂアでは、インドネシア型の民をプノム（Pnom）と呼ぶさうであるが、これは扶南と云ふ國名に起原を持つて居るやうであると云はれた。自分はこの Pnom に就いてよくわからぬが、是はカムボヂア人が Moi 族を呼ぶ Pnong の誤りではあるまいかと思ふ。Pnong は又交趾支那の北方に居る Moi 族中の一部族の名でもある。M. H. Besnard 氏の Darlac 地方の調査によると Pnong 族自身は Nak M'nong と呼ぶと記して居る（B. E. F. E. O. 1907, VII, p. 61）G. Maspero は Mnon (appelés Pnong par les Cambodgiens) と記す（L'Indochine p. 64）Besnard 氏の M'nong は M'nong の誤植かも知れぬ。扶南と Pnong は最後の韻が全く一致せぬ。ボルネオのプナン Punan 族中にはウエッダ Wedda（Vedda, Vedah）樣の變化を受けて居るものがあり、その點 Moi 族と似て居る（合關史大、南支南洋の人種相頁卅四參照）

さうすると P'nong の語尾は南の如きではないことになる。さて問題の崑崙は Aymonier 氏がクメル語の Krun, Krun "Roi, régent" と解し、P. Belliot 氏も賛成し、G. Ferrand 氏はクメル語、シャム語の Kurun, krun を Cham 語の Klun, klaun と關係させた。

崑崙の源義は以上の如くであるが、その後の崑崙の用例を見るに色々になつて居ることが注意される。晉書卷卅二孝武文李太后傳に東晉の簡文帝に子がないので、當時織坊中にあつた太后が人相よきに由り、召し出され孝武帝を生んだことを記し、時后爲宮人在織坊中形長而色黑宮人皆謂之崑崙と云つて居る。即ち太后が色黑き故に崑崙と呼ばれたことは崑崙の用例の一つである。髮に就いては云はず單に色が黑いのでかく呼ばれたことは南齊書の所記と似て居る。時代は下るが五代の時慕容彥超に就いて嘗冒姓閻氏彥超黑色胡髯號閻崑崙と五代史卷五十三に記されて居る。次ぎに南齊書卷卅一荀伯玉傳に世祖武帝が東宮にあり、專斷事を用ゐた時の記事の中に又度絲錦與崑崙舶營貨とある崑崙舶は扶南の舶とのみ考へることは出來ないと思ふ。次ぎに隋書卷八二流求國傳に陳稜が琉球即ち今の臺灣を征伐した時に南方諸國人を從軍させた、その中に崑崙人あり流求語を解したので人即ち崑崙人を遣はし流求國を慰諭させたとある。此の崑崙人が馬來人であることは、高砂族の馬來系の言語から察せられる。義淨の大唐求法高僧傳に旋廻南海十有餘年善崑崙音頗知梵語とか或は解崑崙語頗習梵書等の記事が所々に見えるが、此の崑崙語は廣義では南洋の土語の意味であるが、こゝでは Java, Sumatra の馬來語を主として指すものと思ふ。道宣の續高僧傳卷二彥琮傳に(隋)新平林邑所獲佛經合五百六十四夾一千三百五十餘部並崑崙書多梨樹葉有勅送(翻經)館付琮披覽とある崑崙書は隋書林邑傳の皆奉佛文字同於天竺の記事や、林邑以南廣く南洋に數多く存在する印度文字の碑文から見ても、是が義淨の梵書であることがわかる。況んや是れ等多數の多梨樹葉 tala-pattra 書の佛經は天竺より將來せるものと思はれるをや。かく梵書に對してすら崑崙書の名を與へて居ることは、其れが南洋に流通して居た爲めではあるが、注意すべきことである。

要するに崑崙が本來の意義を離れ或は本來の意義は忘れられて、南方の色黑き人間或は廣く南洋の事物に關して用ゐられたことは明かで、義淨が崑崙と云ふ總稱は掘倫州卽ち Pulo Condore の名から起つて居ると云つて居るのは此の間の消息を洩らして居ると思ふ。

かくの如く崑崙の用例が廣くなつて來て居る唐代然もその後半に於て崑崙國の名が出て來るとすれば、その崑崙國は漠然とした云ひ現はし方であつて事實特定の地を指すとすれば、それは內容の調査に待つべきものと考へねばならぬと思ふ。例へば慧超の往五天竺國の波斯國の條に向師子國取諸寶物所以彼國云出寶物亦向崑崙國取金亦汎舶漢地直至廣州取綾絹絲綿之類とある崑崙國は漠然とした云ひ方であるが、當時の産金地を調査する必要があり、それによつて崑崙國の金とは事實に於て何所の金を指して居るかと云ふ歴史上の事實卽ち historical facts の問題になるわけである。自分は先きに「南洋に於ける東西交通路に就いて」（年報第六冊）で慧超は陸路で天竺に赴いたと記したが、是は誤解で往路は海路により、歸路を西域に取り開元十五年十一月安西に到着したもので、この點訂正しなければならぬが。崑崙國に關する考へは少しも變はらぬ。慧琳の一切經音義卷百に慧超の閣蔑に就いて崑崙語也古名林邑國於諸崑崙國中此國最大と云つて居る。古名林邑國とは誤りで、閣蔑は舊唐書の吉蔑と同じく、クメル Khmer で眞臘國の別名である。此の諸崑崙國は自分は矢張り單に南洋諸國の意味にすぎないと思ふ。松田氏は崑崙の範圍は大體カムボヂア、シャム、ブルマ南部、マレイ半島に亙る地域に限定することが出來ると云はれるが、かゝる知識を慧超に期待し得るであらうか、慧超は林邑占婆と眞臘とを混同して居る點から見ても、その崑崙は當時一般に通俗的に行はれて居た用例から判斷すべきものと思はれる。松田氏によると宋高僧傳卷廿九に巡歷十八年開元七年長安に歸つた唐洛陽罔極寺慧日傳の始者泛舶渡海自經三載東南海中諸國崑崙佛誓師子洲等經過略遍乃達天竺と云ふ記事の崙崑は松田氏は師子洲は卽ちセイロン、佛誓はスマトラ東南部にあつた、從つて崑崙はスマトラ島とは別地であり、南支那の海口からこの島に至る間に求められなければならないと云はれるが、同氏の説に從つても此の崑崙の中には眞臘だけでなく占婆も入つてよいわけである。崑崙と云ふ名は廣く用ゐられて居るのであるから、佛誓國の名を特に擧げた場合に他を單に崑崙と云つて仕舞ふことは怪しむべきことでないと思ふ。然し實際慧日の佛誓に渡る航路を調べるとすれば、眞臘よりも當然占婆に寄港すべきである。

最後に崑崙の卷髮に就いて述べて此の稿を終はりたい。支那人にとつて始め崑崙の黑身が注意され次いで卷髮に氣が付いたことは、南齊書に髮のことを云はぬことから推測したのであるが、是は是れ丈の史料では斷定出來ぬかも知れぬが、色の黑い支那人を崑崙と云つて居る以上、南洋の土人で卷髮でなくとも色が黑ければ崑崙と呼ぶことが考へられると思ふ。黑いのにも色々あるが、大體褐色系統と黑色系統に分かれる。後者はネグリトー Negrito 種族で南洋にもアンダマン Andaman 諸島、馬來半島、フィリッピンに居る。他は皆褐色系統であるが、その中にも濃淡明暗がある。

所が髮の方を見ると大體三通りになる。卽ちネグリトー種の縮毛或は毬狀毛と云はれるもの、それから馬來人の直毛。第三にウェッダ系の波狀毛と云ふのがある。最後のはニコバル Nicobar 諸島、マライ半島、スマトラ、ロムボック Lombok ズンバワ Sumbawa セレベス

Celebes島に居り、ボルネオにもそのプナン Punan 族が是に近く、佛印ではモイ Moi 族が此の群に入ると云はれて居る。又南ブルマのカーレン Karens 族の中にも波狀毛が見られる由である。さて卷髮とは如何なる髮か、是は始めは波狀毛を云つたもので、即ちモイ族に就いての描寫ではなからうか。そして是は林邑がモイ族であらうと云ふ自分の考へとも一致し、扶南も同樣ではないかと思ふか、卷髮黑身の崑崙は始めモイ族に就いて云はれたのではないか。

然し卷髮は本來波狀毛と思ふが、直毛でも手入れをせず自然に任せると波狀毛に近くなる。又波狀毛でもよく手入れをすれば直毛の樣になると思ふ。所がこゝに唐人の髮に關する關心を强めたのは東アフリカの黑奴の輸入である。唐代南洋の佛誓國や訶陵國即ちジャバから僧祇奴が輸入されたが、是が東アフリカの黑奴であることは今は周知の話である。然るに僧祇奴の名は宋代には用ゐられず、前から使つて居た崑崙奴と云ふ語と他に鬼奴野人等と云ふ語が用ゐられた。宋史三佛齊傳によると宋の眞宗天禧元年に三佛齊から崑崙奴を獻じて居る。三佛齊は唐代の室利佛逝(或誓)の訛で今スマトラの Palembang 地方にあつた大國である。此の崑崙奴は唐代の例から見て僧祇奴即ちアフリカの黑奴と思はれる。僧祇奴と云はす崑崙奴と記されたのは、宋人が僧祇奴と云ふ語を忘れたのか或は崑崙即ち南洋を經由して傳來したからかも知れぬが、一つには崑崙の巻髪を黒人の縮毛にも適用すれば、崑崙奴と僧祇奴とは同じ内容を持つ言葉になるから用ゐなれない僧祇奴を用ゐず、古くからある崑崙と云ふ言葉を用ゐたのかも知れぬ。崑崙と僧祇との結合したのが諸蕃志や嶺外代答のアフリカの崑崙層期國である。北宋朱彧の萍州可談の富人の多く蓄へて居た鬼奴に就いて絶有力可負數百斤言語嗜慾不通性淳不逃徒亦謂之野人色黒如墨唇紅齒白髪鬈而黄と記して居る。その後黒奴、黑厮の語が用ゐられることは明史や葉子奇の草木子に見られる。明末東西洋考には紅毛蕃が烏鬼を使役して居ることを記して居る。拳髪黒身の崑崙は本家をアフリカのニグロに奪はれた形となつて居る。(昭和十六年十二月稿)

追　記

本論文脱稿後駒井義明著南部アジヤ上代史論を入手した。その内容は本論文と交渉する所少くなく意見の異同の箇所少くないが、唯象部に關して私見を附加する丈に止めざるを得なかつたの遺憾である。

高麗恭愍王朝に於ける日本との關係

青山公亮

目次

高麗恭愍王朝に於ける日本との關係

青山公亮

恭愍王の治世（西紀一三五一年——一三七四年）は、所謂倭寇なるもの丶半島に對する侵掠が、遂に本格化した時代であり、これを文獻に徵するも、その刼掠に關する記載の見えない歲は、僅かに丙申五年（西紀一三五六年）と戊申十七年（西紀一三六八年）との二つがあるに過ぎない。加ふるに五年の如きは、入寇を否定するに足るだけの積極的徵證を缺いた憾があり、恐らく無事に終始するを得たと思はれるのは、獨り十七年があるのみである。

この時代は勿論、一般に所謂倭寇に關する資料には、凡そ二つの根本的缺陷が存在してゐる。其の一は、本邦側の所傳が極めて乏しいことであり、其の二は、半島側の記錄の大部分が被侵掠地よりの報道の斷片に他ならぬことである。第一の缺點は、もと此の運動が邦人の一小分子によつて敢行されたことに由來し、第二のそれは、故らに事態を輕視せんとした高麗側の態度の一面を、或る程度まで反映するものと考へられる。

孰れにせよ、かゝる素質の史料に依れば、當時に於ける彼我の關係、就中海寇の性格・高麗の事情・外交の顚末等々は、大略以下の如きものとぜ斷られる。

第一章　入寇の目的

第一節　直接の目標

入寇の直接の目標は、前代[1]のそれと同じく、生活資材就中米穀を刧掠するに置かれてゐた。漕船（租粟を運搬する船舶）と倉廩とが、侵掠の主たる對象とされたことは、その明證であり、これを被害者側の不充分な記述に徴するも、前者に就いては

壬辰元年〇西紀一三五二年二月丙子〇二日宣宥境內曰、……倭賊寇邊、屠燒官屋、掠奪漕船、皆由防守失律（高麗史卷三八）

甲午三年〇西紀一三五四年夏四月己酉〇一七日倭掠全羅道漕船四十餘艘（同前）

乙未四年〇西紀一三五五年四月辛巳〇二五日倭掠全羅道漕船二百餘艘（同前）

戊戌七年〇西紀一三五八年秋七月壬戌〇二六日倭侵黔毛浦、焚全羅道漕船。時倭寇爲梗、漕運不通（同書卷三九）

辛丑十年〇西紀一三六一年八月癸巳〇一五日倭焚掠東萊・蔚州、皆其漕船（同前）

甲辰十三年（〇西紀一三六四年）三月丙戌（〇二二日）全羅道漕船、阻倭不通（同書卷四〇）

丙午十五年（〇西紀一三六六年）五月、倭奪漕船三艘、死傷甚衆、又屠喬桐縣、京城大震（高麗史節要卷二八）

同年九月丁未（〇二九日）倭入陽川縣、掠漕船（高麗史卷四一）

己酉十八年（〇西紀一三六九年）十一月戊午（〇二七日）倭掠寧州・溫水・禮山・沔州漕船（同前）

庚戌十九年（〇西紀一三七〇年）二月己巳（〇九日）倭寇內浦、破兵船三十餘艘、掠諸州租粟（同書卷四二）

壬子二十一年（〇西紀一三七二年）二月庚辰（〇二日）諫官以全羅道漕運常被倭掠、請令陸轉（同書卷四三）

等々の記載があり、後者に關しては

壬辰元年（〇西紀一三五二年）三月庚申（〇一六日）倭焚喬桐甲山倉、前代言崔源與戰、獲賊船二艘（高麗史卷三八）

戊戌七年（〇西紀一三五八年）夏四月丁酉（〇二九日）倭寇韓州及鎭城倉。全羅道鎭邊使高用賢、請徙沿海倉廩於內地、從之（同書卷三九）

庚子九年（〇西紀一三六〇年）閏五月丙辰朔、倭寇江華、殺三百餘人、掠米四萬餘石（同前）

壬子二十一年（〇西紀一三七二年）夏四月壬辰（〇一五日）倭掠鎭溟倉（同書卷四三）

同年六月辛丑（〇二六日）倭寇東界安邊等處、虜婦女、掠倉米萬餘石。宼存撫使李子松官、放歸田里（同前）

等々の記事が殘されてゐる。

刧掠の主たる對象より云ふも、對馬と半島との不可分干繋(2)より察するも、かゝる非常手段を反覆敢行するの已むなきに至つた所以が、もと最少限度に於ける生存權の主張に由來してゐることは、疑を許さぬものと考へられる。

第二節　最終の目標

叙上の見解に大なる誤なしとすれば、武力に訴へた最終の目標が、通商關係の調整を强要するに在つたことは、容易に推察し得る所であり、之を其の行動に見るも、開京附近に對する襲擊を屢〻强行したことの如きは、この間の消息を示唆する事象の一つと思はれる。左にこれが著るしい例を示せば

壬辰元年（〇西紀一三五二年）三月己未（〇一五日）倭船大至。金暉南兵少不能敵、退次西江告急。調發諸領兵及忽赤、分遣西江・甲山・喬桐、以備之。婦女闐街痛哭、都城大駭。又斂百官民戶軍餉及矢有差（高麗史卷三八）

丁酉六年（〇西紀一三五七年）五月戊子（〇一四日）倭寇喬桐、京城戒嚴（同書卷三九）

戊戌七年（〇西紀一三五八年）五月辛亥（〇一四日）倭焚喬桐、京城戒嚴、發坊里丁、爲戰卒（同前）

己亥八年（○西紀一三九九年）五月己亥（○八日）倭寇禮成江。丙午（○一五日）以倭賊充斥、禱于太廟（同前）

庚子九年（○西紀一三六〇年）五月己酉（○二三日）倭寇楊廣道平澤・牙州・新平等縣、又焚龍城等十餘縣、京城戒嚴（同前）

癸卯十二年（○西紀一三六三年）四月己未（○二十日）倭船二百十三艘、泊喬桐、京城戒嚴（同書巻四〇）

丙午十五年（○西紀一三六六年）五月乙巳（○二四日）倭寇喬桐、留屯不去。京城大震（同書巻四一）

癸丑二十二年（○西紀一三七三年）六月丙申（○二六日）倭船集東西江、寇陽川、遂至漢陽府、燒廬舍、殺掠人民。數百里騷然、京城大震（同書巻四四）

甲寅二十三年（○西紀一三七四年）九月庚午（○八日）倭賊近境、都城戒嚴（同前）

と見えるもの等があり、これを海寇の生起せる所以(3)に照らすも、かゝる行動の頻りに繰返へされた主因の一つが、高麗政府の反省を促さんとする意圖より出てゐることは、略ぼ疑なきものと考へられる。

〔註〕

(1) 前代の倭寇に關する諸問題、特に對馬と半島との不可分干繋・海寇の生起せる素因等々に就いては〔池内博士還暦記念東洋史論叢〕所載の拙稿「高麗忠定王朝の倭寇に關する一二の考察」を參看され度い。

(2)前掲の拙稿（一―四頁）參照。

(3)同前（二―七頁）參照。

第二章　倭寇の兵力

第一節　兵數及び船數の一斑

所謂倭寇に關する史料の多くは、單に侵略を被つた地點を傳へるに止まり、その實體に觸れた記述は頗る乏しい憾がある。兵力に關する記載が絕無に近いことの如きは、その適例であり、恭愍王世家（高麗史卷四〇）に

甲辰十三年（西紀一三六四年）五月、慶尙道都巡問使金續命、擊倭三千於鎭海縣、大破之、献捷。王賜衣酒金帶、爵戰士有差。

と見えるものは、兎に角に兵數を明記した殆ど唯一の資料である。此の他、その一斑に觸れたものとしては僅かに偰長壽の上書(1)に

彼賊多則千百成群、小則什伍爲隊。

といふ一節が見出される位であり、兵力の平均計乃至最大計等に關する權威ある推算を下すことは、至難の業と言はざるを得ない。

海寇の船數に關する記事も亦た頗る乏しく、僅かに傳へられた數字の中より、その比較的

多いものと、少いものとの二表を作れば、凡そ次の如くである。

〔第一表〕　比較的多い例

年　時	船　數	典　據
戊戌七年	四〇〇餘艘	高麗史・巻一一三（崔瑩傳）
甲寅二三年夏四月	三五〇艘	同書・巻四四
癸卯一二年夏四月	二一三艘	同書・巻四〇
甲辰一三年三月	二〇〇餘艘	同前

〔第二表〕　比較的少い例

年　時	船　數	典　據
壬辰元年九月	五〇餘艘	高麗史・巻三八
壬子二一年冬一〇月	二七艘	同書・巻四三

四百餘艘といひ、二十七艘といふも、大船と小船とでは乗員の數に相當の差異があり、果

して幾何の戰鬪員を搭乘せしめてゐたかは、もとより詳らかにし難い。

要するに兵力に關する具體的記述の見るべきものは殆どなく、僅かに兵數に於いて最高三千名、船數に於いて同じく四百餘艘といふ數字が傳へられてゐるに過ぎない。

第二節　高麗軍の損害及び其の海寇に與へた損害

高麗軍の損害、及びその海寇に與へた損害に關する具體的記錄も亦た甚だ少く、前者の主なものには

戊戌七年〇西紀一三五八年三月己酉〇一一日倭寇角山戍、燒船三百餘艘（高麗史卷三九）

甲寅二十三年〇西紀一三七四年夏四月壬子〇一七日倭船三百五十艘、寇慶尙道合浦、燒軍營兵船、士卒死者五千餘人。遣趙琳、誅都巡問使金鋐、支解以徇諸道（同書卷四四）

等があり、後者のそれには

（癸丑二十二年〇西紀一三七三年二月）(2)倭寇龜山縣三日浦。（洪）師禹往擊之、賊潰走、乘勝奮擊、賊登山、師禹麾兵、四面攻之、斬獲二百餘、溺水死者以千數、俘被虜者十人、兵仗不可

勝記（高麗史・卷一一一・列傳二四・曲彦博傳附載洪師禹傳）

甲寅二十三年〇西紀一三七四年六月甲辰〇十日倭寇襄州。我軍與戰、斬首百餘級（同書卷四四）

などがあるに過ぎない。

かゝる僅少な資料によるも、掠奪の主たる對象物などより察するも、（一）往々大集團による侵略が敢行されたことゝ、（二）個々の集團の大きさに自づから最小限度が存在してゐたことゝは、略ぼ疑なきものゝ如くである。

〔註〕

(1) 高麗史・卷一一二・列傳二五・偰遜傳附載偰長壽傳。

(2) 括弧内の年時は、高麗史・卷四四・恭愍王世家、癸丑二十二年二月己亥の記事に據る。

第三章　高麗の軍情

當時に於ける高麗の國情、就中軍情の不振には、寧ろ驚嘆すべきものがあり、海寇の跳梁に苦しめられたことも亦た故ありと云はざるを得ない。癸丑二十二年〇西紀一三七三年(1)に奉呈された諫官禹玄寶等の上疏(2)は、軍國の悲境を痛論した大文字であり、その御倭に關する言說は凡そ次の五段より成つてゐる。

その第一段は「制禦之力、未有成算、……早定規畫、毋失事機」といふ叫びであり、此の年に至つてなほこの言を聞く、半島に人なきを嘆ぜざるを得ない。その文に曰く

自庚寅年（高麗忠定王二年 西紀一三五〇年）以來、倭賊爲寇、連兵追捕、未能擒制。近年以來、狂暴尤甚、殺害將帥、擄掠人民、沿海州郡、遠近騷然、至於再犯京畿、無所畏忌、將來之患、固難測量。將相大臣、恬不爲意、制禦之方、未有成算。如或群賊、乘間突至、將何以處之、凡事預定、則有備無患、倉卒則智者難謀。願殿下謀及宰相、謀及將帥、謀及朝臣、問以計策、豈無方略可施者乎。早定規畫、毋失事機。

と。軍情不振の一般、以て察すべきである。

其の第二段は、制海權の囘復特に水師の强化に關する獻策であり、曰く

議者以謂、賊善舟楫、不可以水戰、若造船艦、是重困吾民。是不然、水賊不可以陸攻、其勢明甚。且攘賊禁暴、本欲爲民、其可念小弊於民、而貽大患於國乎。今東西江、並置防守、賊泛海揚々而來、我軍臨岸拱手而已、雖精兵百萬、其如水何哉。宜作舟艦、嚴備器仗、順流長驅、塞其要衝。賊雖善水、安能飛渡、倘得勢便、擒捷掃蕩、亦可必也。

と。これを對時局策に關する上言の一二に照らすも、水軍の情勢持にその素質が、最も憫れむべき状態に終始したことは疑の餘地さへない。壬辰元年（西紀一三五二年）に上呈された李穡の書(3)に

今夫平居之民、不習水、故足未蹈船、而精神已昏、一遇風波、則左顛右倒、相與枕藉乎舟中、之不暇、欲其坐作進退、以與敵人賈勇難矣。

と云ひ、甲寅二十三年(西紀一三七四年)に献ぜられた李穡の言(4)に

今倭寇方熾、乃驅畑戶之民、不習舟楫者、使之水戰、每至敗績。

と見えるもの丶如きは即ちそれであり、「賊善舟楫、不可以水戰」といふ主張にも、一往の根據を認めざるを得ない。

其の第三段は、兵士の調練が最惡の狀態にあつたことを指摘し痛論した一節であり

不教民戰、是謂弃之、況戰者危事、一勝一負、存亡關焉。不可不愼。國家素無預備、民不知戰、一旦有變、搶攘顛倒、方始驅聚、以充卒伍、兵刃未交、望風披靡、以此而戰、烏乎有成、雖孫吳爲將、亦無能爲矣。宜預先將帥、蒐卒鍊兵、敎而習之、使人人、耳熟金鼓、目慣旌旗、皆以戰爭、不爲驚駭之事、則雖遇勁敵、皆能攻鬪、豈有狼狽失次者乎

と云へるもの即ちそれである。同じ趣旨の上書を求めれば、壬寅十一年(西紀一三六二年)六月、監察司が上つた言(5)に

國家寇盜連年、兵不團結、每至危急、徵兵於農、非惟擾民、亦無救於倉卒。自今選揀丁壯、以備緩急。

といひ、恐らく王の晩年に獻ぜられたと思はれる偰長壽の言に(6)

倭寇防戍、最爲緊急。竊計賊船出沒、無有定時、民庶安危、朝夕靡測、而沿海防戍、雖有其名、無益於事。蓋鎭戍兵卒、悉皆烏合之衆、素無敎鍊之嚴、器械甲冑未爲堅利、又無營壘以爲保障、不過草屋薪籬、僅庇風雨而已、故一有寇至、則望風奔潰、雖使頗牧、爲將亦不能號令之也。

と見えるもの等がある。勢の急なるに及び、或は坊里の人を括し(7)、或は兵を煙戶に徵した(8)實例は少しとしない。その用を爲さざるは、寧ろ當然と謂ふべきである。

其の第四段は、將校養成の必要を力說した文字であり、曰く

用兵之道、專在於將、良將之才、自古爲難。宜擇子弟有器識者、竝令學兵法、習武藝、常加敎閱、訓養精銳、待其成才而用之、良將何難得、而用兵其有失律之患哉。古有兵書取人之科、即此意也。

と。その言ふ所に異議はない。問題は現實の世界に於ける將帥の行爲であり、史書は、その怯懦、その貪殘、その庸劣等々に關する驚くべき事實を傳へてゐる。試みにその一斑を示せば、怯懦の實例には

壬辰元年〇西紀一三五二年六月丙寅〇二五日倭寇全羅道茅頭梁。知益州事金輝、領舟師擊之、不克。沃溝

監務鄭子龍、坐逗遛不進、杖配突山烽卒（高麗史卷三八）

同年八月丁卯（二七日）捕倭使印璫、帥禁軍及東西江・喬桐水手一千人禦倭、以逗遛不進、下璫獄（同前）

丁酉六年（西紀一三五七年）閏九月壬戌（二一日）遣上將軍李云牧・將軍李蒙古大、追捕倭寇。乙丑（二四日）倭侵喬桐。李云牧・李蒙古大、㤼懦不戰、縈巡軍（同書卷三九）

等があり、貪殘に關しては

自有倭寇以來、一道置戍、多至十八所、軍將虐州郡以立威、役戍卒以濟私、遂使凋弊逃散。及寇至、更徵州郡兵、謂之烟戶軍。未見禦寇、祇以害民（高麗史・卷一一二・列傳二五・田祿生傳）

金鋐義城縣人、……恭愍時……出爲全羅道都巡禦使、時全羅饑、重以兵革、民不聊生。鋐割剝無所不至、減軍粮、用其半、稅諸州漕船、皆輸于家、一方嗷嗷。……移慶尙道都巡問使、鎭合浦。貪殘如全羅時（同書・卷一二五・列傳三八・金鋐傳）

と見えるものなどがある。此等に比して一層寒心すべきは統帥の庸劣であり、高麗史（卷一一四列傳二七）邊光秀傳に

邊光秀恭愍時、爲兵馬使、國家以全羅道軍須漕運、阻倭不得通、選東北界武士、刷喬桐・江華・東西江戰艦八十餘艘、命光秀及兵馬使李善、分將往護之。至代島、有內浦民被

虜者、逃來告曰、賊伏兵伊作島。不可輕進。善不聽、鼓譟先進。賊以二艘逆之、佯退。光秀等追之。俄而賊五十餘艘圍之。兵馬判官李芬孫・中郎將李和尙等、先與戰、皆爲賊所殺。諸船兵望見喪魄、投海死者十八九、光秀・善等觀望、不戰而退。戰卒大呼曰、兵馬使何弃士卒而退耶。願小駐、爲國破賊、光秀等終不救、士卒無所恃、氣衰沮喪、由是大敗。……戰艦還者、唯光秀・善等船二十艘而已。喬桐・江華・東西江、哭聲相聞。光秀等竟不坐、國人恨之。

と見ゆるものゝ如きは、その著るしい一例である。將帥の無術、凡そ察すべく、軍紀の嚴正士氣の横溢に至つては、所詮期待し難いものと云はざるを得ない。

其の第五段、即ち最後の一項は「宜廣儲偫、以贍軍食」といふ上言であり、曰く

食者、民天不可不重。孔子言兵、先言足食。食如不足、兵雖衆、將焉用哉。國家用兵、已多年矣。未有蓄積、以備不虞。況今雨澤愆期、豐歉難知、宜廣儲偫、以贍軍食。

と。單に漕運の狀況より判斷するも、軍餉の獨り豐富なるべき理由はない。王の世家、戊戌七年〇西紀一三五八年の條に

五月辛亥〇一四日倭焚喬桐、京城戒嚴、發坊里丁爲戰卒。以李春富、爲西江兵馬使、安祐爲東江兵馬使、前護軍李元琳爲喬桐倭賊追捕副使。壬戌〇二五日以軍餉不繼、召安祐・李春富

として　稍営の係い

（癸丑）二十二年（西紀一三七三年）爲六道都巡察使、籍軍戶、造戰艦、黜陟將帥、守令有罪者專斷。……………又令年七十以上者、歛米有差、補軍需。民多亡命、怨讟大興（卷一二三列傳三六）

と見えるもの丶如きは、この間の消息に觸れた記事の一二である。

軍の裝備が、概ね劣惡であつたことも、亦た見遁し難い事實の一つであり、世家●丙午十五年（西紀一三六六年）五月乙巳（廿四日）の條に

倭寇喬桐、留屯不去。京城大震。王命贊成事安遇慶●評理池龍壽●判開城府事李珣等、領三十三兵馬使、出屯東西江●昇天府。時影殿●正陵役大興、百司所事、不出土木、諸事廢弛、倉廩虛竭、宿衛單弱、軍政不修、至無兵可操、無甲可授、諸軍索然、望賊不敢進。（高麗史卷四一）

と記されたもの丶如きは、その極端な一例である。

叙上の考察に大過なしとすれば、高麗の國軍が徒らにその名あつて、殆どその實なきは勿論、所謂倭寇が橫行を恣にするを得た主因の一つを、半島側の軍情に求むべきことも、亦た何等の贅言を要せぬものと斷ぜざるを得ない。

〔註〕

(1) 高麗史・卷八三・兵志三（船軍）。

(2) 同書・卷一一五・列傳二八・禹玄寶傳。

(3) 同書・卷一一五・列傳二八・李穡傳。

(4) 同書・卷八三・兵志三（船軍）。

(5) 同書・卷八一・兵志一（五軍）。

(6) 同書・卷一一二・列傳二五・偰遜傳附偰長壽傳。

(7) 同書・卷三九（戊戌七年五月辛亥の條、庚子九年五月己酉の條）。同卷四三（壬子二十一年冬十月辛巳の條）。同卷八一・兵志一（五軍）同卷八二・兵志二（鎭戍）。等々。

(8) 同書・卷八一・兵志一（五軍）。同卷八二・兵志二（鎭戍）。同卷八三・兵志三（船軍）。同卷一一二・列傳二五・田祿生傳。等々。

第四章　海寇の禁遏に關する日・麗交渉の顚末

第一節　開京政府の外交方針

開京政府が金龍[1]・金逸[2]の兩人を相ついで日本國に使せしめ、海寇の禁遏に關する公的・政治的折衝を開くに至つたのは、我が貞治五年卽ち恭愍王丙午十五年（西紀一三六六年）のことである。本邦側の所傳によると、金龍の一行は此歲九月出雲方面に來たり、[3]翌六年（恭愍王丁未十六年）二月十四日攝津國福原に到着したと云はれてゐる。[4]一方金逸と恐らく同一人を指したと思はれる中請大夫前典儀令相公金一なる人が來朝したのは、これより稍々遲く同じ月の二十七日[5]に係けられてゐる。是月、幕府は使人の一行を洛外の天龍寺に館せしめ、[6]彼我の交渉は漸く開かれることになつた。

こゝにその全貌を考究するに當り、一應參看すべきは、太平記〇第三十九卷高麗人來朝事に見える次の記載である。

四十餘年カ間、本朝大ニ亂テ、外國暫モ靜ナラス、此動亂ニ事ヲ寄テ、山路ニハ山賊アリテ、旅客綠林ノ陰ヲ過得ス、海上ニハ海賊多クシテ、舟人白浪ノ難ヲ去兼タリ、欲心强盛ノ溢者トモ、類ヲ以テ集リシカハ、浦々島々多ク盜賊ニ押取レテ、驛路ニ驛屋ノ長モナク、關屋ニ關守人ヲ易タリ、結句此賊徒數千艘ノ舟ヲソロヘテ、元朝、高麗ノ津々泊々ニ押寄テ、明州、福州ノ財寶ヲ奪取、官舍寺院ヲ燒拂ヒケル間、元朝、三韓ノ吏民、是ヲ防兼テ、浦近キ國々數十箇國、皆住人モナク荒ニケリ、是ニ依テ、高麗國ノ王ヨリ、元朝皇帝ノ勅宣ヲ受テ、牒使十七人、吾國ニ來朝ス、此使異國ノ至正二十三年八月十三日、高麗ヲ立テ、日本國貞治五年九月二十三日、出雲ニ著岸ス、道驛ヲ重テ、程ナク京都ニ著シカハ、洛中ヘハ入ラレスシテ、天龍寺ニソ置レケル、此時ノ長老春屋和尚智覺普明國師牒狀ヲ進奏セラル、其詞云、

皇帝聖旨裏、征東行中書省、照得、日本與本省所轄高麗地境、水路相接、凡遇貴國飄風人物、往々依理護送、不期、自至正十年庚寅、有賊船數多、出自貴國地面前來、侵本省合浦等處、燒毀官廨、騷擾百姓、甚至殺害、經及一十餘年、海船不通、邊海居民、不能寧處、蓋是島嶼居民、不懼官法、專務貪婪、潜地出海刦奪、尙慮貫國之廣、豈能周知、若使發兵勦捕、恐非交隣之道、除已移文日本國照驗、頗爲行下概管地面海島、嚴加禁治毋使如前出境作耗、本省府、今差本職等、一同馳驛、恭詣國主前啓禀、仍守取日本國回文還省、閤下仰照驗、依上施行、須議劄附者、一實起右、劄附差去、萬戶金乙貴、千戶金龍等准之、

トソ書タリケル、

右の記事には、明らかに誤謬と認むべきものが含まれてゐる。使節が高麗を出發したのを元の順帝の至正二十三年（恭愍王癸卯十二年（西紀一三六三年））即ち我が貞治二年に係けてゐることの

如きはその一つである。然しながら、牒狀の文面を始めとし、使人等が出雲に着岸したこと、天龍寺に館したこと等々は、信ずべき日記古文書等の所傳とよく吻合して居り[7]、相當權威ある資料に基いた記載と斷ぜざるを得ない。

却說、これを牒狀の文面に見るに、その第一の特徵は、征東行中書省の名の下に發せられてゐる點にある。征東行中書省は略して征東行省といひ、更に約して征東省とも呼び、元帝國が朝鮮地方に設置した特殊の官府である。この官衙は支那の內地に置かれた行省とは頗る趣を異にし、高麗國王をその最高長官卽ち右丞相に任じ、同王國の全土を形式上その管轄下に置いた特殊の行中書省であり、問題の焦點は、禁賊に關する交涉の主體を態々征東省とした所にある。

高麗がかゝる態度に出た所以は、上國の命令によると否とを問はず、元帝國の盛名を利用して目的の貫徹に資せんとする政策に由來するものと思はれる。「皇帝聖旨」といひ「若使發兵勦捕、恐非交隣之道」と稱してゐること等を見るも、かく推斷せざるを得ない。

それは孰れにせよ、日本國との外交々涉の主體を征東行中書省とすることは、開京政府の一貫せる方針であり、後に述べるが如く貞治七年(應安元年)卽ち恭愍王の戊申十七年〇西紀一三六八年春正月に初めて彼の地に往いた所謂日本國使(實は將軍家の私使)を態々行省に迎へたことの如きは、この間の用意を明示する事例の一つである。

第二節　足利幕府の態度

禁賊の要請に對する幕府の態度を論ずるには、先づその統制的權力の實體を一瞥する要がある。この意味に於いて一應參照すべきは、太平記（〇第三十九巻高麗人來朝事）に見える次の記事である。曰く

賊船ノ異國ヲ犯奪フ事ハ、皆四國九州ノ海賊トモカスル所ナレハ、帝都ヨリ嚴刑ヲ加ルニ據ナシトテ、返牒ヲハ送ラレス、只來獻ノ報酬トテ、鞍馬十匹、鎧二領、白太刀三振御綾十段、綵絹百段、扇子三百本、國々ノ奉送使ヲ副テ、高麗ヘソ送リ著ラレケル、

と。統制力の實相、凡そ卜すべく、所謂「島嶼居民」の直接行動の如きは、もとより如何とも爲し難い所と謂はざるを得ない。さればとて、隣邦よりの申出を無下に拒絶することも、亦た體面上如何かと思はれる節があるなど、足利氏の立場には寧ろ憫れむべきものがある。轉じて武家側の對策を觀るに、第一に天龍寺の僧侶をして之が應待の任に當らしめ(8)、第二に四月十八日將軍足利義詮が同寺に往いた際、特に雲居庵に於いて使人を引見し(9)、第三に五月十九日使節の一行を奈良に遊ばしめたこと(10)等々が傳へられてゐる。

是等の事實は、幕府の根本方針が飽迄半官半私の態度を堅持して交渉に應ずるとともに、

不卽不離の裡に好意の一端を示さんとするに在つたことを語るものと推斷される。

なほ、こゝに注目すべきは、彼我の交渉に對する京都朝廷の御意向であり、武家よりの伺ひに對し、五月二十三日の殿上の議は、書辭禮を缺くといふ理由の下に「不可有返牒」との裁決を下されてゐる。(11)

幕府側が右の御沙汰を如何に拜承したかは問題であるが、前述の根本方針を固執した事だけは疑を容れない。(12)恐らく將軍の私命を奉じた第三者の名の下になされたと思はれる同文(返牒)を出してゐるのは、その最も有力な證據の一つであり、同じ方略より出た措置と思考されるものには、使節の一行が愈々歸途に就くに當り、天龍寺の僧を同行せしめたこと、(13)所謂「來献ノ報酬」を贈與したこと(14)等々がある。

却説、麗使及び將軍の私的使人の一行が京都を辭したのは六月二十六日であり、(15)一行の消息は全く傳へられぬこと凡そ半歳の後、翌七年(應安元年)卽ち恭愍王戊申十七年(西紀一三六八年)正月に至り、再び史書に現はれてゐる。恭愍王世家この月の條に

戊子(一七日)日本國遣僧梵盪・梵鏐、偕金逸來報聘(高麗史卷四一)

といひ、辛旽傳に

(恭愍王)十七年、日本遣僧梵盪等來聘。梵盪等至行省、諸相皆立、(辛)旽獨南向、坐

不爲禮、梵盪等怒詰之。吨忿甚。欲毆之。館待甚薄、至闕其饔餼。（李）仁任私餉之。王聞甚慚（同書・卷一三二・列傳四五）

と見えるもの卽ちそれであり、足利將軍が使僧を派遣し、開京政府が之を征東行省に迎へたことが何を意味するかは、孰れも旣に一言した所である。

問題は幕府をして大略叙上の如き態度に出でしめた理由の如何にある。これを大局より觀るに、その主因の一つは、巧みに彼の要望を捉へて通聘を開かんとするに在つたと推考される。一層適切に云へば、この機を利して半官半私の通商を始めんとするに存したと推斷すべきものと思はれる。然らざる限り、その爲す所は殆ど兒戯に類すると評せざるを得ない。

第三節　高麗と對馬との和平と其の破裂

日麗の關係は、我が應安元年卽ち恭愍王の戊申十七年○西紀一三六八年の前後に亘り、凡そ一年有餘の小康を呈してゐる。是歲に限り、倭寇の刧掠に關する一切の記事が全く姿を沒してゐるのは、その消極的證左であり、前廢王の丁巳三年○西紀一三七七年に我が國に贈られた高麗の國書に

歲自庚寅○高麗忠定王二年西紀一三五〇年海盜始發、擾我島民、各有損傷、甚可憐愍、因此丙午○恭愍王十五年年間差萬戸金龍等、報事意。卽蒙征夷大將軍禁約、稍得寧息（高麗史・卷一三三・列傳四六）

と明記されてゐるのは、その積極的證左である。

此事あるを得た主因は、征夷大將軍の禁約を蒙つたためといふよりは、寧ろ對馬との關係が著るしく好轉した結果によるものと考へられる。恭愍王世家・戊申十七年の條に

秋七月己卯〇一一日對馬島萬戶、遣使來献土物（高麗史卷四一）

と見えるものは、この間の消息に觸れた最初の記事であり、尠くとも對馬の一大勢力と思はれる所謂萬戶なる者が、かゝる行動に出てゐる事實は、文永・弘安の兩役後、嘗つて聞かざる所である。單にこの一事のみによるも、その高麗との關係が漸く面目を一新するに至つたことは殆ど疑を容れない。

轉じて開京政府の措置を窺ふに、閏七月には李夏生を講究使として對馬に遣はし、(16)十一月九日對馬島萬戶崇宗慶（補註）なる者の使節を迎へた際には、之に米一千石を贈つてゐる。(17)その孰れを觀るも、局面の打開乃至收拾に相當の熱意と努力とを注いでゐることは、容易に察知し得る所である。

半島と對馬との干繫は、かくして次第に調整されるかに見えたが、それも束の間に過ぎず、前後僅々一年有半にして再び逆轉するの止むなきに立至つてゐる。試みに其の一斑を示せば凡そ次の如くである。

己酉十八年（西紀一三六九年）秋七月辛丑（九日）巨濟南海縣投化倭、叛歸其國（高麗史卷四一）同年十一月壬辰朔、牙州獲倭船三艘、献俘二級。戊午（二七日）倭掠寧州・溫水・禮山・沔州漕船。初倭人願居巨濟、永結和親、國家信而許之。至是入寇（同前）

翌庚戌十九年（西紀一三七〇年）以降、海寇の活躍が再び激化してゐる事實は、半島と對馬との和平が遂に破裂した明證であり、事態を此處に至らしめた素因の一半は、對馬の特殊事情に對する高麗側の認識不足に由ると思はれる。別言すれば「島嶼居民」の欲する所を洞見し、巧みに之を操縦し懷柔するだけの頭腦と膽略とを缺いたことに在ると斷ぜざるを得ない。

開京政府の對日本政策、就中對馬に對するそれが遂に失敗に歸し、局面が再び惡化してより僅かに數年の後、恭愍王は一命を逆臣の毒刄に殞し、一切の難問題は悉く後昆に貽されるの止むなきに至つた。時に甲寅二十三年（西紀一三七四年）九月二十二日のこと(18)である。

（昭和十五年十二月上澣）

〔註〕

(1)高麗史・卷一三三・列傳四六（前廢王丁巳三年六月の條）。

(2)同書・卷四一（丙午十五年十一月壬辰の條）。

(3)報恩院文書（大日本史料・第六編之二十七、八二三――八二四頁所載）。太平記・卷三九「高麗人來朝事」の條。後愚昧記（貞治六年三月廿四日の條）。京都將軍家譜・上。

(4)善隣國寶記・卷之上。

(5)同書・同卷。

(6)後愚昧記（貞治六年三月廿四日の條）。愚管記（貞治六年三月廿日の條）。太平記・卷三九「高麗人來朝事」の條。

(7)前揭の註(3)・(6)參照。

(8)智覺普明國師年譜（貞治丁未の條）。太平記・卷三九「高麗人來朝事」の條。報恩院文書（大日本史料・第六編之二十七、八二二――八二三頁所載）。鹿王院文書（大日本史料・第六編之二十八、一二五頁所載）。

(9)師守記（貞治六年四月十八日の條）善隣國寶記・卷之上。

(10)師守記（貞治六年五月十九日の條）。

(11)愚管記（貞治六年五月廿三日の條）。後愚昧記（同日の條）。師守記（同日の條）。

(12)鹿王院文書（大日本史料・第六編之二十八、一一五頁所載）。後愚昧記（貞治六年六月廿六日の條）。善隣國寶記・卷之上。

(13)愚管記（應安元年閏六月二日の條）。

(14)後愚昧記（貞治六年六月廿六日の條）。愚管記（應安元年閏六月二日の條）。京都將軍家譜・上

(15) 師守記（貞治六年六月廿六日の條）。後愚昧記（同日の條）。
(16) 高麗史・卷四一（戊申十七年閏七月の條）。
(17) 同書・同卷（同年十一月丙午の條）
(18) 同書・卷四四（甲寅二十三年九月甲申の條）。

〔補　註〕

こゝにいふ對馬島萬戸崇宗慶の崇は、恐らく宗の誤記と推斷される。寛政重修諸家譜・卷五百一、宗氏の項に

經（つね）茂（しげ）　彦次郎刑部少輔號宗慶

と記し、申叔舟の海東諸國紀に

宗氏世爲島主、其先宗慶死、子靈鑑嗣、靈鑑死、子貞茂嗣、貞茂死、子貞盛嗣、貞盛死、子成職嗣成職死而無嗣、丁亥年○應仁元年西紀一四六七年島人立貞盛母弟盛國之子貞國爲島主。

と見えるが如きは、その一二の證據である。

豊臣秀吉の臺灣島招諭計畫

岩生成一

目次

一　序説
二　東亞海上交通史上に於ける臺灣島の位置
三　秀吉の世界智識と對南方政策
四　秀吉の臺灣島招諭計畫諸說
五　秀吉の臺灣島遠征計畫の漏洩
六　秀吉の臺灣島遠征計畫と明朝の對策
七　秀吉の臺灣島遠征計畫とフイリツピン政廳の對策
八　臺灣島を中心とする列國の葛藤

豐臣秀吉の臺灣島招諭計畫

岩生成一

一　序　說

豐臣秀吉が、文祿二年の末使節を臺灣島に遣はし之を招諭せしめんと企圖したのは、當時近隣諸國が未だ同島を以て化外の蠻島として、特別なる注意を向けない時代に、諸外國に先鞭をつけて同島經略に乘出さんとせるものとして、重要なる意義を有する許りでなく、亦當時澎湃として勃興した日本人南方發展の潮流の一道標としても重要なる意義を有する企圖と言はねばならぬ。されば、苟くも當時の對外關係や、我が國民の海外發展を論ずる者は、何れも大なり少なり此の問題に言及しない者はない。曾て私も、此等の諸論の驥尾に附いて、未熟なる一文を草したこともあるが(註)、其の後十餘年を經過する間に若干追加すべき新史料を發見したので、立論の骨子には大差なきも、更に推考を加へて前說を補訂する次第である。

註、拙稿、豊臣秀吉の臺灣征伐計畫について（史學雜誌。三八ノ八）

二　東亞海上交通史上に於ける臺灣島の位置

臺灣島は南支那福建の沿岸に密邇し、北方琉球列島を介して遙に日本に連り、南方一衣帶水のバシイ海峽を隔てゝフイリツピン群島と相對し、然も狹隘なる臺灣海峽を以て東支那海と南支那海とを南北に相分ち、正に東亞海上交通の要衝に位してゐると言はねばならぬ。然るに、他の周邊の地方が漸次支那との交通を始め、經濟的に、將又政治的、文化的に相互の交渉が次第に頻繁密接となつたに係らず、獨り臺灣島のみ、上代以來依然として永く東亞海上交通の圏外に取殘されたのは、固より土着民未開矇昧にして、之と平和的な接觸を開き難かつた爲めに外ならぬ。

十六世紀の初葉に始まる歐洲人の東漸は、東亞の天地に未曾有の一大變革を齎したが、此の刺戟を受けて南支那沿海住民の海外交通も亦俄かに激增し、日本人も後れ馳せながら此の間に介入し、此の世紀の半頃より漸次南方に進出し始めた。斯くて歐亞諸國船舶の近海を航行するもの漸く頻繁にして、茲に臺灣島も、從來の如く長く孤立することを許されなくなつた。

ポルトガル人は一五一一年マラッカを攻略して東方侵略の一據點とし、次いで北上して支那の廣東に達し澳門に港を確保し、更に寧波を經て、終に一五四〇年代、我が天文年間の半頃には、日本島の實在を確認し、爾後其の商船は、年々北航して對日貿易を續行したが、彼等は同世紀の半頃より、恰も北上航路の途中に横はれる臺灣島を、フォルモサ島（Ilha Formosa）の美名を以て呼び、或は支那人よりの傳聞に基く小琉球（Lequeo Pequeno）の稱を與へて、彼等の地圖や海圖に之を明記する様になつた（註1）。

南支那沿岸住民の南方海上交通の進展に伴ひ、既に早くより同島は彼等の間に小琉球なる名稱を以て認識される様になつたが、諸書未た島情に關し何等傳ふる所が無かつた（註2）。然るに嘉靖末年（一五六〇年代）に成れる鄭舜功の日本一鑑には、始めて臺灣島の圖を載せ、島中に雞籠山を描き、附近に硫氣噴出の狀を記して、且つ

自回頭徑取小東島、島卽小琉球、彼云大惠國、按此海島、自泉永寧衞間、抽一脈渡海、乃結澎湖等島、再渡諸海、乃結小東之島、自島一脈之渡、西南乃結門雷等島、一脈之渡、東北乃結大琉球日本等之島、小東之域、有雞籠山、山乃石峯、特高於衆中、有淡水出焉（註3）

とあり、小東島の別名を與へ、其の記する所俄かに具體的となれるも、亦彼等と同島との接觸の漸く確立せることを示すものに他ならぬ。此の頃南支那沿海には所謂倭寇猖獗を極めた

が、同島を以て絶好の寄泊地又は根據地とする者もあつた。就中萬暦二年(一五七四年)の暮より三箇月に亙つて大擧呂宋島に侵寇して、イスパニヤ人の心膽を寒からしめた潮州出身海寇の巨魁林鳳や其麾下の日本人等一黨の如き、實に臺灣澎湖を巣窟として、南方遙に侵寇の觸手を延したのであつた(註4)。

當時南支那沿岸住民の南方海上交通貿易愈々隆盛となり、有司中にも寧ろ有名無實に近き海禁を開く可きことを說く積極論者も尠なからずして、隆慶元年(一五六七年)には、福建巡撫涂澤民の議により、其の禁開かれ(註5)、次いで萬暦十七年四月(一五八九年)には巡撫周寀の建議に基き、南洋渡航船數を八十八隻に限定し、餉稅徵收の規準を定め、通商區域と割當船數に統制を加へたが、此の時

東西二洋共八十八隻、又有小番、名雞籠淡水、地隣北港、捕魚之處、産無奇貨、水程最近、與廣東福寧州浙江北港、船引一例原無限、數歳有四五隻、或七八隻、不等往販(註6)。

と記され、他の南洋各地との交通貿易進展の頃、臺灣方面渡航商船も既に年々尠なからず、唯、未だ之を國內沿岸航路に準じて渡航船數に制限を加へず放置した樣であるが、萬暦二十一年(一五八八年)に至り、十七年の制限令以前に渡航免狀を受けた占城以下十二地を再び追加して合計百隻とし、雞籠淡水渡航船をも一應十隻に限定し(註7)、斯樣にして支那商船の臺灣各地

との通商も、官憲より公許される様になつた。

日本人の活動圏も、亦此の頃南支沿岸より漸く南洋方面に伸長せんとし、茲に臺灣島との接觸は必然的となり、前掲鄭舜功の日本一鑑にも、既に彼等が同島を大惠國と云ふと記したのは、正に日本人と臺灣島との接觸の最初の記錄にして、時は我が永祿年間に當り、此れ或ば後年の高山國又は高砂國の語原の一をなすものと思はれる。次いで南支沿岸より拒まれた倭寇の一派も、轉じて同島に走り蠻人を逐つて占據する様になつたことは、諸書の傳へる所であるが（註5）、其の後日本人の南進漸く頻りなるや、其の途上に横はり而も南支密商と會するに便なる同島との接觸も、亦其れ丈增加して來たに相違ない。

註1 Cortesão, Armando. Cartografia e cartógrafos portugueses dos séculos XV e XVI. Lisboa. 1935. Volume II. Estampa XIV, XIX, XXII, XXVII, XXVIII, LI, LII. 中村忠行氏、十六、七世紀の地圖にあらはれたる臺灣（科學の臺灣、九ノ三）

註2 和田淸博士、琉球臺灣の名稱に就いて、（東洋學報、一四ノ四）、一二〇——一二二頁。

註3 鄭舜功、日本一鑑、桴海圖經、卷一、萬里長歌、卷二、滄海津鏡。

註4 張星烺、斐律賓史上李馬奔之眞人考（燕京學報、第八）
李長傳、斐律賓史上李馬奔之眞人考補遺（同上、第九）
黎光明、斐律賓史上之李馬奔眞人考補正（同上、第十）

Pastells. Pablo, Historia General de Filipinas. Tomo II. Barcelona. 1926. pp. 24-44.

註5　許孚遠、敬和堂集、卷五、疏通海禁疏。

皇明經世文編、卷三百七十六。

皇明實錄、卷三百十六、萬曆二十五年十一月庚戌

張燮、東西洋考、卷七、餉稅考。

註6　敬和堂集、卷七、海禁條約行分守漳南道。

皇明實錄、卷二百十、萬曆十七年四月丙申。

註7　敬和堂集、同上。

註8　何喬遠、閩書、卷百四十六、島夷志。　東西洋考、卷五、東番考。

三　秀吉の世界智識と對南方政策

上述の様に、臺灣島が當時の東亞海上交通上に於いて、漸く重要なる地位を占めて來たとすれば、我が航海家や對外貿易商は固より、苟しくも注意を海外に向けてゐた爲政者の眼にも、其の重要性は既に相當に認識されて來たに違ひない。

當時秀吉は、漸く我が國永年の戰亂を治定し、更に其の餘力を國外に伸張せんと計畫し、先づ對岸朝鮮明に對して征戰の師を差向けると共に、南の方、琉球に對しても、夙に天正十

六年より再三島津氏をして之が招諭に努めしめた。超えて十九年には、東洋に於けるポルトガル人の根據地ゴアよりの使節としてアレッサンドロ・ヴァリニャーニ（Alessandro Valignanu）が、九州三侯のローマ遣使を送つて再び來朝するや、秀吉は彼に一書を托し威嚇して以て其の入貢を促した。續いてイスパニャ人の根據地フイリッピンに對しても、同年九月原田孫七郎を使者として書を贈つて其の朝貢を勸說せしめ、此れに對する比島當局の返答が頗る曖昧なる爲め、秀吉は文祿二年重ねて孫七郎の主人原田喜右衛門に返翰して、フイリッピン總督に書を贈らせ威嚇してゐる。

斯樣な秀吉の世界政策は、彼が單に漫然と誇大妄想的に着手せしものに非して、必ずや彼の叡智には、東亞の大勢に對する相當な認識が備つてゐると同時に、此の方面に關する具體的な地理智識をも兼ね有してゐたに相違ない。西洋人の渡來後日本人の世界智識が急速に擴大發展したことに就いては、既に先學の研究も尠くないが、秀吉も亦此等の西洋人より地理智識を攝取した。

彼が征明の役を起すに當り、居常東亞の略圖を描いた扇を携へてゐたと云はれ（註1）、又明の秘密探偵として渡日し、秀吉にも謁したことのある許儀後の提出した萬曆二十年二月二十八日（一五九二年文祿元年）附の報告によれば、

高麗之貢倭、(萬曆十八年一五九〇年)自去年五月始也。七月廣東蠔境澳佛郎機、進我大明國天圖一幅、地圖一幅、犬一對、馬一對、絲段香寶等件共銀五萬餘兩(註2)。

とあり、彼は朝鮮の役の前年ポルトガル人より支那の天圖並に地圖夫々一幅を他の献上品と共て受けてゐるが、此等は支那製の物に非して恐らく西洋製のものと推せられる。超えて一五九二年八月(文祿元年)、呂宋島より秀吉の招諭狀に對する答使としし入朝し、名護屋に於いて秀吉に謁した伴天連フワン・コボス(Juan Cobos)のことに就いて、亦支那人の傳ふる所によれば、

伴天連フライ・フワン・コボスは、日本の國王(秀吉)に、我等の國王の版圖が記入してある地球儀を示して、各國の國名をも漢字に認め、且つ相互間の距離を記入して之を日本國王に献上した。さて是に於いて、日本の國王が我が國からの書翰を讀んだ時、多くの國々の有ることを知られて、之を一々詳細に指適して、且つ其の廣狹や、相互の距離をも指適する樣に命ぜられた。依つて伴天連は、ポルトガル國もカスチリヤ國王に服屬せる旨を答へたが、彼は更に法眼(Hunquin)が國王の命によつて之を書いて寄こす樣に求めたので、之をも書いて差出した(註3)。

とあり、秀吉は種々の機會に於いて當時最新の歐洲の地圖、地球儀や、世界智識に接觸してゐ

たと言はねばならぬ。されば、彼を中心とする政府の要路も、必ずや對南方政策上に於ける臺灣島の重要性や、其の地理智識に對して、當時としては相當確かな認識を有してゐたに相違なく、斯くの如き情勢の下に、文祿二歳星集癸巳十一月初五日（一五九三年十二月二十七日）、秀吉の高山國招諭の書翰が認められたのである。

（註1）藤田明氏、豐太閤所持と傳へらるゝ扇面及文祿役に用ゐられたる地圖（征戰偉績、一三八——一四九頁）。

（註2）侯繼高、全浙兵制考。二、附錄　近報倭警。

（註3）Blair, E. H. & J. A. Robertson. The Philippine Islands 1493-1898. Cleveland, 1903-1906. Vol. IX p. 45.

四　秀吉の臺灣島招諭計畫諸說

秀吉の高山國招諭の書翰は、現に前田侯爵家に保存され、堅い鳥の子紙に、下地に金箔を敷き櫻花の模様を配した雄麗なもので、其の文は、彼の秘書官とも言ふべき相國寺西笑承兌の筆に成つてゐる。即ち、

夫日輪所照臨、至海岳山川草木禽蟲、悉莫不受此恩光也。予際欲處慈母胞胎之時、有瑞夢、其夜已日光滿室、室中如晝、諸人不勝驚懼、相士相聚占筮之日、及壯年、輝德色於四海、

發威光於萬方之奇異也、故不出十年之中、而誅不義、立有功、平定海內、異邦遐陬嚮風者、忽出鄉國、遠泛滄海、冠蓋相望、結轍於道、爭先而服從矣、朝鮮國者自往代、於本朝有牛耳盟、久背其約、況又予欲征大明之日、有反謀、此故命諸將伐之、國王出奔、國城付一炬也、聞事已急、大明出數十萬援兵、雖及戰鬪、終依不得其利、來勅使於本邦肥之前州、而乞降、繇之築數十个城營、收兵於朝鮮域中慶尙道、而屢決眞僞也、如南蠻琉球者、年々獻土宜、海陸通舟車、而仰我德光、其國未入幕中、不庭之罪彌天、雖然、不知四方咸享、則非其地竦志、故原田氏奉使命而發船、若是不來朝、可令諸將征伐之、生長萬物者日也、枯渴萬物亦日也、思之、不具。

文祿歲集癸巳十一月初五日

日本國　前關白　(印)豐臣

高山國　(註1)

先づ彼の日輪托胎の說に筆を起し、征明役の進捗せることを傳へ、更に琉球南蠻も朝貢せることを記し、今原田を遣はして其の入貢を促す「若是不二來朝一、可レ令下二諸將征一伐之上」とて極めて强硬の辭を連ねて威嚇してゐる。書翰は明治十五年火災に遭ひて一部分燒失したが、幸に其の大部分は保存され、又其の全文は燒けた灰より讀み取つたものが、前田家に存つて、其の全文を知ることが出來る（註２）。而して此の秀吉の臺灣島招諭計畫は、本文書が厳として殘存せることに依つて、一點の疑念を挿む餘地なかる可く、從來とても本文書に依つて簡單に最後の決論に到達してゐた様である。併し諸先人の研究を見るに、其の決論は必しも一定してゐるとは斷じ難い。

本書は古くは金地院崇傳の異國日記にも附載されてゐるが、早くも明治三十八年征戰偉績の中にて、村上直次郎博士は之を紹介されて、

臺灣は當時未開の土人が數部落に分れ、全體の酋長とてもない有様でありましたから、勸降の效のなかつたのは止むを得ないことであります（註３）。

と述べてゐられる。其の字句稍〻曖昧であるが、一應は招諭を試みて使節が空しく歸還したであらうと推測して居られる。併し未だ使節が何人なるやに就いては、全く觸れてゐられぬが、其の後の研究では、明かに此の說を主張され、殊に近く異國往復書翰集では、

此の書翰は原田喜右衞門が之を携へて臺灣に渡りしが、當時蕃社の間に之を交付すべき者なく、空しく引還したのか、書翰の本書は今日まで前田侯爵家に傳はれり（註４）。

と述べ、使節を明かに喜右衞門と認定し、其の歸還を肯定してゐられる。

而して辻善之助博士は、別に使節を孫七郎とし、これを臺灣島に屆けることが出來ず、使

命を果し得ずして歸還したであらうと推測してゐられる（註5）。其の後秀吉の臺灣招諭を說く者には、此の說を踏襲してゐる場合が多い。然るに渡邊世祐博士は、又別に一說を提唱されて、原田孫七郎が呂宋に使する時、此の書翰を携へしが、彼は之を空しく行李の中に潛ませて持ち還つたと推測してゐられ（註6）、而して池內宏博士は、上記の書翰は一たび兩原田に授けむとして艸せられしも、彼等の誠意の疑はるゝに及びて其の送致を中止せられしものならむか（註7）との推測を下してゐられる。卽ち秀吉の臺灣島招諭に關して從來の代表的な諸說を通覽するに、

（イ）　使節書翰携還說

（ロ）　使節書翰携帶通過說

（ハ）　使節差遣中止說

の三說があり、使節に關しても

A　原田孫七郎

B　原田喜右衞門

C　原田孫七郎、竝に喜右衞門兩人

の三説がある。併し村上博士の説を除いては、何れも前田家に傳はれる書翰の原書が現存せる事實に基いて憶測を下されたもの丶様で、何等當時の直接的な他の史料に據られたものでは無い様に思はれる。唯丶村上博士は、一五九四年二月四日京都からフライ●ペドロ●バプチスタ（Fray Pedro Baptista）が、フィリッピン總督ルイス●ペレス●ダスマリーニャス（Luiz Perez Dasmarinas）に送つた書翰の追手書を引用して、先の結論を下してゐられるが（註8）、此等の諸説を批判する前に、一應書翰の認められた前後の事情を再吟味せねばならぬ。

註1 前田家文書。
史林棨芳、第三輯ノ六。
註2 辻善之助博士、增訂海外交通史話。四四三頁。
註3 征戰偉績。一五五頁。
註4 村上直次郎博士、異國往復書翰集。六九頁。
註5 增訂海外交通史話。四四三頁
註6 渡邊世祐博士、安土桃山時代史。四九四頁。
註7 池内宏博士。文祿慶長の役。正編 第壹、一二九頁。
註8 異國往復書翰集。六九頁。

五 秀吉の臺灣島遠征計畫の漏洩

此より先、文祿元年の暮、フィリッピン政廳の使節フライ●フワン●コボス及び原田喜右衛門の一行は、秀吉の第二回の書翰を携へて薩南久志を出帆した。喜右衛門の船には、マニラ在住支那人有力者アントニオ・ロペス（Antonio Lopez）なる者が同船してゐた。然るにコボスの乗船は途中に於いて暴風雨に遭ひて覆沒し、喜右衛門の船のみ一五九三年五月二十二日（文祿二年四月二十二日）マニラに入港した。六月一日にはマニラに於いて秀吉の再度の遣使に就いて對策が協議せられ、先年コボスに從つて日本に赴き、今亦喜右衛門と共に歸航した明人アントニオ・ロペスは政廳に招かれて、此の間の事情に關して諮問を受けて居る。フィリッピン政廳の議事錄に見ゆる彼の答申中には、特に留意すべき一節がある。即ち、

アントニオ曰く「予は日本皇帝が當群島の占領をフンギユン（Hungim）に委せたことを聞いた。又フンギユン家の兵士等が寧ろ當群島に來るのを喜ぶ旨を語るのも聞いた……予は日本國王がエルモサ島（臺灣）（Ermosa）の占領を一日本人に委せたことを耳にした。此の男が當群島に來るには、彼は島傳ひに來るであらう。そして彼等は既に出帆した。此等の諸島間は、最長距離でも、海上約二日か或は二晩の航程である。……………此れ平戸に於いて基督教徒の一支那人（Sangley）の語つた所である（註1）。

との陳述である。此れは秀吉のフイリッピン征伐計畫と共に、臺灣島征伐の計畫の着々進捗せる消息を漏傳へたものに相違なく、既に征南軍の出發せしことさえ窺はれる。是れ實に斯

の秀吉の高山國來服を促す前田家の書翰の日附より約六箇月以前のことである。然もロペスは此の噂を平戸にて一支那人から、聞いたと言ふことであるから、彼の薩摩出帆以前、即ち早くも七八ヶ月以前に秀吉の臺灣島征伐の噂を耳に挾んだものと言はねばならぬ。

而して秀吉が南征を命じたフンギユンとは、ブレーヤー氏（Emma Blair）等のフイリッピン諸島誌中のイスパニヤ文書の英譯にはキユンクイン（Kunquyn）と判讀して、(註2)此れを何人に比定すべきかに迷はざるを得ないが、パステルス（Pablo Pastells）氏が原文より

大閤様の寵臣法眼（Hunguen, Privado de Taico Sama）(註3)

と判讀せし人物なる可く、此は亦伴天連ペドロ・チリーノ（Padre Pedro Chirino）の未刊の比島教會史にも、

王の寵臣長谷川殿、他の名法眼（Fasegauandono, por otro nombre Foguen, privado del une [Rey]）(註4)。

と記された者と同一人なる可く、果して然らば、彼は本能寺の變後、常に秀吉の側近にありて其の寵を得た長谷川宗仁法眼に相違なかる可く、既に秀吉の第一回の呂宋島遣使以來、常に秀吉の許に侍して獻作する所あり、兩原田の如きも寧ろ彼の頤使に依つて行動した樣であり、秀吉の呂宋島征伐計畫も、彼と秀吉との合作と見るべきものの樣である。

兎に角、一方に呂宋島招諭の折衝進行中、愈々秀吉の名に於いて、斯くの如く、豫ての計畫に基き、文祿癸巳二年十一月初五日、即ち西暦一五九三年十二月二十七日附高山國の來貢を促す威嚇の書翰が認められたのである。然るに當時マニラより答使として秀吉の下に派遣されてゐた伴天連ペドロ・バプチスタ（Pedro Baptista）は、翌一五九四年一月七日京都からフイリツピン諸島總督ゴメス・ペレス・ダスマリーニヤス（Gomes Peres Dasmarinas）に書信を送つて、彼の日本渡航後に於ける使命の經過を詳報し、且つ

> マニラの事件を擔任してゐるフングエン（Funguen）は、彼の船にてペロ・ゴンサレス（Pero Gonçalez）に小麥粉二百袋輸送して呉れないかと尋ねた。…………彼（フンゲン）は、此の國王（秀吉）に、カガヤンから餘り遠からざる臺灣島（Hermosa）の征服の許可を願つたが、親善關係上、王は之を拒絶した（註5）

と報じてゐる。若し彼の報告にして事件の眞相を漏れ傳へたものとするならば、長谷川法眼宗仁が秀吉に臺灣島の征伐を願出てゝ、却つて秀吉は、同島との親善關係を顧慮して之に許可を與へなかつたのである。此れ斯の高山國招諭の書翰の日附を去ること僅に十一日の後にして、秀吉は明かに其の武力行使を拒否してゐる。而して此の計畫も、呂宋島征伐計畫と等しく、彼宗仁の劃策に依るもの丶様であるが、更に同年二月四日附、同人が再び京都か

らフイリッピン總督に致した書信の本文並に追書の原文に當つて見るに、秀吉の第一回呂宋島遣使の件を記して、

第一の大使ガスハル原田（Gaspar Farada）はカスチリヤ語で書いた同書の他のコピイを携へた。總督閣下は、彼を出來る、必け過當に待遇し、且つ彼の使節は正當にして、彼が同地にて公言した文言も正しく、彼が國王關白（Rey Camboco）に、呂宋の人は平和な人民であると報告したものとなして、同地にて好遇され、第二の大使なる他の原田（Otro Faranda, segundo embajador）と等しく尊敬された。

總船甲必丹は總督閣下と（法眼）フングエンに書面を送つたが、我等は王の命により其の家に宿泊し、彼が專らマニラとの交渉を擔當してゐる…………

京都にて　一五九四年二月四日

〔追書〕前述の書を認めたる後、予は第二の原田が臺灣島（Hermosa）の人民と平和を結ぶため、同島に赴く大使に任ぜられたことを知つた。依つて彼は最早船を呂宋に派遣せざる可く、此の友好と平和は、國王の命に依るものである（註6）。

とある。而して書中第二の原田とあるのは、同書翰の劈頭に「第一の大使ガスパル原田」とあることに依つて、ガスパル卽ち孫七郎とは明かに區別せらるべきハウロ喜右衛門なること

は、既に村上博士も述べられたる如くなるも、博士の譯文の様には、必しも喜右衛門の出帆を傳へてゐず、單に大使任命を傳へてゐるに過ぎないが、玆に注意すべきは、秀吉が臺灣島との親善關係を結ぶ爲めに原田を遣はさんとせることで、バプチスタは此の事を書翰中に二度も繰返へし、特に「此の友好と平和は國王(秀吉)の命によるものである」と報じてゐる。此はバプチスタの前の書翰に秀吉が長谷川宗仁の願出た臺灣島征伐計畫を、同島との親善關係を考慮して、拒否したことゝ、彼の態度は終始一貫してゐると見る可きであらう。

然るに前田家に現存せる書翰の内容を檢討するに、文章に多く威嚇的字句が使用され、殊に最後に、

原田氏奉㆓使命㆒、而發㆑船、若是不㆓來朝㆒、可㆑令㆔諸將征㆓伐之㆒、生㆓長萬物㆒者日也、枯㆓渇萬物㆒者日也、思㆑之、

とあり、命に從はずんば、諸將をして征討せしむと述べた字句の如きは、全く強硬にして毫も親善の意なし。然も此の書翰の日附十一月五日、即ち陽暦十二月二十七日より後れること、僅か十一日の翌年一月七日には、前述の様に明かに征伐計畫は秀吉の拒絶する所となつてゐる。加之、使節バプチスタは、秀吉の命によつて、當面の責任者長谷川宗仁の家に宿泊せしめられてゐたから、彼が同家で耳に挾んだ此等の情報は確實なものに違ひない。

斯くして本書は、先に長谷川法眼宗仁が臺灣征伐に際し利用せんとせしか、或は威嚇の意圖の下にか、豫め認められたものが、今や秀吉の態度が一變して長谷川の計畫に反したれば、一旦原田をして之を臺灣島に傳達せしむべく認めしものを、空しく其の儘引込め、遂に實用に供すること無かりしと斷定せざるを得ぬ。此れ本文書が、前田家に現存せる所以に外ならないのである。若し夫れ本文書が、特に前田家に傳はるに至つた經路に就いては、之を傳ふるものも無い樣であるが、或は承兌等の當局者の手より他に出でたのか、或は寧ろ恐らく長谷川家に在つたものが、直接前田家に傳はつたか、一旦他に出で再轉して同家に傳はつたかに違ひない。

註1. Colin-Pastells. Tomo II p. 64.

註2. Phil. Is. Vol. IX p. 39.

註3. Colin-Pastells. Tomo II p. 64.

註4. Ibid. p. 58.

註5. Pérez. P. Lorenzo, Cartas y Relaciones del Japon. Madrid. 1916. (Archivo Ibero-Americano. Tomo XII y XVI-XVII.) pp. 37, 38.

註6. Ibid. pp. 40, 43.

六　秀吉の臺灣島遠征計畫と明朝の對策

秀吉の征明の擧が彼の國に取つて實に容易ならぬ大事件であつたことは、今更贅言を要しない所である。されば明の官憲は、あらゆる機會を利用して敵國日本の國情を詳知せんと努めて、或は日本に來往する貿易商を通じ、或は琉球を介し、或は朝鮮を經て、種々なる情報を得てゐる。例へば侯繼高の全浙兵制考附錄の近報倭警や許孚遠の敬和堂集などを播けば、當時日本に入り込んでゐた明の商人、又は從來より日本に在住せる支那人等が、何れも明の秘密探偵として、屢、我が國情を詳細に報告してゐる（註1）。

果して然らば、南支那と密接なる關係にある臺灣島遠征計畫の進捗の噂が、既に數筒月以前より平戶邊りの支那人間に漏洩してゐたとすれば、亦當然彼等の手を通じて明の官憲に報告されてゐなければなるまい。當時福建の巡撫であつた許孚遠の疏通海禁なる疏の一節を見るに、南方福建方面の海上警備のことを述べて、

邇者關白陰蓄異謀、幸有商人陳申朱均旺、在番探知預報、盛爲之防、不至失事（註2）。

といつてゐる。關白とは固より關白秀吉のことに外ならぬ。而して又海外通なる徐光啓の卓拔なる海防論海防迂說の中にも、

于是國王捷守義州、日夜告急于我、而先是海商陳申、曁許儀後、先後遺間書于我、告以秀吉謀入犯、東南稍戒嚴（註3）。

とあるが、文中東南とあるは即ち福建方面に警戒を加へたことを指すものであらう。而して許孚遠、徐光啓の文中に見ゆる陳申、朱均旺及び許儀後は、何れも密偵として當時我が國に在つた者で、彼等の報告は前述の如く近報倭警や敬和堂集(註4)、或は南紀濟の我々錄にも載せてある(註5)。殊に許儀後の如き、一時島津氏の下に留り、名護屋薩摩の間を往復して、秀吉を始め黑田等の要路の大官にも屢々會つてゐた程である(註6)。

斯くして秀吉の異謀入犯の密報に接した明の南方に於ける警戒の狀態を更に吟味するならば、漳州府志には、

澎湖遊在漳泉遠洋之外、南路所轄、環島三十有六、爲澳之近、琉球呂宋諸番東倭往來必停泊取水…………萬曆二十年(一五九二年、文祿元年)倭有侵雞籠淡水之耗、議者謂、澎湖密邇、不宜坐失、乃設官兵、先據險戍之、初創一遊四哨、冬鳥船二十隻、目兵八百有奇、後以孤島寡援增設一遊總哨(註7)。

とあり、又顧炎武の天下郡國利病書に引用する所にも、

壬辰歲(一五九二年文祿元年)倭犯朝鮮、時有侵鷄籠淡水之耗、鷄籠密邇澎湖、當事者集議、不宜棄、乃設官兵、先據險戍レ之、二十五年冬、初擬一遊一總四哨、冬鳥船二十隻、目兵八百有奇、二十六年春又慮孤島寡援、增設一遊總哨、舟師稱レ是(註8)

の記事も見え、文祿元年に秀吉の臺灣島遠征計畫進捗を漏れ聞いた朱均旺許儀後等よりの報告に基いて、明の官憲は、福建省の前進防禦陣地として最も重要なる澎湖島が、臺灣島と極めて接近せる故を以て、兵備を增して之が警戒を嚴重にしてゐる。然も其の後連年に亙つて其の兵備を增加してゐるが、更に明の黃承玄の條議海防事宜なる疏の中にも、

閩海中絕島以數十計、而澎湖最大、設防諸島以十餘計、而澎湖最險遠、其地內直漳泉、外隣東番、環山而列者三十六島、其中可容千艘、其口不得方舟、我據之可以制倭、倭據之亦得以制我、此兵法所謂必爭之地也、往年平酋作難、有謀犯雞籠淡水之耗、當事者始建議戍之、鎭以二遊列以四十艘、哨以千六百餘兵（註9）。

と記してゐるが、平酋とは、當時明人が秀吉を以て平氏の出身とせるに基くものにして、此の文に依れば、明かに臺灣島征伐の報により、明は福建の防備を固めると共に、澎湖島に戰艦兵員を配して之に備へたことが窺はれる。秀吉の臺灣島遠征の噂は、南支那の官民の間に斯くも多大なる衝動を惹き起したのである。

然も此れは、高山國來服を促す書翰が認められたよりも少くとも一年以前のことにして、全くロペス等の平戶に於ける傳聞と同性質のことが、明の官憲に諜報せられた結果に外ならない。此の如き嚴重なる澎湖島方面の警備も亦逆に秀吉等の耳に入つて來ない筈はあるま

い。而して此の事は秀吉をして、長谷川の提案に基き遠征軍を差遣したり、或は一原田に、極めて威嚇的な文字を連ねた彼の書翰を携へて、勧降の爲め同地に赴かしめる如き、强硬なる態度に出ずることを差控へしめる樣になつたのではあるまいか。而して更に明の徐學聚の初報紅毛番疏なる疏中の一節には

關白時、倭將欽門墩統舟二百、欲襲雞籠據澎湖、窺我閩粤、幸先事設防、謀遂沮（註10）

と云ふ一句がある。關白秀吉の時二百隻の戰艦を率ゐて出征せんとした倭將欽門墩とは、或は喜右衞門殿を誤訛して音譯したものではあるまいか。何れにしても、文中「先事設防、謀遂沮」とあるから、若し亦此の字句にして、當時の實情を幾分でも傳へたものとすれば、遂に遠征、招諭乃至和親使節派遣などの一切の計畫さえ一時中止されたことを示すものに違ひない。尙又此の間の事情を窺ひ得べきは、一五九七年六月二十二日（萬曆二十五年、慶長二年）に、フイリツピン諸島總督ドン・フランシスコ・テリョ・デ・グスマン（Don Francisco Tello de Guzman）が、日本人の臺灣島遠征に關する軍務會議の結果に添へて、參考のため國王に捧呈せし敎父フライ・マルチン・デ・ラ・アスンシオン（Fray Martin de la Asunción）の日本より發した書信の一節にして、

原田は既に二年前、此の島の征服を國王に請願したが、國王は朝鮮に軍兵を動してゐる爲

めに、此の事を許可しなかつた。前年失敗し大いに憤懣して、原田は今再び其の請願を蒸し返したか、之に對して、國王は既に資財を悉く費消して困窮したので、彼の望み通りには、之を速に援助することが出來ないであらう（註11）。

と報じてゐる。此の書信は日附を缺くも、恐らく一五九六年秋冬の頃認められたものなるべく、文中原田とあるは、此より先一五九四年一月臺灣島に使せんとした喜右衛門に相違なく、卽ち秀吉は、二年前に明白に其の遠征請願を差停め、引續いて此の頃彼が再度之を請願しても、朝鮮問題の爲め軍費を費ひ果して、俄かに之に同意援助與へられざる可きことが推測されてゐるから、玆に愈々支那測の記載の如く、爾來終に彼が臺灣島に向つて出發する所無かりしことは明白となつた。殊に、此の書信の認められたと覺しきは一五九六年秋冬、卽慶長元年末頃なるが、翌年正月には、秀吉は再び大兵を朝鮮に進めてゐるから、當時別に南方臺灣島に對して麾下の兵を割く程の餘裕も無かつたに相違ない。

玆に想像を逞しくすることを許されるならば、當時秀吉は北の方朝鮮に事を構へて大兵を動かし、南方遙に呂宋島に對して威嚇の使節を派遣せる際、其の中途に横たはる臺灣島に對して、假令側近の長谷川原田等の切なる請願があつたとしても、强ひて事を起して必要以上の摩擦を起して迄も、之を決行せんとする程の意圖は最初より無かつたに相違ない。或は、唯々威嚇的宣傳のみで、寧ろ彼の狙ふ所は、此れに依つて以て南方呂宋を牽制せんとするに在り、臺灣島に對しては、出來るならば寧ろ平和裏に交渉を遂げて將來南進の足場を固め、世評の如く多少なりとも强硬な態度に出でて、諸計畫を實施する程の意志は元々毛頭無かつたかも知れない。何れにしても、其の後一年にして秀吉は薨じ、引續いて原田自身も亦世を去り、彼等の臺灣政策は、其の存命中には終に實行に移される所が無かつた（註12）。

斯くて、秀吉幕下の對臺灣政策は、終に何等實現する所無き觀あるも、對岸福建方面の支那人を極度に警戒せしめ、殊に南の方イスパニャ人をして驚愕狼狽せしめて、爾後其の對抗策に奔走せしめたのは、或は秀吉一黨の豫測せざる効果を克ち得たものと言はねばならぬ。

註1　全浙兵制考。卷二、附錄　近報倭警。
敬和堂集。卷五、請計處倭酋疏、此の種の諜報としては、最も詳細なるものにして、而も他の報の如く日本の一般國情を述べるよりも、寧ろ諜者の實見に基く價値高き當時の國情報告にして、堂々四千六百字を連ね、許孚遠自らも、「無如此疏之詳確有識」と言つてゐる。
皇明經世文編。卷之三百七十六。敬和堂集。
東西洋考。卷之十一、藝文考。

註2　敬和堂集。卷五、疏通海禁疏。
皇明經世文編、卷三百七十六。

註3　同、卷之四百七十。徐文定公集。卷之四。議、海防迂說。

註4　全浙兵制考、卷二。附錄近報倭警。
敬和堂集、卷五。請計處倭酋疏。

註5　南紀濟、我々錄。卷下。壬辰事略。

註6　敬和堂集。卷五、請計處倭酋疏。

註7　沈定均、吳聯薰、漳州府志。卷二十二、兵紀一。

註8　顧炎武、天下郡國利病書。第十六册、福建、備錄、澎湖游兵、兵防考。

註9　皇明經世文編、卷四百五十五、黃中丞奏疏。疏、條議海防事宜。

註01　同、卷四百八。徐中丞奏疏。疏、初報紅毛番疏。

註11　Colin, Francisco, Labor Evangélica de los Obreros de la Compañia de Jesus en las Islas Filipinas. Nueva Edicion por el P. Pablo Pastells. Barcelona. 1904. Tomo II. p. 98.

註12　Morga, Dr. Antonio de., Sucesos de la Islas Filipinas. Nueva Edicion por W. E. Retana. Madrid 1910. pp. 62-63.

七　秀吉の臺灣島遠征計畫とフイリッピン政廳の對策

飜つてフイリッピン側に於いては、此の際日本人の臺灣島占領を豫想することに依つて、軈ては同島に近接せるフイリッピン群島への侵寇の可能性を倍加するものと考へざるを得ないであらう。既に支那人ロペスの答申に依つて、早くも秀吉幕下の臺灣島遠征計畫の進行を知つて、イスパニヤ當局者は愕然としたが、前述の樣に、其の後一時にフワン・パプチスタヤデ・ラ・アスンシオン等の否定的な報告があつたに係らず、日本に於いて依然として臺灣島征服計畫進捗の噂かありしものか、一五九七年一月二十八日（慶長元年十二月）處刑の爲め長崎に護送される途中より、再び當のデ・ラ・アッセンシオンが、マニラの副總督アントニオ・モルガ（Antonio Morga）に送つた書信中に、

> 此の國王（秀吉）はサン・フエリペ（San Felipe）より沒收せし貨物に依つて慾望は一層旺盛となつた。噂によれば、彼は來年はルソンに赴く可く、本年は朝鮮との事件に多忙にして、企てない由である。此の目的を達成する爲めに彼は琉球列島及び臺灣島（Hermosa）の占領を計畫し、同島を經て軍隊をカガヤン（Cagayan）に送り、更にマニラに殺到する由である（註1）。

と報じ、秀吉の琉球臺灣島占領を警告してゐるが、次いで彼は翌二月一日處刑の直前にも、此のことを繰返へし、殊に朝鮮との講和成立して、一層其の可能性切迫せしことを報じ（註2）、其の後も此の種の情報が相次いでマニラに到達し、殊に秀吉の呂宋島遠征計畫進捗して、此れに關連し臺灣島占領の必要性更に倍加して、既に其の實行に着手したとの噂さえ傳はり、呂宋當局をして一層驚倒せしめた。即ちモルガは、

日本人原田喜右衞門（Farada Quiemon）はマニラを攻撃せんと欲し、其の後援者長谷川なる寵臣も當市を占領する機會を失せんことを大閤（Taico）に願出るのを忘れなかつた。……マニラに日々來着する牒報に依れば、日本に於いて艦隊が艤裝され、原田が其の總指揮官になつた由である。………且つ又大閤は、支那の近海に在り、極めて呂宋島に接近して、日本への途中に横たはれる（兵站基地となる一大島）臺灣島（Isla Hermosa）を占領して、彼の艦隊の中間寄港地として以てマニラ攻撃に便せんと計畫してゐる由である（註3）

と記してゐる。前節に述べた樣に、當時日本に於いては未だ斯かる計畫進捗せざるにも係らず、日本よりの誇張された情報に怯え、さらでだに神經過敏に陥れる呂宋當局をして一層驚愕せしめた樣である。

フィリッピン當局としては、斯樣に日本側に於ける臺灣島遠征計畫の進捗に關する再三の報告に接しては、最早之を等閑に附し得べき筈もなく、總督テリョ・デグスマンは、先づ同年五月十四日一書を國王フェリペ二世に捧呈して、日本軍の臺灣島侵略の企圖を報告し（註4）、次いで六月十九日にも更に一書を捧呈して、之が對策を上申してゐる。卽ち

日々起れる事件は、臣之を陛下に上申せり。サン・フェリペ（San Felipe）に便乘せし謹

嚴なるドミニコ僧フライ●マルチン●デ●レオン（Fray Martin de Leon）最近日本より當地に歸着せり。因に同船は日本にて失ひたるが、彼は其の國の國情を臣に報告し、本書に添へて彼の備忘錄を臣に提出したり。臣は彼が其れに署名せんことを求めて、今之を陛下に捧呈するを以て、陛下の御用に最も適當と思召す事に就き勅諚を下し給へ。

最近日本より來れる報道に依れば、日本人は臺灣島を占領せんと意圖せる由なるが、同島は本群島に近く横はり、臣が此の際採る可き最良の手段は、日本人に先んじて之を占領すべしと云ふ事なれども、軍務委員會は、目下斯かる企圖を爲すには、兵員過少なる旨を述べて、臣に反對せり。予は誠實にして有能なる司令官ドン●フワン●サムディオ（Don Juan Çamudio）を沿岸司令官に任命せり。且つ必要に應じて此等の諸島に發航し得べき艦船の準備をなせり。

臣は、軍資と軍兵とをカガヤンに送りて、同地に在る陛下の城塞を固めたり。臣がヌエバ●エスパニヤ（Nueva España）•に求援せし軍兵と援助來らば、臣は、日本の全勢力をも恐れざる可し（註5）。

とあり、總督テリヨは、日本人臺灣島占領計畫の報に接し、事の重大なるを認めて、寧ろ此の際積極的な對策を採り、進んで日本人に先んじて同島の占領を企圖とすると同時に、臺灣島とは僅にバシイ海峽を隔てゝ近接せるルソン島の北端カガヤン地方の防備を强化してゐるが、臺灣島遠征軍派遣の件は、未だ軍務委員會の同意を得るに到らなかつた。

依つて彼は、同月二十二日更に委員會を續開して、此れが對策を協議した。總督テリョ、副總督アントニオ・モルガ、前總督代理ドン・ルイス・ペレス・ダスマリイニャス（Don Luis Pérez Dasmarinas）野戰隊長ペドロ・デ・チャベス（Pedro de Chaves）司令官ドン・フワン・サムデイオ等十數人の高官會合して、臺灣島遠征軍派遣の得失に就き、甲論乙駁せしが、就中ダスマリイニャスは、臺灣島遠征軍派遣の一日も忽にすべからざる事を極力主張し、若し同島にして日本人の手に渡らば多大なる不利惹起すべき旨を九箇條に亙つて力說せるは、逆に同島の重要性をあらゆる角度より考察表明せるものにして、特に注意すべき文言であらねばならぬ。即ち

一、支那とマニラとの通商關係は杜絶すべし。臺灣島は同國に極めて接近せる故に、支那よりマニラに赴く船は、餘儀なく同島に入港することもある可く、且つ又日本人が若し其處に港を占據せば、その航路を妨害す可し。

二、支那船支障なくマニラに到着し得る場合にても之を爲さざる可し。蓋し支那人は天性怯懦にして日本人を怖れ敢て通航せざる可し。

三、日本人臺灣島に在らば、同地はカガヤンより僅に五十レグワに過ぎざれば、マニラに赴く支那船を待伏せ歸路を擁して掠奪すべし。

四、日本は既に協定せる平和を破りたれば、若し上記の港を占據せしめし曉には、本國より戰を遂行し得べく、フイリッピン諸島に對し、就中カガヤンとイロコス（Ilocos）に對し多大なる損害を加へ得べし。

五、イスパニヤ人臺灣島に於いて前記の港を占有せば、支那との通商増大し得ると同時に、同國に於ける神の奉仕の努力も亦増大すべく、遂には又日本に於いても實現するに至る可し。

六、若し人あり、上記の港占有の計畫に對し、人員を同地方に差向けなばマニラに不足を招く可く、又同時に無防備となる可しとの二點を理由として反對することあらば、その人に對しては、現に怖るゝに足る可き敵は唯々日本一國のみと思考せらる可き旨を答ふ可し。而してイスパニヤ人臺灣にあらば、防備に滯留するに從ひ定住するに至る可きを以て、マニラの道を防ぎ得べし。然も如何なる突發事件惹起するとも、一島より他島へは五十レグワ以上距たらざるを以て直ちに救ひ得べし。こは來る四月新に救援の人員を乘せたメキシコの船を期待することを別としても。

七、今年は何等遠征なき爲め、人々は焦慮し、衰微し身の破滅の危險を感じつゝあり。これは日々經驗の示す所なり。

八、日本より大なる侮辱を蒙りたる際、「イスパニャの意氣」とも言ふべきものを知らしめ、同國に進攻しつゝあることを見せしむる事は、イスパニャの名聲に對しても甚だ好都合なることなり。

九、臺灣島を經由する航路は甚だ危險なり。何となれば、船が餘儀なき事情、又は暴風逆風にて、同地引寄せられる時には、同地の土民は船客を殺し掠奪す。例へば曾て同地に到着せし多くの人々、就中ドミニコ派の敎父フワン・コボ（Juan Cobo）又は船長ローペ・デ・リャーノ（Lope de Llano）の如し（註6）。

と陳述してゐる。茲に彼が臺灣島の重要點とする論據を要約すれば、

一、支那船のマニラ貿易路を援護出來ること。

二、日本の南方侵略に對する前進防禦基地たること。

三、近海航路の安全確保に必要なること。

四、布敎圈擴大の足場となすこと。

の四點であつたが、彼は進んで此の九箇條の論點を種々敷衍し、イスパニャ人が至急同島占

領の必要ある所以、竝に採る可き對策をも具體的に縷々陳述し（註7）、更に同月二十七日附へルナンド・デ・ロス・リオス大佐（Hernand de los Rios）も軍事意見書を添へて皇帝に上申したが、彼の意見書の一節にも、

目下最も適宜且つ必要にして、緊急考慮すべきことは（カガヤン地方と云ふ）本群島の先端より北西三十六リーグ隔てたるヘルモサ島（Hermosa）に一港を占領することなり。同島の周圍は約二百リーグにして、同方面二十二度より二十五度に亙れり、同地より支那大陸迄二十リーグに過ぎず〔……〕同地に到りし者の報告によれば、同島は肥沃にして、支那と當市、日本と當地竝に其の他の地方間交通の要衝に位すれども、住民は本群島の土人と等しく、同島に船にて着く者を强奪殺害す。同島は亦食糧豐富なり。又同島には港灣乏しけれども、唯日本に面せる方角に當り島の突端に位せる一港あり、港形良好にして堅固なり。之を雞籠（Keilang）と稱すれども防備なし。若し同地に兵員三百名を派して一城塞を守備すれば、近隣の全勢力を擧つてするとも、之を擊攘するに十分ならず、蓋し港口狹隘にして、砲兵隊之を擁すれば、如何に之を攻擊するとも防禦し得べし。港內廣濶にして水深く、港口は最北端に在りて土民約三百名在住せる一島に依りて閉鎖されたり。臣は本書に添へて同島を入念に實測せし見取圖を陛下に捧呈す。

同港占領の緊要なる理由は、本群島の安全確保の爲めなり。而して明白なるは〔………〕若し同地に城塞建設されなば〔………〕左まで困難なくして之を同地より派遣し得べく、而して之を同地に配備せば、我等は絶えず不安に戰き、國土に侵入されるとも防ぐに由なからん。蓋し（日本人）彼等は好戰的にして、其の數夥し。

他の理由は、支那より當市に航する商船は何れも同地を望みて終に本國より敢えて出帆せざる可し。彼等は極度に此等の（日本人）人民を恐怖して、終には、去る九六年同國に到着せしサン●フェリペ號の積載貨物に遙か勝れる富を失ふに到らん。彼等は其の富を貪取りたるが、恐らく彼等の切望する所は、當地に來りて、本群島を攻略することならん。或る災害に我が實力を試みることもなく、唯々此の野蠻人をして我等に對して斯樣なる措置に出でしむるは、イスパニャ人の名聲に相應はしからぬことなり。彼より此の通路を奪取することは、彼に取りては多大なる打擊なる可く、且つ陛下の望み給ふ如何なる目的に對しても、同地は特に重要なる足場たるべし。殊に、陛下がヌエバ●エスパニャ又は印度を經て大軍を派遣し給ふとすれば、そは非常に困難なる事業にして、失費多く、人員損失多大なるべきを以てなり（註8）。

と記して、彼も亦支那船のマニラ通商路擁護と、日本軍の南侵に對する前進防禦基地獲得の必要上、臺灣島、特に基隆港占據の緊急なることを力說してゐる。此の時彼の添附捧呈せし地圖は、從來ポルトガル系の諸圖か、臺灣島を、數島か、少くとも南北二島に分ちて、其の位置も稍々明確を缺くに比し、本島を一島とし、其の位置も正確にして、島の北部には基隆淡水二港を記入し、此の種の實測に基く臺灣島圖の嚆矢とすべきものゝ様である（註9）

併し、斯様に總督以下の切なる希望にも係らず、結局フイリッピン當局は、一應前記のフワン●サムデイオをして同島の實情を視察せしめ、且つ此の際對支關係を有利に導く爲め、支那に赴き、廣東の官憲に、豫て彼等と敵對關係にある日本人の臺灣島占領計畫を內報す可く、船隻二艘兵員二百餘名を率ゐて發航せしめたが、幾許もなく日本側に於いて、當面の責任者秀吉原田相次いで世を去り、ルソン政廳は一先づ此の大脅威から解放された（註10）。

註1 Perez, Cartas y Relaciones. Tomo III p. 202.

註2 Ibid. p. 204.

註3 Retana-Morga. pp. 62-63.

註4 Torres y Lanzas. Catalogo. op.cit. Tomo IV. p. 73. nº 5 100.

註5 Phil. Ils. Vol. X pp. 46-47.
Pastells. Historia General. Tomo IV. pp. 77-78.

註6 Ibid. pp 79 80.

註7 Ibid. pp. 80-82.

註8 Phil. Ils. Vol. IX. pp. 304-307, 310.

註9 Colin-Pastells. Tomo.I Mapa en colores de las Islas Hermosa y de Luzón y Costa de la China. Manila, 27 de Junio de 1597.

註10 Retana-Morga. op. cit. pp. 62-63.

Concepcion, Juan de la: Historia General de Philipinas. Tomo III. Manila. 1788. pp 320-321, 337-339.

Pastells. Historia General. op. cit. Tomo IV. pp. 155-157.

八　臺灣島を中心とする列國の葛藤

秀吉の死は彼の總ての事業を一時中絶せしむるの已むなきに至つた。臺灣島經略の計畫も、亦一時立ち消えとなつた樣である。併し江戸時代に入ると、日本と臺灣島との經濟關係は愈々密接となつた。殊に嚴重なる明の海禁を避け臺灣島に於いて密行した日支貿易は、當時未だ一蠻島に過ぎなかつた臺灣島の重要性を一層增加した傾がある。既に內田銀藏博士も斯かる經濟的地位を說がれたが（註1）、今こゝに明の黄承玄の題琉球咨報倭情なる疏を引用すれば、

夫倭豈眞利于鷄籠哉、其他荒落、其人鹿豕、夫寧有子女玉帛可中倭之欲也者、而顧耽々何、之也、蓋往者倭雖深入、然主客勞逸勢、與我不敵也、今鷄籠實逼我東鄙、距迅地僅數更水程、倭若得此而益旁收東番諸山、以固其巢穴、然後蹈瑕伺間、惟所欲爲、指臺礵以犯福寧、閩之上遊危、…………彼且挾互市以要我、或介吾瀕海奸民、以耳目我（註2）

とあり、臺灣島それ自ら經濟的價値僅少なるに係らず、日本人が此れに據らんと欲する所以は、一には軍事的に同地を根據として對岸福建各地を襲ひ得べく、一には經濟的に近海の奸民を利用して交易せんがためであると論じてゐる。長崎の末次平藏（註3）、中村四郎兵衛（註4）、京都の平野藤次郎（註5）、津田紹意や（註6）、或は平戸在留支那人甲必丹李旦など何れも同地方に商船を派して支那の密商と交易した（註7）。

對外的に比較的消極的であつた江戸幕府も、此の貿易場掩護の必要を痛感して、終に秀吉の遺策を襲ひ、先には慶長十四年に有馬晴信をして（註8）、元和二年には長崎代官村山等安をして臺灣島に兵船を派遣せしめてゐる（註9）。兩度共に我が兵船は同島に到着したが、土人朦昧にして招撫するに由なく、何れも失敗に終つて仕舞つた。明に於いても明の官民脅威の種となつて居るが、徐光啓の如きは、我が對朝鮮策を以て南方對臺灣政策に對する牽制運動なりとさえ極論してゐる（註10）。

此の頃に及び極東の天地はに、從來のポルトガル人イスハニャ人の外に、更にオランダ人イギリス人も活躍するやうになり、彼等は何れも臺灣島の對支貿易上重要なる地位を見逃さなかつた。既に平戸オランダ商館長ヘンドリック・ブルウエル（Hendrick Brouwer）が、一六一三年一月二十九日附東印度總督ピーテル・ボート（Pieter Both）に送つた書信中には、最も剴切な文字を以て、

臺灣島に城を設けなば、支那貿易によりて利益を收めんこと、イスパニャ人がマニラに於ける如くなるべし。………臺灣は支那を去ること二十五浬に過ぎず。支那人を臺灣に招かんには多くの金錢を準備するのみにて可なるべし。然らば、支那人は其の他の商品を携へて蟻集して此の金を持ち去らんとつとむるならん。これ日本に於いて年々起るところの現象によりて推考するに少しも疑なきところなり（註11）。

とて臺灣島占領により其の經濟的地位倍加すべきことを力說してゐる。又平戸のイギリス商館リチャード・コックス（Richard Cocks）も一六一九年二月十五日附書翰にて、臺灣島が對支貿易上或は日支貿易の中間市場として價値あることを記して東印度會社に報告してゐる（註12）。斯の慶長十四年及び元和二年の兩度に亙る臺灣島派兵も、我が國在留のポルトガル人やイギリス人等によつて、各々其の本據地に報告されて、彼等諸國人の臺灣島に對する注意

を喚起し、曾てポルトガル王フイリップ三世の如き、有馬の派船の報に接して、勅書をゴアの大守に下して、之を未然に阻止すべきことを命じた程であつた（註13）。

終に一六二四年には、支那沿岸と澎湖島に於いて拒まれたオランダ人は、臺灣島に占據し對支貿易上の根據を此の地に据えた。當時東洋に於いて凡ての方面に立後れの氣味があつたイギリス人も、其の占領を計畫してゐる。一六三一年東印度會社參事會々議に於いて、支那貿易のためには、オランダ人イスパニヤ人の如く其の足場として臺灣島中適當なる處を求めて築城する必要あることが提議せられたが、會議は決局費用の缺乏と、既にオランダ人が經營せる故を以て、其の提議を實行に移すに至らなかつた（註14）。

ルソン島に據るイスパニヤ人も、其の日本貿易擁護のため、一六二一年頃より愈々臺灣島占領の必要を痛感するに至つた（註15）。一六二六年遂に兵を出して同島の北部鷄籠を占領したか、一六二九年一月十四日マニラに於いて開催された防禦會議の決議錄によると、

我か船舶が日本に通ひ始めて以來、日本人は當群島の豐饒なるを耳にして、常に之を占領せんと企てた。而して彼等はルソン島占領の中間足場とする爲めに、臺灣島に於いて一根據地を得んと努めた。此れフイリッピン總督が過去永年多大なる經費を投じて防備をなした原因である（註16）

と記され、日本人の臺灣島占領が、軈て一衣帶水の呂宋島に對する大なる脅威であることを漏らしたもので、フイリッピン當局が、最早消極的に呂宋の守を固くせんより、積極的に臺灣島占領の特策なることを悟つた結果に他ならない。

斯くて臺灣島を中心として、當時東亞海上に活躍してゐた列國の間に激しき葛藤が演ぜられた。然も此の激しき爭の渦を卷き起す最初の第一石を投じたものは、實に秀吉の臺灣島招諭の計畫に他ならなかつたのである。

註1　内田銀藏博士、三百年前日本と臺灣との經濟關係に就きて（國史總論、四一五頁以下）

註2　皇明經世文編。卷四百五十五、黄中丞奏疏。

註3　Nachod, Die Beziehungen der Niederländischen Ostindischen Kompagnie zu Japan. Leipzig 1897. Beilage. p. 110

註4　Copie van Resolutie bijn Martinus Sonck ende De Witts, van dato 4 Aug 1624 tot 18 Nov 1629 〔Kol Arch. 1005.〕

Copie Attestatie van Seroben, Capiteijn van de Japanse Joncken present in Tayouan in faveur der Nederlanders 〔K ol. Arch. 1004〕

註5　拙稿、海外貿易家平野藤次郎（歷史地理四八ノ四）

註6　譜牒餘錄、卅六。

川島元次郎氏、朱印船貿易史。一二八頁。

註7 拙稿、明末日本僑寓支那人甲必丹李丹考（東洋學報、二三ノ三）

註8 增訂海外交通史話。江戸時代に於ける臺灣及び非律賓遠征の企圖。

拙稿、有馬晴信の臺灣島視察船派遣（臺灣總督府博物館創立三十年記念論文集）。

註9 拙稿、長崎代官村山等安の臺灣島遠征と遣明使（臺北帝國大學文政學部史學科研究年報、第一輯）。

註10 皇明經世文編、卷四百七十。徐文定公集、卷四、海防迂說。

註11 大日本史料、十二ノ十。二一〇—二一一頁。

註12 Diary of Richard Cocks. Tokyo. 1899. Vol. II Appendix. p. 298.

註13 Bulhao, Pato, Raymundo Antonio. Documentos Remèttidos do India ou Livros das Moncoes. Lisboa. 1880-1893. Tomo I p. 335

註14 Campbell, Wm; Formosa under the Dutch. descrived from contemporary Records London. 1903. p. 499.

註15 Phil. Isls. Vol. XX p. 127.

Paske-Smith. The Japanese trade and residence in the Philippines. p. 704. (Tra. Asia. Soc. Jap. Vol. XLII-Part. II.)

註16 Phil Ils. Vol. XXIII. pp. 62-65.

Paske-Smith. op. cit. p. 706.

附記 此の種の問題に興味を有する方にして、拙稿、有馬晴信の臺灣島視察船派遣（臺灣總督府博物館）創立三十年記念論文集）竝に長崎代官村山等安の臺灣島遠征と遣明使（臺北帝國大學文政學部史學科研究年報第一輯）を併讀して戴ければ幸甚である。

尙本稿起草に當り、本學助教授箭內健次氏に示教を受けしことを記して、深謝の謝意を表す。

（昭和十七年一月十五日稿了）

英吉利に於ける猶太人の追放と再入國

菅原　憲

英吉利に於ける猶太人の追放と再入國

菅原　憲

はしがき

英吉利人は他國人以上バイブルに親みバイブルを諳んじ、私的生活にも公的生活にも其の感化を受けてゐることは甚大と云はねばならぬ。同時に舊約の思想卽ち希伯來人の思想の影響も知らず〳〵の裡に及んでゐることは否定しがたい。ゴルドンがハルツームでバイブルを手にしながら命令を出したこと、リヴイングストンが探險途上幾囘もバイブルを通讀して勇を鼓し困苦に打克つたことは餘りにも有名である。十七世紀の頃「イスラエル」と云ふ言葉は種々の意味に解せられ、或は「イスラエル人の宗教」或は唯單に「教會」の意味にも用ゐたやうである。ポール・ネル（一六一五年―一六六四年）は之を「イスラエル國に於けるイスラエル人」と解したがそれは「英吉利に於ける英吉利人」と極めて類似したもの(1)謂はゞ孰れも神の選民であつた。

クロムウエルは演説にも書簡にも頻りにバイブルの辭句を引用した。之が爲に僞善者といふ非難を受けたのであるが、後述する如くバイブル尊重、選民熱愛は清教徒間で高潮に達した。そして英吉利人は清教主義を誇りとする、だから此の思想傾向は啓蒙時代を經過した十九世紀にも續く。例へばマシュー・アーノールド（一八二二年―一八八八年）の如き「正義觀は舊約の敎の基調であり、此の觀念が英吉利人の品性陶冶に永續的影響を與へる」(2)といひ、ラスキン（一八一九年―一九〇〇年）も「予の全生活を占める宗敎には猶太人の理想が深く浸込んでゐる、善き計畫、正しき意圖はすべて神慮と神助とによるといふ猶太人の古き信念を予は完全に味解し得るのである」(3)と云うてゐる。

曾ては全部の猶太人を追放した英吉利が後には彼等の再移住を默認し、そして十九世紀以後は兎も角猶太人を庇護し、更に又猶太人の故國復興運動に少からざる援助を與へた英吉利には政治的經濟的政策が伴ふとは云ふもの丶斯うした思想的基流の潛むことを看過してはならない。バルフォア宣言（一九一七年）は如何なる理由により發表されたか、色々考察を加へられるのであるけれども、バルフォアの姪ブランシュは曰く「バルフォアは生涯猶太人及び其の歷史に興味を持つた。それは母の感化で舊約全書を耽讀した結果である。彼は成長するに從ひ猶太の哲學及び其の文化に對し同情と驚嘆が加はつた。そして近世に於ける猶太人の問題は彼に取つて甚重大なものとなつたのである。私は子供の頃『基督敎竝に其の文化は猶太人に負ふ所極めて多い、之は必ず報いらるべきである』と伯父からよく言ひ聽かされたことを想ひ起す云々」(4)と述べてゐる。

バルフォア宣言は當時の英吉利の政治外交經濟政策上種々の要因に基くものと思はれるが十七世紀以來の英吉利人の傳統的思想も其の一因に數へてよからう。恐らく茲に重點を置けば英吉利人はよりよく首肯するものであらう。然らば何故に英吉利は猶太人を放逐し、そしてまた再入國を默過したか、其の事情を次に論究しようといふのである。

(一)

英吉利(England)に猶太人の入り込んだのは可なり古いものと思はれる。コーンウォール地方にはシーザー時代以前既に見えてゐたといふ。多くは北方佛蘭西又はライン沿岸から渡つたものであらう。しかし永續的定住は十一世紀以後からか。ウイリアム征服王の時にはルアンの猶太人移住し爾來彼等は中流商人階級をなし、ヘンリ一世、二世の頃猶太人は先づ以て順境にあつたらしい。十二世紀の中葉富裕の猶太人少くなく、殊にアーロン●オブ●リンカーンの如きは金融業を營み其の關係範圍九州に及び王侯の生活を送り「アーロンの富」の稱がある(5)。此の頃倫敦、オックスフォード●ヨーク、ケンブリッジ、カンタベリなどには猶太人の組合が出來てゐた。

征服王は猶太人に色々の特權を與へたとある。それはノルマン、プランタジネット歷代の君主に承認され、或は更に擴大されたものらしい。之等の特權は如何なるものであつたか詳細に知ることは出來ない。猶太人は云ふまでもなく通商貿易を營んだといふが要するに金貸業が多かつたに相違ない。そして後者の場合可なり高率の利子を公許されてゐたといふ。卽ち一ポンドに對し一週二ペンス、年利四割乃至五割に當り之が普通であつて、五割までは公然許可され抵當として土地を取ること、敎會の財產を除いて動產を買取ること、地方の貴族に對し裁判を仰ぐことなども認められてゐた[6]。斯うした特權に對し國王が猶太人に過大の徵稅を行ひ或は種々の名目で献金を迫つたことも容易に想像される。だから國庫の收入中十二世紀の後半では十二分の一、十三世紀の前半では十三分の一が猶太人からの入金だつたといふ[7]。一一八七年ヘンリ二世は全國民に献金を命じた。此の時猶太人には六萬ポンド非猶太人には七萬ポンドを割當てた、猶太人にあつては財產の二五パーセント、非猶太人にあつては一〇パーセントと見積つたとある[8]。つまり猶太人の人口は判明しないが全國民献金の約半額を負擔したことになり、如何に猶太人が富裕であつたかを說明するものであらう。當時の六萬磅は現今の二百四十萬磅に當る。

しかし猶太人の富裕なることと國王の特權を享有することなどが風俗習慣信仰の異なる以上に一般民間の反感をそゝるものがあり、殊に其の反目を促進さしたのは教會であつた。教會所屬の國體中猶太人に債務を負はぬものは無かつたと云ふからそれがまたやがて憎惡にもなり敵意にもなつたものであらう。同樣のことは下級貴族や市民にも見られたに違ない。そして基督の弑虐者たる猶太人の憎むべきものなるを說明し理由づけたのが教會であつた。だから猶太人迫害の氣運は十字軍の初期から既に見えてるが遂に一一四六年所謂「儀式殺人」問題となつて現はれた。卽ちノーウイッチで十二歲の男兒が儀式殺人の犧牲に供せられたといふが原因となり多數の猶太人は殺傷された。此の巷說を流布したのは實はセオボールドと云ふケンブリッヂの受洗猶太人であつたと傳へられる。同樣の慘事は更にグロスター（一一六八年）ベリ・セント・エドモンド（一一八〇年）ウインチエスター（一一九二年及び一二三二年）倫敦（一二四四年）リンカーン（一二五五年）でも繰返された。

一一八九年リチャード一世の戴冠式に當り大規模の慘劇を演じた。此の時英吉利各地の猶太人組合の代表者參列し献納物を奉呈したのであるがカンタベリの大監督ボールドウインは其の献納物を拒絕し且猶太人を退場せしめるやう新王に耳語した。新王は其の結果如何なる事態を生ずるかを豫想せずして之に同意したが宮內官は此の退場命令を抑壓命令と誤解し暴力を用ゐて彼等を退場さした。それが更にウエストミンスターアベイの周圍に集まつてゐた民衆に國王は猶太人殺戮を望むと云ふ間違つた暗示を與へたから彼等は一齊に起つて猶太人に襲ひかゝり多數の猶太人を殺傷したのみならず其の住宅をも侵掠した。此の暴行は一晝夜に及んだ。新王も事の意外に驚き鎮壓せしめたが時既に遲く、國中到る所で猶太人は迫害に苦んだ。翌年になるとヨークに最悲慘な虐殺が行はれた。此處では多數の猶太人先づ城砦に逃げ込んだけれども防衞の策盡きた後彼等は城砦を燒き妻子諸共死を選んだものが少くなかつたのである。之等の犧牲者中には倫敦のラビとして有名なジャコブ●オブ●オルレアンや、ヨークの富豪ベネヂクトなども數へられる。前者は受洗を强要されたが肯んぜずして自刄し、後者は受洗して一時危難を免れたけれども負傷が原因で斃れ、次いで妻子も殺され住宅も燒棄された。[9]

此の頃から英吉利の猶太人は逐年逆境に向ふ。殊にヘンリ三世時代を通して彼等は掠奪殺戮の災厄に絶えず戰のいてゐた。一二一八年には徽章を附けることを强要された、理由は猶太人と知らずして危害を加へることのないやうに猶太人を保護するといふのであるが其の眞意は特に説明を要しない。尤當時外見だけでは猶太人たることを識別し難いものもあつたといふ。[10] 十三世紀の後半エドワード一世の時代には迫害ます〳〵加はつた。此の頃になると基督教徒たるロンバード人（伊太利人）やカオール人（南方佛蘭西人）が猶太人に代つて金貸業に從ひ、ウエールス戰爭の費用を調達したのも彼等であつた。だから猶太人は國王に取つて缺くべからざるものではなくなつた譯である。そして當時特に猶太人を憎ましめたのは彼等が土地を所有することだつたらしい。猶太人は如何にして土地を手に入れたか、買ひ取つたか抵當流れか判明しないけれでも中には廣大な土地を所有し莊園の領主としてのあらゆる權利を享有したものもあつたと云ふ[11]。異邦人にして異教徒たる猶太人の土地所有は上下を擧げて憤懣に堪へぬところだつたと見え、ヘンリ三世の晩年には猶太人の土地所有を嚴禁してゐる。エドワード一世は治世の初期に猶太人の金貸業をやめて普通の職業卽ち商業手工業農業等に從事すべきを命令した。同樣の命令は佛蘭西でもルイ九世の時旣に出してゐる。が兩者共にそれはうまく行かなかつた。[12]

國王の命令は「轉業すべし、從事するを得」であるけれども其の機會も保護も與へられなかつた。例へば商業を營むにしても手工業を習得するにしてもギルドは鐵扉を堅く鎖して受け付けない、農業は卽時從業するわけには行かぬ。だから猶太人は相變らず「正當なる商業」の假面の下に實は金貸類似の職業を續けてゐた。加之更に彼等は貨幣贋造の罪をも犯した。此の世紀の初年或る猶太人の組合が貨幣贋造に關係ある猶太人を全部外國に放逐されたしと國王に請願してるから[13] 此の犯行は否定し難いのであつてハラムも其の贋造は貨幣を半分以下の價値のものに改鑄しその結果物價を昂騰せしめ外國貿易を不振ならしめたと述べてゐる[14]。 要するに之が猶太人に對する惡評を倍加し遂には放逐されるに到つた主因であらうと思はれる。

一二九〇年七月十八日猶太人の追放令公布され同年の「全聖徒祭」を限りとし全部の猶太人は英吉利から退去するやう命令された。國王エドワード一世は此の追放令に不本意ながら署名したといふ。[15] 恐らく之が爲に國庫の收入減を豫想したのであらう。しかし一般民衆の猶太人に對する憎惡敵意は國王と雖ども如何ともし難いものがあつたに相違ない。斯くて一萬六千の猶太人は英吉利を退散したが多數のものは佛蘭西に、一部のものはフランドルに逃れた。但し途上彼等を送致すべき船長は彼等の携帶品を掠奪し又は彼等を海中に投入したものもあると傳はる。

(二)

爾來三百五十年英吉利には猶太人が見られぬことになつた譯だが果して全部の猶太人が英吉利を退去したか。茲で考へられるのは改宗と雜婚の問題でなければならぬ。

教會は猶太人の基督教に改宗することを存りに勸說したが同時に基督教に改宗した猶太人の猶太教に復歸することをは極力防止した。しかし中世に於ては宗教問題を重視したに拘はらず血統問題をば寧ろ忽諸に附したと見てい丶。之等のことに關しては教會から屢々法令を出してゐる。例へば十二世紀の初葉猶太人は基督教徒たる奴隷を所有するを得ず、奴隷にして基督教を奉ずるに到れば即時解放さるなどの規定がある。[16] 基督教徒となつた猶太人が猶太教に復歸する疑ある場合には子弟は隔離され、婢僕は解傭される、何故なら子弟婢僕も共の例に倣ふ虞があるからであらう。[17] 一二二二年カンタベリの大監督は猶太教徒と基督教徒との交遊を禁止した。即ち基督教徒は猶太教徒と食卓を共にすること、又猶太教徒たる醫師の診療を受けることなども許されぬ譯である。更にヘンリ三世の法令には猶太教徒と基督教徒との一切の性的交渉を嚴禁してゐるといふ[18]

洗禮をうけて基督教に改宗したものは最早猶太人として取扱はれないのが通則である。從つて受洗猶太人は無論驅逐されずにすんだのであつた。しかし啓蒙時代以後と異なり當時の猶太人にとつて改宗は甚苦悶に値するものだつたに相違ない。但し此の頃の英吉利の猶太人は即ち西班牙系の猶太人に屬し多年基督教世界に親み、同化に傾いてゐたから同時代の獨逸の猶太人程には改宗を苦痛とも屈辱とも感しなかつたやうである。殊に迫害虐殺の絶えぬ時代では唯一無二の保身策として改宗を選んだものも決して少數ではなく、リチャード一世の戴冠式直後ダンステーブルの猶太人の如き全組合員擧つて洗禮を受け、倫敦事件の再演を防止したが、次いで若干都市も其の例に傚つたといふ。[19] しかし猶太人の改宗に關する記錄は猶太人側にも基督敎徒側にも極めて少いのである、前者は猶太人の宗敎的良心を疑はれたくないからであり、後者は英吉利人に及ぼすべき猶太要素を過少に見ようとする結果であらう。

雜婚の問題は更に複雜である。敎會側では民族的血統的關係を輕視し、宗敎的傳統的關係に重點を置くからひたすら猶太敎徒の增加せざらむことにのみ腐心した。從つて雜婚により生れた子女に就てもそれが基督敎を信奉するならば全然不問に附する。しかし合法的又は非合法的性行爲により猶太人の血統が英吉利の社會に浸透したことは容易に想察されるのであつて殊に下層階級に於ては一層甚しきものがあつたらうと思はれる。ヒアムソンの記すところによると追放令發布以前の英吉利に於て大抵の都市に猶太人は見られ、ニューボローやボーマリス(兩者共にアングレシ州)のやうな僻地の小都市でさへ猶太人は居住したといふ。[20] 從つて其の影響は思半に過ぎるものがあらう。

受洗改宗した猶太人はどうなるか、勿論猶太人としての特殊重稅は免除される。しかし新に基督敎徒として職業に就くのであるから金貸業などは公然營む譯に行かぬ。[21] だから改宗したために貧困に陷つたものも少くはなかつた。これが救濟策としては改宗堂（Domus Conversum）がある。一二一二年サウスワークに新設され其の後オックスフォード（一二二一年）以下の都市にも設立された。たが資力には限度あり多數のものを收容することは出來ぬ。卽ち改宗によつて貧困になつたもの、及び元來貧困だつたものは斯うした所謂慈善事業にも保護されずして知らず〳〵何時の間にか民衆の間に同化され下層の基督敎徒英吉利人となり猶太敎徒猶太人からは全然遠退いて行つた。(122)

しかしまた貧困ならずして英吉利を安住の國土と解したものも少いとは云へぬ。彼等は追放されて他國に流浪の旅を續け危難と不安とに絕えず脅かされるよりは常職金貸をやめて不利の職業に就くとしても英吉利に在留を希望し改宗を選んだのであつた。そして受洗改宗した猶太人は向後基督敎徒、英吉利人として計上され中には英吉利名を採用したものも少くはなかつた。だから追放令發布以後の英吉利にも猶太人の要素殊に血統的要素は可なり濃厚に殘存した。後世になつて祖先も純粹英吉利人、當人も純粹英吉利人と稱しながら猶太人の典型的形貌を備へるものも見られる筈である。

しかし猶太人猶太敎徒は公然英吉利に定住し得なかつた、然るに十七世紀の初葉から事態は一變し朝野を通じて猶太人に好意を示し猶太人の集團的再移住さへも計畫されるに到つた。

ヒューマニズムの風潮は希臘拉典の古典學と同様希伯來語、ラビの文學に對しても基督教徒中に關心を持つものを輩出せしめた。伊太利のピコ・デラ・ミランドラや、獨逸のヨハネス・ロイヒリンは言ふに及ばず、十七世紀には和蘭の文献學者考古學者ヨセツフ・スカリゲル、ハーゼルの東方學者ブックストルフの一族など有名である。前者は希伯來の語學文學及びタルムードにも可なりの造詣を示してゐるといふ。後者は父子ヨハン、孫ヤコブ、竝にヤコブの甥ヨハン孰れも希伯來學者として聞え、そしてバーゼル大學の敎授であつた。また神學史學などの研究の爲に希伯來語を修めたものもある。和蘭のフーゴー・グロチウス、英吉利のジョン・セルデンなどがそれであらう。特殊の例としては瑞典の女王クリスチネも希伯來語を解したと傳はる。

英吉利では古い時代から希伯來の語學文學が可なりの程度に影響があるといふ。ベーコンやシエークスピーアでも之を其の思想の內容なり文體語法なりに於て容易に證明し得るとのことである。[23]

しかし英吉利の詩人學者中希伯來の思想を傳へてるものと云へばジョン・ミルトンが擧げられる。彼はラビの思想學風にも通曉しバイブルの解釋は希伯來の原本に據るものであり其の證跡は「パラダイス●ロスト」に歴然たるものがあるといふ。「24」 ミルトンはケンブリッジ大學で博識家ホシー●ミードに師事し希伯來學を修めたといふけれども恐らく伊太利旅行(一六三七年ー三九年)の際ガリレオ學園の學識ある猶太人と交遊した時に之を學んだものだらうともいはれる。兎も角彼の交友中には猶太人が少くなかつたやうである。尚英吉利にはジョージ●ハーバートの如き、ジョン●ドンの如き希伯來學者が多かつた。しかし希伯來學を精細確實に修めようとすれば矢張り猶太人の指導が必要になる。だから共和國英吉利では猶太人に好意を持つものが續出した。斯樣な雰圍氣を利用して大陸の猶太人の英吉利再移住を企劃したのが和蘭のマナッセ●ベン●イスラエルである。玆で和蘭の猶太人を瞥見しなければならぬ。

(三)

和蘭にも古くから猶太人が住んでゐた。殊に西班牙のマラネンが移住して來てから其の人數も增加し、生活も向上し、十六七世紀になると和蘭は猶太人にとり比類少き安住の樂土であつた。和蘭が西班牙に對し叛旗を飜して獨立したのは一五七九年であるが爾來宗教上政治上の壓迫に苦む諸國民は相次いで來住し和蘭は自由愛好者の避難所とも見られ、英吉利の淸敎徒が新世界に乘り出す前、まづ和蘭に渡り此處を出發點としたことは周知の事實であらう。

和蘭では矢張りアムステルダムが猶太人の根據地であつた。十六世紀の頃マラネンが移り來り同世紀末又は十七世紀の初葉には葡萄牙のマラネンは組合を作つてゐたといふ。マラネンは西班牙や葡萄牙で表面基督敎徒と稱しながら實は猶太敎を奉じたものであつてフイリップ二世の治世には其の苛政に苦んだから西班牙の羈束を脫した和蘭はイベリア半島のマラネンにとつて渴仰の國土と云はねばならぬ。だからマラネンの和蘭移住は屢々實行された。しかしアムステルダムの猶太人も最初から公然禮拜を行ひ得たのではなく祈禱所に集まつてひそかに禮拜しなければならなかつた。それが周圍の基督敎徒の疑惑の的となつた。新敎國和蘭では加特力敎徒が忌避される。彼等マラネンは加特力敎徒の嫌疑を受けた譯である。一五九六年の十月贖罪節の當日官憲は彼等の祈禱所を襲ひ獨逸出身の學者として知られたモーゼ・ウリ・ハレヴィ以下を逮捕した。然し西班牙のマラネン中有力者だつたヤコブ・チラドは巧に官憲と交涉し、祈禱所の參會者は加特力敎徒でなく猶太敎徒なること、しかも彼等はフィリップ二世の壓制から逃れて來たものなること、また彼等は多數の財物を携へ來つたことを述べ更に尙今後も西班牙葡萄牙のマラネンは財寶を將來しアムステルダムの商業を殷賑繁榮ならしめ得ることを說明した。之が餘程利目のあつたものと見え逮捕されたものも即日釋放され贖罪節の行事も其のまゝ續行することが出來た。加之、此の事件が却て猶太人の爲に和蘭に於ける運命開拓の契機をなし宗教上の信條も容認され會堂の建設も許可された。玆に和蘭最初の組合であり又會堂たるベト・ヤコブ（ヤコブの家）が設立された譯である。（一五九八年）[25]

斯うした報道がイベリア半島に傳はる。マラネンは欣々然として續々和蘭に移住したことも多言を要しない。

此の頃リスボンに意外の事件が發生した。フランシスカン派の律僧ヂォゴ・ヅ・ラアスムシアオといふものバイブルを熟讀した結果猶太教が眞理であつて基督教は虛構に過ぎぬことを確信すると公表した。宗教裁判は勿論彼を投獄したが何しろ彼は猶太教を熱愛すると結論明々白々であるから外に詮議のしようもない。唯同志のものゝ有無を調査しただけで二年の後彼及び同志者數名總督の面前で生きながら火刑に處せられた（一六〇三年八月）。之はマラネンに一大衝擊を與へた。祖先以來の基督教徒であつてしかも一般に狂信的と云はれるフランシスカン派の律僧が猶太教を信奉し從容死に就くと云ふのであるから從來擬裝基督教徒だつた彼等は翻然本來の信仰に立ち還らむとしたことは想像するに難くない。其の結果多數の殉教者をも生じたが新開の避難所アムステルダムを目指して亡命するもの愈々增加した。其の中にヨセフ・ベンイスラエルがある。彼は三度入獄の厄に遭ひ健康も財產も少からず損傷した後和蘭に逃亡した、彼の子が卽ちマナッセである。[26]

かくて和蘭殊にアムステルダムには多數のマラネン來住した。彼等は日常生活も文化生活も東方諸國の猶太人と比較するならば甚しく高いと云ふていゝ。つまり十五六世紀の頃まで西班牙葡萄牙の全盛期に擬裝とは云ひながら基督敎徒として養育され居住し、また通用した程であるから基督敎徒の思想風習にも精通し、そして富に於ても敎養に於ても基督敎徒に對し遜色はない。從つて反猶的感情の濃厚な獨逸でもハンブルク居住のマラネンは「葡萄牙の商人」と呼ばれ紳商として搢紳として昂然大道を濶步し得たのである。だからアムステルダムの猶太人組合が著しく發展したことは毫も怪むに足りない。

宗教上新舊兩派の抗爭を經た和蘭では更にアルミヌス派とゴマルス派の確執がありマラネンに對しても宗派的偏見がないとは云へぬ。殊に彼等は猶太敎徒の假面の下に實は本國加特力西班牙の爲に間牒を勤めるのではあるまいかといふ疑惑が中々解けなかつたやうである。しかし此の嫌疑も歲月と共に漸次消失した。そして彼等の將來した文化富力並に世界的知識は當時の和蘭の社會にとつて缺くべからざるものであつた。獨立戰爭を經て和蘭は疲弊困憊した。其の後國力を挽回し西班牙葡萄牙に代り十七世紀の中葉以來東西の通商貿易に於て斷然覇を唱へるの概があり東印度會社（一六〇二年）西印度會社（一六二一年）を創立して世界に活躍し外國及び殖民地から原料を輸入し之を精製して輸出し製産業運輸業また頓に活氣を加へた。當時和蘭は歐羅巴の商船の半數以上を掌中に收めアムステルダム銀行所有の金銀塊は三億グルデンに及ぶと云はれ世界金融市場の中心をなしたのである。金利も甚低廉二乃至三ハーセンであつたといふ。斯うした經濟的隆昌の基礎にはマラネンの貢献少からず與つてるのであつて彼等は以前イベリア半島に於て經濟上重要の地位を占めたのであるから其の知識と經驗とが和蘭に於ても活用されたことは說明を要しないところであらう。

斯様にして猶太人は離散生活開始以來空前ともいふべき順潮に惠まれ各種の方面に活躍を試みるのであるがそれに先立つて猶太青少年の學校が注目されねばならぬ。之は後年葡萄牙の公使としてハンブルクに駐劄したヤコブ・クリエルの計畫努力した結果だといふ。卽ち希伯來學に關する各種の科目を初等中等と段階的に教授するものであつて猶太人の世界では最初の試みだつたらしい。此の學校の完成したのは一六三〇年代であつて此處からやがてモーゼ・ツアクトやバルーフ・スピノザの如きも出るのであるが初期の教職員中にマナッセ・ベン・イスラエル（一六〇四年—一六五七年）の名が見えてゐる。[27]

（四）

マナッセはリスボンの產、既述の通り父ヨセフは宗教裁判の苦艱を逃れて家族と共に和蘭に移住したのである。マナッセは幼時イザーク●ウシールからバイブル、タルムードなどを學びそして特に語學を得意とし西班牙語葡萄牙語は勿論希伯來語拉典語和蘭語英語を能くし更に數學、星學、修辭學、雄辯學等にも秀でたといふ。しかし彼は思索家といふよりも博識家といふが適切であらう。當時の猶太人の間では寧ろ好事家折衷家或は夢想家などとも呼ばれたらしい。[28] 兎も角思想教義の上に深遠を加へたのではなく、猶太教を非猶太人の間にも宣傳し理解せしめたところに功勞が見られるやうである。彼は十八才にしてネヴェ●シャロム（アムステルダムの會堂）の說教師となるが、其の說教は好評を博し、非猶太人にして聽聞のために會堂を訪れれるものが頗る多かつたと傳はる。彼は無論猶太敎に關する研究を專にしたが非猶太人學者とも交遊し非宗教的問題に關しても討究するところがあつた。基督敎徒の友人としては法律學者フーゴー●グーチウス、畫家レンブラント、瑞典女王クリスチネなども擧げられる。序にいふならばレンブラントはアムステルダムのゲツトーに住むこと三十年（一六三二年　一六六一年）附近の人物の肖像を畫くこと少くとも二十面以上に及ぶが殊にマナッセ關係のものが多いといふ。マナッセには十七才の時に希伯來語文典の著述があり、其の後も數種の著書を出してるが、同時に出版業をも營み和蘭で希伯來文字を用ゐた出版家は彼を以て嚆矢とする。斯くの如く彼はラビであり著述家でありまた出版業者でもあつた。更に彼は西印度會社に關係し南米殊にブラジルの貿易にも手を染めそして移住をも企てたとある。[29] しかし生來學究的とでも云ふか、彼は種々の事業に從事したにも拘はらず、以て產を成すことは出來なかつたやうである。だが彼の業績のうち最重大なものは猶太人の英吉利再入國の運動と云はねばならぬ。

當時英吉利はクロムウエルの治世であつてバイブル其の他原始基督教の教義に關する研究盛に行はれたのであるが、廣く社會には但以理書（七章二二、二七）や約翰默示錄（二十章四）などに見られる千年王國說、卽救世主の政治に關する傳說が流布してゐた。之は救世主が降臨して然る後に新時代卽ち「神の國」が出現するといふのであつて波斯思想或は猶太思想孰れに由來するかに就いて定說はないやうである。[30] 基督教徒側では「世界終末の前兆」「世界終末其のもの」「基督降誕」「死者蘇生」「人類の最後の審判」「神の國卽新時代の出現」といふプログラムになるが[31] 聖徒保羅なども完全なる神の國と之に先立つ基督の支配とを區別し（達哥林多人前書十五章二二―二八）其の中間時期は千年とされてゐる（約翰默示錄二十章二一）。

此の千年王國說は紀元後二世紀の頃から廣く傳播し殊に東方では多年に亙り信奉されたが之に反して西方ではアウガスチンが千年王國を直に現在の敎會を意味すると說明したから漸次衰勢を辿つたといはれる。恐らく猶太的要素を排斥したものかと思ふ。加特力敎會は千年王國をコンスタンチン大帝以後の基督敎會支配と見做し、それ以外の解釋をば異端として嚴禁した。しかし中世の歐羅巴では千年王國說に政治的國民主義的意義が加はり殊に獨逸では「皇帝傳說」と結び付き局面打開、よりよき時節の到來を希求するに當り屢々持ち出されるのであつた。宗敎改革時代ルター派は此の說を猶太的として排斥した。だから「アウグスブルクの信條」（第十七條）でも明に之を否定してゐる。但其の後新敎派でも舊敎派でも多くの神學者はバイブルの記述により、又は各自の見解から種々の意味で千年王國說を肯定するものが少くないのである。

三十年戰役は歐羅巴の中原を混沌たる狀態に導いた。次いで波蘭に「コサックの暴動」あり、其の十年間（一六四八年―五八年）に數十萬の猶太人が虐殺され、從來猶太人に取つて安住の樂土だつた波蘭も此頃から安泰を期することは出來なくなつた。從つて猶太人の間に救世主待望の熱情が昂まつたことは云ふまでもあるまい。基督敎徒も多年の戰亂に倦み、よりよき時代の到來を切望して已まない。之がまた千年王國說と結びついた。

獨逸ではヤコブ●ベーメが當代を「新王國」の初期と解し、「凡ての豫言者の云へる如く神の激怒は今や明白に見られ、最後の審判近きにあり、神は地上を火もて淨め人は其の報いを受けんとす云々」[32] と述べてるが彼は救世主の降臨を信じ、そして之を猶太人と關聯させ猶太人は基督の救世主なることを確認し贖罪の準備に着手すべきを勸告したのであつて卽ち猶太人の基督敎に改宗すべきを要望するものであつた。ベーメの所說は可なり廣く傳はる。彼の門人フランケンベルク(シレシア)を初めとしてモヒンガー(ダンチッヒ)フエルゲンハウアー(ボヘミア)などこの派に屬する。殊にフエルゲンハウアーはマナッセに「イスラエルの福音」と云ふ小冊子をデヂケートしてるが救世主の出現の三前兆として(一)一般的混亂(二)エリジアーの先發、(三)豫言の思想の普及を擧げ自らエリジアー卽ち救世主を豫告する使者と稱した。[33]

英吉利では救世主に關する信仰更に古く十六世紀の末葉既に稀有ではない。基督敎の說敎師エドモンド●バシニー、僧侶トーマス●ブライトマンなど其の適例といふべく、後者は「豫言者が到る所で主張してるから救世主の出現と猶太人のイエルサレム歸還程確實なことはあるまい」といふてゐる。[34] 斯うした傾向は佛蘭西でも和蘭でも又其の他の諸國でも甚顯著であつて之等の思想家は一般に猶太人の聖地歸參及び基督教への改宗、救世主即ち基督の再來、新王國（或は千年王國）の成立を聯關したそして不可分のものと考へたのである。

一六〇七年倫敦に「羅馬からの報告」と題する小冊子が現はれた。筆者は伊太利文から英文に翻譯したことになつてるが、それは匈牙利、ボヘミア及び露西亞が土耳古に宣戰して君府を占領せんとする、チュニス、モロッコなどの亞拉比亞人は土耳古人を亞弗利加から驅逐せんとする、そしてカウカサス地方の一民族、卽ち失はれた十支族の後裔と思はれる一民族はパレスチナを奪還せんとしてゐると[35]いふのであつて當時猶太人の住まぬ英吉利でも少からず興味を惹いた。しかし之に對する論難は見られなかつたやうである。一六二一年には匿名の小著「世界の大改造或は猶太人の召喚」といふものが出た。パレスチナにイスラエルの勢力が樹立されこゝに世界的帝國の成立を見るといふのであつて之も一時社會に好話題を提供した譯である。[36]

斯うした時代の風潮は一六四〇年頃以來の英吉利で特に著しくなつた。ヘンリ・バートン、ジョン・ハーウッド、ジョン・サッドラーなど多數の論説を出してゐる。十七世紀の中葉に出來たケーカー派、その前身ともいふべきシーカー派なども之の思想傾向を示すものであつてジョージ・フォックス（ケーカー派の創立者）は猶太人に宛てた書簡に於て彼等の再起の準備として基督教に改宗せよと勧めてゐる。」所謂「第五王國派」の活躍したのも此の頃である。彼等はダニエルの預言に從て羅馬の滅亡に續いて第五王國即ち千年王國の出現を確信するものであつた。

（五）

宗教戰爭に於て多數の生命財産を喪失し疲弊困憊に喘いだ諸國の民衆は奇蹟の物語にせめてもの慰安を求めたに相違ない。だから千年王國の到來近づけり、戰禍は待望の日の前驅なりなどいふことをば理智を超越して歡迎したのである。斯様な氣運は猶太人に取つて有利と云はねばならぬ、つまりバイブルの記載によれば救世主の現はれる前に希伯來人全部が集合し彼等の祖先の郷土を回收し、そして「イスラエル人」即ち失はれたる十支族が歸り來つて「ユダヤ人」と合體しなければならぬ。換言すれば希伯來民族の完全な集團が成立し之をあらゆる諸民族か支持すべきだからである。[28]

然らば救世主の出現又は新王國の樹立、要するに世界的一大變革の生ずべき時期は何時か、之は救世主の待望と同様往古から荐りに説かれたのであるけれどもバイブル並に其の他の聖典にある記事から推算されるのであつて所説紛々定説はない。十七世紀の中葉に於ても宗教界のみならず自然科學者なども新説を立て、アイザック●ニユートンも但以理書に由つて計算を試み、數學家ジョン●ペルも羅馬の滅亡第四王國の滅亡を一六七〇年と推定した。[33] 但此の頃の推定は猶太人側のも基督教徒側のも略近似の時期になつてゐる。大體前者は一六四八年、後者は一六六六年とある。[40] 一六六六年説は約翰默示餘第十三章一八に由るものであり、一六四八年説はサバタイ●コーエン（一六二二年―一六六二年）の計算によるのである。[41] しかし異説は頗る多いのであつて甚しきにいたつては十九世紀の後半（一八六一年）に露西亞のラビ、マルビムの如き一九一三年に始まり一九二八年に及ぶとしてゐる。[42]

　三十年戰役は獨逸に信條の分裂と諸侯の割據とを招來した。然るに淸教徒の革命は政治上宗教上の統一を確定し英吉利を優勢幸運の國土たらしめた。之は云ふまでもなくクロムウエルの頭腦と手腕との致すところであるがクロムウエル及び其の一派の言行は新約的と云ふよりも舊約的と云ふが適當かも知れない。不信の國王、不正の貴族、不德の僧侶を排擊して蹶起した義人の範例は新約全書よりも舊約全書に求むべきであらう。抑壓された民衆を外國の桎梏から解放した士師、國敵を擊退して安寧と福祉とをもたらしたサウル、ダヴィデ、ヨアブ、背教不倫のアハブ王家を滅ぼしたイエフ、孰れも「ラウンドヘッド」の一味には垂範の好例でなければならぬ。約書亞記、士師記、さては列王紀略など彼等自身の行動の描寫であり、クロムウエルは士師ギデオンか、マカベー家のユダとも見えたであらう。「43」斯く觀來れば希伯來人は一種特殊の民族「神の選民」に相違なく、其の遠裔たる猶太人の現存は淸敎徒から見れば一箇の奇蹟に外ならない。

だからクロムウエルの如きも「予は此憐れむべき民族（猶太人）に深甚の同情を持つ、彼等は神の選んだ民、神の掟を授けた民である、イエスは彼等を叱責した、それは彼等がイエスを救世主と認めなかつたからである云々」と云うてゐるが彼は新約と舊約の調和卽ち猶太敎徒と英吉利の淸敎徒との調和を希望したものであらう。兎に角クロムウエルの軍隊や當時の議會の議員には千年王國說又第五王國說の信奉者甚多く、そして猶太人に好意を示し中には安息日を日曜でなく土曜にしたがいい、といふものトーラの律法を英吉利の國法の規準たらしめよと說くものさへもあつたといふ。「45」

都市倫敦の書記長にしてクロムウエルの友人といはれるジョン●サッドラーは「王國の權利」（一六四九年）に於て曰く、「彼等（猶太人）及び全世界に到來せんとする一大變化を考へれば考へる程、彼等に寬大でなければならぬ云々」と說きそして往古の豫言から猶太人の故國再與を一六四八年と算定した。「46」マナッセの一友人たる淸敎徒の說敎師ナザネル●ホームズ（ホメシウス）も「新世界又は革新されたる敎會」と題する一書に於て救世主に關する色々のことを叙述してるが「基督の敵（法王權）の沒落をあるものは一八六〇年、あるものは一七〇六年又あるものは一六三九年などといふ、孰れにしても聖徒約翰の豫言に基づいて過去四十年乃至六十年間に唱へられた基督の敵の沒落の日の一六三九年に始まることを何人もひとしく喜んでゐる。此の年以來神が何をなし、またなしつゝあるかは君（マナッセ）よくこれを親しく見聞してるのであつて君は予よりもよく之を傳へ得ることゝ思ふ」[47]と述べてゐる。

但しホームズは昔日の豫言を文字通りに解釋し、そしてイスラエルの僕たらむ、イスラエルに跪坐して仕へむなどの希望を記してゐるといふ。[48] 果して然らば時勢の餘弊甚しく英吉利の朝野に瀰蔓してゐたことが察せられる。グレッツは「公的生活も之等の教會說教師同樣謂はばイスラエル一色であつた、唯議會の演說に希伯來語が聽かれなかつた、これさへあれば英吉利國を『ユダヤ國』と置換へることも出來たに相違ない云々」と記してゐるがグレッツの史書は猶太民族の研究上缺くべからざる名著であるに拘はらず屢々斯うした思ひ上つた態度を示すのでトライチュケならずとも憤激を禁じ得ぬものが少くないのである。

兎も角淸教徒は猶太人に同情を寄せるものであつて殊にチャールス一世處刑後救世主に關する一切のものに甚深の興味を覺えるに到つた。「革正された國家」「選ばれたものゝ集團」「共和國」「平和の王國」「眞理と正義の國土」之等を彼等は猶太民族（希伯來民族）の合體と聯關した。そして當時の英吉利に於ては猶太人は全世界に廣く遍く散在しなければならぬ、然る後彼等は故國に歸還し救世主現はれそしてこゝに千年王國は建立されるといふ信仰が普及してゐたから彼等淸敎徒は先づ猶太人を英吉利に移住させねばならぬと考へた。之はクロムウエルでもサッドラーでも皆同樣である。ミルトンなども少し後になるけれど一六七一年の「パラダイス・レゲーンド」では古昔の十二支族がチォンに歸り來ることを記してゐるが一六四八年匿名になつてる小說「ノバ・ソリマ」の著者もミルトンであらうといふ[50]。之によると猶太民族の復興は既に五十年前から始まつてるのであつてチォン丘上の理想的國家の記錄も出來てるといふのであつた。[51]

要するに英吉利では公稱猶太人を見ざること三百餘年、從つて彼等の暗黑面を知るに由なく、政治的自由宗敎的寛容の獲得に專念してまた他意なかつた淸敎徒は、千年王國と漫然聯關さして猶太人を美化し觀念化して考察したものであらう。兎に角猶太人に取つては再移住を計る絕好の機會であつた。

（六）

かやうな形勢はマナッセ及び其の周圍のものを喜ばせ猶太人の英吉利再入國の計畫を開始

さしたがマナッセの決心を固くせしめたのはエドワード・ニコラスといふ英吉利人（基督教徒）の「貴き猶太民族及びイスラエルの子等の爲に」と題する一文であつたといふ。之は長期議會に提出されたもので猶太人を全然神の選民としてゐる。彼によれば宗教戰及び內亂の慘禍は英吉利人が神の寵兒たる猶太人を迫害したその神罰に相違ない、だから猶太人を再收容し同胞として待遇しなければ其の罪は赦されない、神慮は甚深遠、猶太人を今日まで保育し、そして榮ある將來を約束される、故に出來得るかぎり猶太人を愛護し慰籍し、友情と厚誼とを示すのが吾々の義務でなければならぬ云々と云ふのであつた。[52]

之は英吉利でも和蘭でもセンセイションを卷き起した。そしてマナッセも勇躍英吉利移住の宿案に着手したが問題となるのは失はれた十支族の存否である。之なくば千年王國の建設は不可能になる。偶々猶太人で旅行家たるアントニー・モンテジノス（アーロン・レヴィ）なるもの南米ペルーで同地生れの猶太人に邂逅した、それは「シェマ」（申命記第六章四－九）を誦んじ猶太教の信仰を維持する、そして其の宗教上の行事や傳說から察するに失はれた十支族中のルベン族に屬するものであると報告した（一六四四年）[53]。之に力を得てマナッセの草したのが西班牙文の「イスラエル人の希望」（一六五〇年）である。彼は猶太敎徒及び基督敎徒の著書を廣く涉獵して次のやうな結論に到着した。「イスラエルの諸支族は諸國に離散し、あるものは亞細亞大陸を横切つて支那から亞米利加大陸にも渡り其の離散は世界の極地にも及んでゐる。之はダニエルの豫言『猶太人の離散は彼等の歸還の前驅とならむ』（但以理書第十二章七）といふに當り、またトラーに『離散したる汝等のうちには地の窮極の部分にも在るものあらむ主たる神は之等をも集めむ』（申命記第三十章、三、四、五）とあり。バイブルはキルス王の下に行はれた故國歸還を不完全のものと見るのであつて遠隔の地からの復歸は未來の救濟を意味するものでなければならぬ。此の救濟の前兆は甚多い、救世主の到來近きにありといふのであつた。「54」 此の小冊子は拉典文に飜譯されてクロムウエルに贈られた。そしてバイブルの記述によれば離散は地球上極地から極地に及ぶ、英吉利も無論そのうちに包含さるべきである。英吉利は人類の住む極北の地に位し、そして三百年來猶太人の居住は許されない。だから改めて猶太人の再移住を許可されむことをと附記してあつた。

クロムウエルは此の小冊子に餘程興味を覺えたものと見え、一六五二年マナッセの倫敦來訪を慫慂して來た。が時宛かも英吉利と和蘭との間に紛擾あり遂には戰爭（一六五二年—五四年）となるのであるからマナッセの訪問も中止された。クロムウエルは長期議會を解散していよ〳〵其の權力を確實にし、そして短期議會を召集した。之はバイブルに忠實な、また千年王國說を信奉する淸敎徒から成る。換言すれば猶太人に取つて一層有利な情勢を呈したといふてゐる。新議會は七十名から成る議政府の委員を選任されたしとクロムウエルに提議してゐるが七十名は卽ち猶太のシネドリオン（又は、サネドリン、最高評議會）に基く員數である。更にトーマス・ハリスンの如きは一黨を提げてモーゼの律法を英吉利共和國に採用すべしと唱へた。[55] かくて猶太人の問題は當時の英吉利では日常茶飯時の話題となつたのである。

前述の如くマナッセは博識家といふので内外に知られてゐたけれども學者思想家として傑出した譯ではない。唯ラビの原文を引證したり、新しい解釋を下したりして親猶的な社會に喜ばれ、また辯舌に巧みであつて聽衆を惹きつける魅力を備へてゐたとあるから獨創的なものはないにしても當時猶太人の間に於ける通念とも云ふべきものを傳へてそして理解せしめるには適材だつたに相違ない。だから彼の渡英は適當の人と時とを得たと云はねばならぬ。一六五五年の晩秋クロムウエルからの再度の招待を受けるやマナッセは學者敎師として知られ、また英吉利に知人多しといふヤコブ・サスポータス以下を隨伴して倫敦に赴きそして殆ど國賓の禮を以て款待された。

マナッセはまづクロムウエルに「猶太國民の爲に護國卿に奉る請願書（アドレンス）」を奉呈した。之は歐羅巴諸國の猶太人を代表し、謂はゞ猶太國民の名に於て猶太人の英吉利移住を懇願したものであつて要點を擧げるならば(一)猶太人の再移住を英吉利政府は承認し且つ保護すること、(二)猶太人は倫敦で會堂を建て且つ共同墓地を所有し得ること、(三)自由に商業に從事し得ること、(四)猶太人相互間の民事的問題は彼等自身之を解決すること、若し原被兩造同意の際には英吉利の民事裁判所に訴訟を提出することなどであつた。[56]

マナッセは同時に印刷文の「聲明書(テクラレーレヨン)」を公にした。それは猶太人の移住の必要なる所以を說明し之に對する反對說偏見說を豫め防止せんとしたのであるが必要なる所以としては(一)吾が民族は現在一般に離散し世界の三大洲及び亞米利加にもあらゆる諸國に居住する、唯此の最重大强盛な島王國のみ除かれてゐる、だから救世主が現はれ吾が國民を復興せしめる前に此の島王國にも吾々は居住しなければならぬ。(二)世界の各地に於て英吉利の貿易は猶太人により輸入も輸出も著しく發展し得るといふ。つまり(一)は神祕的な(二)は實利的なものであつた。當時和蘭では葡萄牙系の猶太人が兩換業並に金剛石、印度藍、洋紅、葡萄酒、油類などの貿買業を營んでゐた。また西班牙葡萄牙のマラネンは宗教裁判により財産の沒收を恐れ盛に和蘭や伊太利に投資してゐたから其の資本は莫大な額に達したものと思はれる。[57] マナッセは宗教的方面で淸敎徒に哀訴しただけでなく、實益主義の英吉利商人に熟考を促した譯であらう。

クロムウエルはマナッセの請願を容れようとした。ゴットウインは其の理由として彼は信念の人であり所信を斷行する意志の人である。まづ（一）人間としての彼は何人でも皆同胞であつて出生や生國の如何により排斥さるべきでない、（二）基督教徒としての彼は多神を斥け一神の信仰を奉ずる點で猶太教徒を先輩と見猶太教徒の偏見我執を矯正し善導する爲に基督教徒は公平な判斷と懇切な友情とを以て彼等を待つべきである。（三）政治家としての彼は猶太人の能力才幹を熟知する、即ち英吉利國民に取つては商業の媒介者であり、英吉利政府に取つては外國市場の實狀商況の報告者説明者として彼等を重用すべきであると解したと述べてゐる。[63]が當時の英吉利はまだ商業上和蘭と競爭し得るまでに到つてないから此の機會に乘じ西班牙葡萄牙の猶太人（マラネンでも猶太教徒でも）を利用しようといふ實際的政策が一要因だつたことは疑ひない。しかし十七世紀に於ては宗教的要素を輕視する譯に行かぬ。あらゆる宗教上の信條に寛容なれと説いた彼クロムウエルは猶太教徒に對しても寛容を期したものであらう。グレッツによると最強くクロムウエルを動かしたのは猶太人を厚遇し彼等を善導して基督教徒たらしめんとするにあつたといふ。[59] 時代の背景を考量するならば之亦輕々しく否定し去ることは妥當を缺くと思ふ。兎も角クロムウエルは腹心のもの二名即ち獨立派の一人たる僧侶ヒユー・ピーターと祕書にして義政府の一員ともなつたハリー・ワルテンをして猶太人の爲に種々畫策せしめた。

（七）

クロムウエルはマナツセの請願に關しホワイトホールに協議委員會を召集した。法律家市民及び僧侶等から成る。會合は十二月四日から十八日まで前後四回、問題の中心は(一)猶太人の再移住を許すは合法的なりや否や、(二)合法的なりとすれば如何なる條件の下に許すべきかであつた。

しかし英吉利共和國にも色々の傾向種々の色彩が對立してゐた。猶太人の問題に關しクロムウエル一黨は大體同情を吝まなかつたけれども之と對抗し敢て讓らぬ反對要素も隱然たる勢力を維持してゐた。彼等は之まで公然起つて猶太人排斥の氣勢を示さなかつたけれども猶太人問題がいよ〳〵公の機關により論議さるゝに到るや急遽彼等は是非の論戰に乘り出した。だから倫敦では物論囂々或は神の子の弑虐者を憎むもの、或は神の選民と解するもの、或は商業上の競爭者として彼等を怖れるもの、或は彼等を利用して商敵西班牙葡萄牙和蘭に打勝たむとするもの、甲論乙駁容易に底止するところを知らず、更に政黨的拮抗も加はつた。クロムウエル一派、一般に共和派は云ふまでもなく猶太人を庇護するに傾く。之に反してクロムウエルの政敵、卽ち王黨法王黨は猶太人を敵視するものであつて遂に民衆は協議會場たるホワイトホールにまでも押し寄せた。斯うした情勢は委員會にも反映しない筈はなく會議の進行歸趨俄に逆賭すべからざるものとなつた。

討議の劈頭政府代表者はまづ英吉利の國法中猶太人を國外に追放したるものなし、何となれば數世紀前の所謂猶太人追放令は國王の專斷に由るものであつて議會の協贊を經たものではないからであると宣言した。市民委員は之に對して甚平然冷靜であつたから僧侶委員は一層息卷いた。クロムウエルは新に僧侶委員一名を加へそして最後の會合には自ら議長席に着いた。しかし僧侶委員には反對者多く唯少數の者は最嚴重な條件を設けて其の監視の下に彼等の移住を許すべしとするに過ぎない。結局クロムウエルは不滿の意を洩らし、そして曰く「吾人は猶太人にも純粹な福音（淸教主義）を說き彼等を基督敎徒たらしめなければならぬ、然るに彼等を先づ寬容することなければ如何にして彼等に福音を說くことが出來ようか。」(45)僧侶委員に一矢を報いて會議を閉ぢ問題の解決を告げずして終つた。

議政府の內部にも反對の氣運少いとはいへぬのであつて猶太人の再入國を許すとしても嚴重な制限を加へるといふに傾いてゐた。そして決して神事を行はしめざることと基督敎徒の婢僕を使用せしめざることなども唱へられたといふ。クロムウエルは之等の主張に耳を傾けず私宅に在つては祈禱の爲の會合差支なしとしたが彼もそれ以上に出ることは出來なかつた。何故なら僧侶のみならず一般民衆の間に反猶的傾向が顯著だつたからである。彼等反猶主義者はあらゆる手段を講じて猶太人の入國を阻止するにつとめ且民衆を使嗾し煽動した。此の種の反猶的小冊子の著者、流言の作者としてはウィリアム●プリンが有名であり「抗議短編」と題するものが著聞してゐる。其の內容は猶太人に對する誹謗讒誣竝に十三世紀頃の反猶的法令を丹念に集めて夥しく記載してるといふ。之を反駁した小冊子もあるトーマス●コリアーのものはクロウエルに奉呈する形式であるがクロムウエルの旨を受けて起草したものらしく、そして之は甚しく猶太人に媚びた嫌があると思ふ。[61]

斯くの如く英吉利で猶太人問題が紛糾を重ねつゝあつた時、和蘭政府は和蘭の猶太人及び其の資本が英吉利に奪取されるのではないかと云ふ懸念からマナッセの運動に警戒を始め干渉を試みた。そこでマナッセは倫敦駐剳の和蘭大使と會見し彼自らの意圖するところは和蘭の猶太人の爲にではなく、當時現在迫害に苦んでゐる西班牙葡萄牙の猶太人の爲に英吉利を避難所たらしめんとするにあることを說明して其の諒解を求めた。クロムウエルもまた內外多事猶太人問題に專心盡瘁することは出來ぬ。斯樣な有樣で猶太人の英吉利再移住は先づ差し當り見込なくなつて來た。しかし英吉利には親猶派のものが少くない、彼等はマナッセを激勵しそして人心の好轉を計つたが其の一方法としてマナッセに「猶太人辯護論」（一六五六年）を執筆さした。原本は英吉利文であるけれども普通拉典文のが有名だといふ。之はプリン其の他の非難した儀式殺人、基督教冒瀆などに對して辯駁し更に「トーラ經卷」の尊崇は偶像崇拜でないかと云ふ詰問に答へたものであつてマナッセの著書中傑作と稱せられる。

マナッセは得意滿面輝かしき將來を豫想して倫敦に乘り込んだのであつた。然るに今や事志と違ひ猶太民族は謂はゞ被告の地位に置かれ、彼は之が爲に辯護を强要された譯である。だから此の著書も甚しく哀切痛恨の調を帶び、それがまた讀者の心を惹かずにはおかぬものであらう。彼は主としてプリンの論難に對し反駁を試み、殊に儀式殺人の全然根據なき流言に過ぎぬことを說き曰く「予は此の非難を聞く毎に流寓放浪の結果謙抑にして伏目勝なる同族を想ひ轉た、痛歎慟哭せざるを得ず…予は誓ふ、予はイスラエル人の間に未だかゝる非行あるを見ず、またかゝる惡業の實行され或は唯試行されたるを聞かず…尊敬すべき英吉利の國民に告ぐ、卿等は予の論旨を不偏、不黨、偏見を除き昂奮を去つて讀まれむことを望む、予はひたすら神に希ひ豫言者の誓はれたる時期の到來、チオンの慰安の加はらむことを祈願す。」[62] マナッセは英吉利に留まること二年結局其の企圖は失敗に終り、アムステルダムに歸る途上ミッドルブルクで長逝するが意氣揚々たりし昨日に變る今日の悄然たる痛ましき姿、それは倫敦の市民にも深刻な印象を與へたといふ。

然らばマナッセの計畫は全然水泡に歸したのであらうか、必ずしも然らずといはねばならぬ。此の時の英吉利の一般の空氣を考へると猶太人に有利とは云ひがたいのである。從つてクロムウェルが高壓手段を執つて猶太人の再移住を許したとしても恐らく猶太人の權利は色々の制限を加へられたに相違ない。然るに政府は積極的に公然彼等の定住を許したのではないから其の權利に制限を加へることも出來ぬ筈である。そして次に述べる如く英吉利に於ける猶太人は漸次順境に向つて行つた。だからマナッセは直接に成功したとは云へぬにしても再移住再定住の端緒を開いたと見て差支ない。彼は實に表門では失敗したが裡門では成功したといはれるのである。

（八）

猶太人追放令の發布以後でも猶太人は絶えず英吉利に住んでゐた。彼等は葡萄牙人或は西班牙人と自稱しまた見做されてゐた。「63」勿論其の人數は餘り多くない。エリザベス女王時代、前葡萄牙王の庶子アントニオは西班牙王に對して葡萄牙の王位繼承權を要求し英吉利の援助を仰いだのであるが此の時アントニオの顧問として通譯官として倫敦で活躍したローヘスも實は猶太人であつた。スチュアート王朝時代になると所謂マラネンの活動一層目覺ましくなる。就中カルバャールは自家所有の船舶を以て廣く海外貿易を營み一般の社會からも尊敬されてゐた。彼は基督教徒にあらずとして告訴されたが倫敦の商人は議會に手を廻し「倫敦の利益の爲」に彼を庇護することゝし上院は告訴人をして沈默を守らしめたとある。其の外にも此の頃貿易商人としてヘンリック・ジョトジ・メンデス、アントニオ・ロヂツグ・ローブルス、及ひシモン・ヅ・カセレスなどが知られてゐた。カセレスは哲學者スピノザの親戚に當る。クロムウエルに建言しマラネンを利用して南米の智利を占領すべきを勸告したといふ。クロムウエルに海外の事情を報告說明したといふものは決して少くない。之等のマラネンは葡萄牙大使アントニオ・ヅ・スサ（カルバャールの岳父）の禮拜堂に集まり此處で兎に角猶太教の神事を行つたと傳はる。此の禮拜堂は其の後猶太教の會堂となる。クロムウエル及び政界では之等の西班牙人葡萄牙人が實は猶太人なることを知りながら見て見ぬ振をしたに過ぎない。

マラネンは斯うした曖昧な擬裝狀態をどう考へたか、公然猶太教徒と名乘り猶太教を信奉する氣になれなかつたのであらうか。大體彼等は現狀を餘り不利とも不安とも感じなかつたやうである。然るに玆にアントニオ・ロドリグ・ローブルス事件起りマラネンの境遇もクロムウエルの態度も一變した。一六五五年から英吉利と西班牙との間に戰爭が勃發した。マラネンの一人ロープルスは法王黨の故を以て告訴され財産は沒收さるべきであつた。(一六五六年)何故ならマラネンは名義上西班牙人(又は葡萄牙人)であり加特力教徒は一般に寛容されぬ筈だからである。しかし議政府はクロムウエルの意をうけたものと思はれるが此の告訴を却下した、其の理由によると被告は猶太教徒であり加持力教徒にあらずといふにあつた。「84」是に於てマラネンは加特力教徒を擬裝する必要がないばかりでなく寧ろそれは不利なることが明白になつたから基督教徒の假面を脱して公然猶太教徒たることを明確にした。次いで猶太教の祭典神事も宗教上の集會も默認され墓地の購入も默許された(一六五七年)。之等はカラバヤールやシモン・ヅ・カセレスの奔走した結果だといふ。

チャールス二世は和蘭亡命の際既にアムステルダムの猶太人と商議し、クロムウエルと猶太人との交渉は和蘭の猶太人の意志に反して行はれたことを誓はしめ、そして若し猶太人が黃金と武器とを以て彼を援助するならば王制再興の後猶太人の英吉利定住を許可することを約束した。この約束は履行されたから猶太人の入國定住はます〳〵増加した譯である。英吉利に猶太人入國の禁止法文はないにしても一五五九年の統一令は英吉利教會以外の儀式を許さないのであるが國王の特許を得て倫敦の猶太人組合は次第に宗教的組織を備ふるに到つた。ジエームス二世の時(一六八五年)には猶太人は政府に義務を盡し服從を怠らぬかぎり內倫に於て宗教的行事差支なしと云ふ勅令が出た。そして一七〇一年に倫敦最初の會堂たる「ベトヴィス●マークス」も設立されたのである。「65」

但し猶太人の入國定住に反對の熄んだ譯ではない、僧侶騎士商人各種の方面から屢々抗議が提出され、既に一六五八年商人トーマス●ヴァイオレットなるもの猶太人排斥を以て使命とし全力を傾けて其の定住に妨碍を試み、そして王政復古後卽ち一六六〇年の十二月倫敦市民の名に於て國王及び議會に請願書を出した。其の要點は猶太人が基督教國に在りて公然猶太教の禮拜を行ふことは非法であり無禮であるから彼等の既得の權利を撤去されたしといふにあつた。斯うした事件は常に續出した。八十年の後ジョージ二世の時、七年以上植民地に居住した猶太人には其の植民地に於て歸化權を與へた（一七四〇年）そして此の歸化權は聯合王國に於ても適用さるゝことゝなつた（一七五三年）。此の規定永續すればマナッセの宿願茲に成就したと云ふべきであるが民間に反對の氣運著しく之は間もなく取消された。「66」

爾後猶太人に入國移住又は之に類することを許可する法文は見えないけれども實際に於て猶太人は續々來住定住したのであつてクロムウエル以來三百年英吉利に於て又は不列顚帝國に於て猶太人は次第に地步を進め十九世紀の中葉以降あらゆる官職にも就き得ることゝなり教會關係の地位名譽を除いては何等の制限をうけるところなく以て今日に及んでゐる。

1) Sokolow, Gesch. d Zionismus I 42 2) ibid. 3) ibid, 43. 4) Blanche E C. Dugdale, Arthur J Balfour I 433
5) Margolis and Marx, History of Jew People, 384 6) Cobett, Jews and Jews in England, 45. 7) ibid. 8) Ibid
9) Graetz volkst. Gesch d Juden, II. 409. 10) Cobett, 51 11) Milman, the Hirsosy of Jews III, 256.
12) Cunningham, Growih of Engl Industry and Commere I, 204. 13) Hyamson, History of the Jews in England 95.
14) Hallam, View of the State of Europe during the middle Ages III, 369. 15) Green, Short History of Engl. People I 393. 16) Hyamson 11. 17) Ibid. 18) Milman III 251. 19) Ibid. 257. 20) Hyamson 114.
21) Cunningham, I, 233. 22) Cobett, 60. 23) Sokolow 48. 24) C Roth, Jew. Contribntion to Civilisation 100.
25) GraetzIII. 314 26) Ibid, 317. 27) ibid, 324. 28) Sokolow 53. 29) Margolis and Marx, 489.
30) Oesterley and Robinson, Hebsew Religion375-385. 31) Brockhaus, Lexikon, Chilialismus, Eschatologie.
32) Silver, Messianic Speculation in Israel, 163. 33) Ibid 165. 34) Sokolow, 77. 35) Ibid 80. 36) Ibid, 80.-
37) Silver, 178 38) Graetz III 349. 39) Silver 180. 40) Ibid. 181. 41) Ibid 186. 42) Ibid 159.
43) Sokolow 44. 44) Graetz III, 351. 45) Ibid 352. 46) Silver 178. 47) Ibid 48) Graetz III 352. 49) Ibid
50) Sokolow 75. 51) Silver 179. 52) Graetz III 352. 53) Sokolow 56, Silver 191. 54 Graetz III 353.
55) Ibid 355. 56) Godwin, History of the Commonwealth of Engl, IV 247. 57) Graetz III 357.
58) Godwin 245. 59) Graetz III 358. 60) Ibid 359. 61) Ibid 360. 62) Ibid 361. 63) Cobett 62
64) Graetz III, 361. 65) Margolis and Marx 643. 66) Godwin 250. 67) Cobett 63.

近世初期の琉明關係

――征繩役後に於ける――

小葉田　淳

目次

第一章　征繩役と明の態度
第二章　兩國關係の疎隔
第一節　琉球遣船の狀態
第二節　公貿易の變遷
第三節　島津氏の琉明貿易―私貿易の相貌
第三章　琉明貿易の新展開
第一節　日明關係の推移
第二節　島津氏の琉明貿易利用の積極化
第三節　琉明通交の復興
第四節　私貿易―白絲貿易の飛躍

近世初期の琉明關係

—征縄役後に於ける—

小葉田淳

第一章　征縄役と明の態度

慶長十四年四月一日薩軍は水陸より首里、那覇に入り、二日親見世に於て媾和が議せられて國王尚寧も下城し、五日首里城を接收した。尚寧は薩摩へ渡つて謝禮すべしと達せられ、具志頭王子朝盛尚宏以下の質人等百餘人の隨行者も定まり、浦添親方向理端・謝那親方鄭迵は別に一船に搭乘することゝなつた。かくて薩軍は尚寧以下を伴ひ、五月十七日今歸仁を發し、廿四日前後して山川に到着した。尚寧は出發以前に、明に對し異變の報告を用意せしめる所があつたらしい。爲下急報二倭亂一致上レ緩二貢期一事の福建布政使司宛咨文に、薩軍の猛襲と琉軍の敗退の狀を記して

四月初四日、藩城被二倭羅團數匝一、村麓被レ刼靡レ有二□遺一、卑職詳思熟察、進戰退守勢恐兩難無奈、遣二僧菊居隱法印等一幣帛釋解、倭愿罷レ兵告レ休、方有二旬餘一復逼二割レ土献降一、

暴四鵰言、假不レ如レ義、城廟盡行二焚燬一、百姓盡行二剿滅一、土地悉捲レ所レ有、卑職仰念二叩救天朝一、但波程萬里非レ可二一朝力爲一レ興、慨計窮、顧二其官民一曰、似三此猕獅不レ療恐貽二心腹之患一、一指不レ舍難レ保二肩背之全一、舉國官民無奈、議レ割二北隅葉壁壹島一、極民塗炭□彼狡奴得レ隴望レ蜀、又挾二制助兵一取二雞籠一、卑職看二其雞籠一雖二是萍島野夷一其咽喉毗二連閩海一、居地藉二雞籠一殃虐則省之濱海居民□能安堵、故而不二爲レ之驚懼一也、卑職深爲二隱憂一、既不レ能レ制二馭其非一、曷敢□恣其虐矢口絕拒盡痒彌縫稱道、我琉球雖二是一撮海島一、原係一欽蒙丙詔褒二守禮之邦一賜乙准進貢甲。○中略 今若助汝肆亂□逭二我君父一之罪責、詎二彼狡奴一喜怒無レ常變國莫レ測、復肆二攻焚一勒二挾國戚及三法司等官一、悉牢二懼于寺院一、威三嚇諾二允前議一、延久不レ聽、狡奴慮、恐計變二于稽遲一禍生二于日久一、五月初五日乘二節端陽一□賊首設レ醴畜揖遊船、卑職故知二是酒穽禮囊亦未一レ割二眞非一、又恐冐郤□嗔無聊就前輙惹臑絆跬步莫離、仍挾率二從三法司官一、一併隨往二日本一、見二其國□裁奪前情等緣由一、斯時斯際進退兩難□聽依レ議隨二喚同三法司等、鄭廻・吳頼・瑞・王舅毛鳳儀・譯使毛鳳朝・毛萬記等一就二于五月十四日一同彼倭奴一起開駕

といひ、正義大夫鄭俊等を差遣し一小船に駕せしめ、北風未だ發せざるを以て、風を俟ち馳報せしむる事とし、猶印信は法司馬良弼に交囑し、王妃馬氏王弟尚宏をして暫く國務を署看せし

むといひ、布政使司より奏達せんことを乞うてゐる。（一八ノ二、歴代寶案の引用記載の法は、中世南島通交貿易史の研究一二一—一二四頁に記すものに准する。以下皆之に從ふ。）この咨文は、蠹蝕のため日附か明かでない。右の小船に給した符文は五月日給とあり、執照は五月十一日給とある。然しこの咨文が、五月十一日以後の日附を有すべきは明白である。鄭俊等の渡航の時期は確でないが、攝王妃馬氏等の翌萬暦三十八年正月二十日附咨文に「本年（○萬暦三十七年卽ち慶長十四年）伍月内續差ニ遣大夫使者通事等官鄭俊等一坐ニ駕士小船壹隻一隨ニ載硫磺貳千觔一前去、候レ風馳報、切見□□微小飄風涉レ海危測莫レ知」とあれば、同年東北風を俟ち直に出航せることは疑ひない。

薩摩に於て島津氏は尙寧等を遇するに賓客を以てしたが、九月十二日に至り伊勢貞昌・鎌田左京亮等を以て尙寧に對し、日明通交を斡旋すべき旨を通じて、具志頭王子朝盛及び池城親方安頼（毛鳳儀）をして急遽歸國せしめた。翌年春汛に王舅として毛鳳儀等渡航し、倭亂の顚末を報じて進貢したのである。この際に齎した王妃馬氏等の禮部宛咨文は、曩にも引げる如く正月二十日の日附であるが、その內容は前回の咨文と異り、薩摩に對する語勢を緩和し、寧ろ和好的態度を以て辯護してゐる。

○前略　巳酉歲季春倭人率レ兵來□、小不レ可レ敵レ大無奈、遣ニ僧菊居隱法印等一幣帛□解、倭人扣□□□還、琉球與ニ倭國一相去僅貳千餘里、今不レ講レ禮後世必有ニ患不一レ得一レ已、而遐致ニ

倭國薩州力主ニ和議一、熟視ニ彼國之風俗一、外勇猛而內慈哀也、深睦講好、又恤ニ弱小一割地盡行退、復雞籠聽レ諫罷、止約ニ相和好一永爲ニ魯衞治世一、（下略）

萬曆三十七年卽ち慶長十四年は所謂貢期に當るを以て、前掲兩咨文とともに緩貢の罪を宥されんことを乞うてゐる。皇明實錄萬曆三十八年七月辛酉の條に「琉球國中山王尙寧咨、遣ニ陪臣王舅毛鳳儀・長史金應魁等一、急報ニ倭儆致一レ緩ニ貢朞一、福建巡撫陳子貞以聞、下ニ所司一議奏、許レ續ニ脩貢一、賞照ニ陳奏事例一減レ半、仍賜ニ毛鳳儀等金織綵段一各有レ差」とある。卽ち舊例の如く進貢を續脩するを許したのである。毛鳳儀に附した神宗の勅は十二月十六日附で、喪亂の秋にも猶緩貢の罪責を懼るゝ誠意を嘉して「爾還レ國之日、務當下撫ニ安流散一保ニ守疆場一脩貢如レ常永堅中恭順上、庶不レ負下朝廷恤ニ遠字一之意上」といひ、日本との關係の前後事情を奏報せよとある。（一ノ三六） 曩に渡航せる鄭俊及びその咨文の內容に就いて、明側の史料に何等の處置の見出されざるは不審である。然し萬曆四十年の浙江總兵官楊崇業の奏に「三十七・八兩年疊遣ニ貢使一」とあつて、（皇明實錄萬曆四十年七月庚午） 三十七年の貢使とは鄭俊等を指すものとなさゞるを得ない。三十八年秋長史蔡堅をして小船一隻を以て進貢せしめるに際し、附給した符文に「萬曆參拾捌年伍月初貳日、奉ニ憲諭一、査ニ循舊例一、敬脩ニ貢職一等情、奉レ此隨査、本年該ニ貢期一」とある。（二六ノ一八、萬曆三八・九・二） 三十八年五月二日の福建巡撫の咨文を齎せるものは、卽ち鄭俊の一行と見做すべきであらう。三十八年を貢期となすは、琉球側の專斷と見らるゝ。尙寧の琉球歸還後萬曆四十年法司馬良弼（名護按司親方良豐）●正議大夫鄭俊等をして一船に駕し進貢せしめ、續修進貢裁可の勅諭及び哨船二隻の賜給に對する謝恩を兼ねしめた。その際の尙寧の福建布政使司宛咨文に、前年五月毛鳳儀等閩より開洋して倭に入り倭亂報告の事竣るを告げたるが、「此切□天威遠播、夷酋咸惶喪レ膽、帝勅頒□倭君亦悉傾レ心歸レ國、瓜期本有二定吉一、欽奉二勅諭一遂加禮降增、差二一員首目一帶二領一百餘從一、坐二駕一船一護送歸國」と述べてゐる。（一八ノ七萬曆四〇・正・×）球陽に是歳栢壽●陳華等を遣つて、國王已に歸國して國家安然たるを告げ貢を脩めしめたとあるは、恐らく支那記錄に據つたものであらうが、栢壽に附した符文●執照等は現存しない。前掲の咨文に「今特遣二法司馬良弼一〇中略　裝二載馬四匹●硫磺一萬觔一、慮因二船隻窄不一レ堪レ重、內先伍千伍百觔幇載在下參拾九年十月　內差遣急二報歸國事一人船上、前來投遞、候二正貢船隻到一レ省、一□類齊進二奉萬曆參拾九年貢額一」とあれば、三十九年十月尙寧の歸國を急報せしめんとせるもの卽ち栢壽等の遣使であらう。茲に於て明側の態度に激變する所あり、進貢拒否すら議するものあつて、結局四十年末に至り「爾國新經二殘破一財匱人乏、何必間關二遠來還一、當二厚自繕聚一、俟二拾年之後物力稍完一、然後復脩二貢職一未レ爲レ晩也」とて、十年一貢を諭し、經過を觀望して、爾後の處置に委することゝなつた。卽ち薩琉の新關係に就いて明側の獲たる情報に基き、その對策として現はれたので、この間の事情を理解するため、溯つては日琉及び明國間の相互關係の經過を一瞥しなければならぬ。

明では嘉靖の海寇時代に、その對策として開市舶卽ち日本の貢舶を復興すべしとする說が行はれ、或は廣東の事例の如く貢舶に附隨する商舶の貿易制の許可を論ずるものがあり、之等の議は閩浙の海商鄕紳等の間には後までも隱然唱へられたやうであるが、隆慶以後には多く表面より消えた。開市舶といふも日本及び諸國と通商接濟する支那人に對する策が半面に含まれてゐるので、支那人の所謂下海通番の禁止が、隆慶初年に海澄に於て東西二洋の開海禁となつて合法的に改めらるゝに至つて、之等の日本關係の諸議をも鎭靜せしむるに寄與したのである。然し依然として支那人の日本往市は嚴に取締つてをり、萬暦十九年豐臣氏の外征を聞くや、東西二洋の海禁を斷行したのである。同二十一年開海禁に際し、頒布した條約は、海澄餉稅制各般に亘る違反防止を規定したものであるが、何れも旨意は日本往市違禁貨物の檢察に集中されてゐる。[11]

慶長三年朝鮮遠征軍撤退の頃より朝鮮との和議が進められ、同五年關ヶ原役後は德川家康の命の下に頻りに劃策せられ、是歲八月駐屯の明軍に皇帝より撤歸の命があり、媾和の議も亦明將の直接干涉を受けることはなくなつた。翌六年六月對馬から橘智正が和好に關する寺澤正成・宗義智等の書契を齎し、俘虜を送つて釜山に來り、十二月歸國したが、この事が明に奏達せられて、兵部の言に「倭與二朝鮮一款事未レ可二懸斷一、總督萬世德熟二知倭情一、職在二經略一、宜下令二酌議一以聞上」と見える。(皇明實錄萬曆二十九年十二月甲子朔) 慶長八年二月家康征夷大將軍となり、信使を渡して和好の驗と爲さんことを求めしめたが、朝鮮では既に對馬との開市を許す議も起り、又薩摩の俘虜河東の幼學金光は、年末に智正に送られて歸國し、媾和の要を唱へて輿論を指導し、明に送られて倭情を說いた。翌九年八月僧惟政等對馬に來り和好を議し、家康の命により義智之を伴つて上洛し、惟政等は家康・秀忠にも見え、やがて義智の書契を得、被虜人千三百九十名を伴つて歸國した。十年九月義智は源信安を朝鮮に遣して、媾和の議を進捗せしめんことを求め、更に十一年正月、橘智正が使して交涉を進めたが、朝鮮より、家康より書信を送ること、戰役中に先王の陵を犯せる賊を縛送することの二箇條の要求が提出された。十一月智正は朝鮮へ渡り家康の書を傳へ、且つ犯陵賊二人を縛送した。朝鮮では賊の眞僞、家康の書契についての疑惑を論議されたが、遂に回答使を派遣することゝなり、十二年正月正使呂祐吉等對馬に渡り義智及び僧玄蘇に導かれて、江戶に到り、秀忠に謁して國書を獻じ、歸途駿府にて家康に謁して六月歸國した。かくて幕府と朝鮮との間に正式の修交が行はるゝに至つたが、家康の書契は對馬が國交復舊を望んで僞作したものであつた。かくの如く交渉の進められたる間、明側の態度としては、兵部の覆議に「亦謂相レ機以御、及レ時自固、審二利害一察二情實一在二該國自計一、難レ爲二遙度一而已」といひ、（皇明實錄萬曆三十五年四月癸巳朔）同じく兵部の言に「倭奴狡詐異レ常、海外勢難二遙度一、爲二昔日者覆楚之怨一大義當レ申、爲二今日者城下之盟一目前難レ恃二千里提封一、天朝已挈而還之、該國則固守圖、爲三今又在二該國事一矣、大率以二偵察隄防一責二成該國一如二前疏指一」とある。（皇明實錄萬曆三十五年十一月壬子）朝鮮使臣の渡來により日鮮修好の端緒が開き、慶長十三年正月から對馬の使は宣慰使李志完と共に釜山にて、戰前の約條に就いて改定すべき條項を議し、宣祖薨じて王世子光海君嗣立後も交渉は繼續せられた。この際對馬の使者は宣祖の爲めに進香を請うたが、國書來らず、且つ約條の決定前には許し難いといふ事であつた。然るに翌十四年三月に將軍の使と稱する僧玄蘇●柳川景直等が國書といふを齎し口頭を以て上京と貢路とを求めた。上京は京城に到り進香し、貢路は路を朝鮮に假つて明に通ぜんとするのである。李志完は譯人に命じて兩項を拒否せしめ、國書を釜山にて受け、六月日本國王として宛てた國書も亦こゝで授けた。この間に、約定が議定せられたので己酉條約是である。玄蘇等の來使及び朝鮮に通路を假り脩貢を求めた事が、薊遼總督より報告されたが之に對し兵料給事中宋一韓は「爲二倭之得二志朝鮮一、雖二師老兵罷一其心未二嘗一日忘一、該國主少國疑、人心未レ附、恐終費二朝廷一、處分當事者似レ不レ妨、便宜一札以折二其謀一」と主張し、仍つて朝鮮に詔して徒らに天朝を恃むことなく、兵を集め武備を整へて自ら固むべき計を爲すべきを以てしたといふ。皇明實錄萬曆三十七年七月乙丑 明では、日本側より朝鮮に和好を求めた努力に對して、朝鮮自らの處置に委して、先年の朝鮮役出兵とは反動的に、之に關係するを回避する態度であつた。

慶長十四年に玄蘇等の齎した秀忠の國書は僞書であり、口頭で傳へた貢路の件も直接に幕府より委命されたものではなからう。然し明に通交を求むるは當時の幕府の意向に添うたものであつた事は事實である。

德川幕府は秀吉の政策を受けて、來朝の明國商船に對しては保護政策を採り益々之を誘致せんとしたのである。明との通交を開くことも同じく秀吉の意圖した所で、德川氏も之を承繼してゐる。家康が天下の實權を握れる頃より明に對し直接に和好を求むる爲め、努力が拂はれてゐる。

慶長五年家康は島津氏に命じて、朝鮮役の俘虜の明將茅國科等を送還せしめた。南聘紀考薩州唐物來由考には、茅國器の弟茅渭濱としてゐるが、慶長十一年の島津家久の呈大明天使書には國科と記し、兩書の筆者伊地智季安も考へた如く渭濱は國科の號であらう。南聘紀考等に據ると、忠恒(家久)は鳥原宗安を遣して渭濱を送還せしめたので、宗安は坊津より開洋して福建の梅花港に到り北京に上つて、神宗その勞を嘉して爵位を進め、宴賚ありて、滯在月餘に及んだ、渭濱はその兄國器と共に、通事張昂を以て、宗安の船に託して忠恒に刷還の恩を謝せしめ、福州より歳に二商船を薩摩に遣り互市するを約したといふ。鳥原氏の由緒書には乘船破損せるを以て十二萬斤の船を獲て歸國したとある。皇明實錄の萬曆二十八年（慶長五年）六月戊戌の條に、浙江兵部の題奏に「然所レ持檄文止一抄白、既無二印信可一レ憑、又無二年月足一レ據、其言曷敢輕信、惟是倭書之中誘以二和平一要以二通商一、爲レ謀甚狡、除二書器進納一外、國科宜下仍送二經撫兩官一備二查眞僞一奏上定奪上」といひ、沿海督撫をして海商の闌出を禁じ窺伺勾引を防ぎ、朝鮮に咨して釜山一帶を隄備せしめん事を請うて、聽可された程である。（皇明實錄萬曆二十八年十二月甲戌）巡撫劉元霖より、異船一隻の到着を報じ、家康倭酋をして船を覓め國科を送歸せしめ、且つ先年の被虜人及び賊首季州等十一人をも同送せるを告げ、福建巡撫をして被虜民兵を査審し原籍の親族隣里甲保をして收管せしめん事を乞うてゐる。（皇明實錄萬曆二十八年六月戊戌）宗安が北京に到り神宗より嘉賞賜宴あつたといふ所傳は恐らく飾で、明の禮制より觀ても當時の日明關係の實情より推しても殆ど有り得ざる事と思はれる。但し地方官より明廷の旨を受けて襃賞せられた程度であらう。福州船二隻の派遣契約といふ如きも、私人としての密約である。慶長六年福州船二隻の到るを聞知した伊丹屋助四郎なる者は、海賊を集めて、五月硫礦島近海にて之を襲ひ、乘員を殺害し船を焚いて、貨物を掠奪したといふ。後に慶長十一年琉球へ冊封使夏子陽等が來渡した時に、琉球王尙寧は家久の襲封を賀して、崇元寺宜謨里主を薩摩に遣し、兼ねて鳥原を琉球に招致した事は、異國日記●南浦文集所收の家久の呈大明天使書にも見えて事實らしいが、或は傳へる如くに右の福州船の消息を知らんとした故かも知れぬ。然し宗安招致の件等は一切子陽の使錄にも見えず、却つて九月倭將來寇の傳があつて、子陽命じて防禦の備へをなさしめ、倭數船到つて國王を賀し貿易を主とするものなるを判明したが、封舟從衆の交市を禁じ、左右の諫止を退けて倭人を一見して天朝の威を示したと記してゐる。福州船二隻派遣の契約は從令事實としても私人の密事に屬するが故に、子陽等一行にして之に關し請託さるゝ事ありとするも、報告書ともいふべき使錄に記上せざるは當然である。萬曆三十年〇慶長七年四月福建巡撫より日本の加藤淸正が船を遣し被虜人王寅興等八十七名に米豆を給し、書契二封を授け、通事王天祐と共に還送せしめた旨を報じた。(21) 兵部覆議して「閩海首當二日本之衝一、而奸宄時搆二內訌之釁一、自二朝鮮發難挫衂而歸一、圖レ逞之志未二嘗一日忘一、今迹近恭順而其情實難二憑信一、與二其過而信一レ之寧過而防レ之、除下通事王天祐行二該省撫按一徑自處分、王寅興等聽發二原籍一安插及將二倭書一送二內閣兵科一備照上外、請移二文福建巡撫衙一、亟整二湖舟師一保二固內地一、仍嚴督二將士一偵探、不レ容二疎懈一」とあり、神宗亦之に同意した。皇明實錄萬曆三十年四月癸卯之と前後して、福建撫按が日本より被虜人盧朝宗等五十名及び南賊王仁等四名を縛して送回せる旨を報じた。兵部の覆議には「島夷送ニ回被虜一至レ再、今且解ニ南賊四名一、跡似ニ恭順一矣、但夷性叵狡以與爲レ取レ利、則今日之通レ款安知レ非ニ曩日之狡謀一、委當下加ニ意隄備一以防上レ叵レ測、除下盧朝宗等發ニ回原籍一安插上外、請將ニ王仁等一卽行ニ處決一、仍申ニ飭將吏一訓ニ練兵船一嚴ニ防內地一密差的當員役遠爲ニ偵探一、諸凡海防兵食等項悉レ心計處、期レ保ニ萬全一毋レ致ニ誤事一」といふのであり、この旨意は聽許せられた。明側では日本より再三被虜人及び海賊を送還するを以て、恭順なる態度として一應認めつゝも、而もその眞意は測るべからずとし、內に狡謀の潛むを疑つて、兵防海警を申飭提備し、又所謂倭情の偵探にも腐心してゐたのである。慶長十一年冊封使夏子陽等琉球に來航するや、島津義弘は幕府の意を受けて、書を尙寧に遣つて明商船を每歲琉球へ招致し日本商船と交易する計畫を說き、家久書を冊封使に宛てゝ歲々明商船の薩摩に來市せしめん事を乞うてゐる。かくの如きは尙寧並に冊封使の到底公約し難き事實であつた。

次に琉球と本土との交涉の新展開に對し、明側の有した認識及び之に卽應する對琉球態度の推移を見よう。朝鮮役に際しては、琉球は細大となく本土側の情報、特に自己の立場を明に報じてゐる。萬曆二十年六月、進貢使鄭禮は、巡撫の指令により九月までに日本の事情を報告せよといふ布政使司の咨文を齎し歸國したので、直に九月頃使者守達魯を遣つて、關白が船萬隻を造り、六十六州兵糧を分備して、本年初冬を以て朝鮮を經て大明に入犯すとの風聞あるを報告してゐる。三一ノ三一 倭情偵探のため萬曆二十一年夏の頃日本へ來渡した指揮史世用は、回報の途に難破して、薩摩を經て琉球に到り、琉球よりは翌年冬千羅等を遣り護送する等の忠欵の意を示し「今中山王惟修二貢中朝一、恥レ稱二臣於關白一、年參拾歲不二敢稱一レ王」とも述べてゐる。八ノ四萬曆二四・六・×、三一ノ三一萬曆二〇・九・二三、三二ノ二萬曆二二・一〇・一一 萬曆二十六年〇慶長三年 にも福建巡撫よりの豫ねての指令に依り、三月秀吉が博多地方に在つて人衆を鳩集して六十六州の船隻にて糧米を搬運し明に入寇せん事を議すを探知せりとて、使者守達魯を遣り報告してをり、三二ノ五萬曆二六・四・七 秀吉薨去の報告を得るや直に使者柏㮹等を遣つて之を報じた。八ノ六萬曆二七・五・十一、三二ノ六萬曆二六・十・三

然るに豐臣氏以後、殊に德川幕府の初世に當つて、琉球に對して本土側の政治的竝に經濟的の壓力が著しく加つて來た。政治的には島津氏の、經濟的には島津氏及びその領下の商人等の手を通じてゞある。その要旨は已に別の機會に述べた所であつて、茲に繰返さぬが、かゝる情勢は琉球側の隱匿せんとする努力に拘はらず、次第に明側に察知されて來た。

萬曆二十九年十一月、浙江巡撫劉元霖より夷船一隻を獲たる所 右は琉球差遣の採封船卽ち尚寧の冊封の消息を伺察するため琉球より渡航せる船であると稱するが、その中に日本人

數人が混じ、倭物たる衣笠刀劍を有する旨の報告があつたので、明廷では會同館主事に命じ當時進貢のため入京會同館滯在中の琉球長史蔡奎を譯問せしめたが何等の解答を得なかつた。そこで兵部より浙江巡撫に移咨して、探貢船とすれば、眞倭數名の混在すること、衣仗も亦倭物に係ること、官兵の追捕に對し戈を操り反抗せる等の不審あり、海寇が探貢に託言したるものか、琉球各島機に乘じて合謀して罪を海寇に委せるものか、査明酌議のために夷船の首領株たる熊普達等を以て暫く監候せしめ、又禮部に移咨して、蔡奎等をして速に浙路に下向せしめて各犯を詳に認識せしめ、眞倭なれば原議の如く區處し、琉球差遣なれば蔡奎に交付し順帶回國せしめたる上逐一質審せしめ、具奏を俟ち定奪することゝした。翌三十年二月初めには已に蔡奎等杭州に到るを以て、布都二司をも會同して、熊普達等を一々質審せしめたが、前次の勘報と異なく、蔡奎等は探貢に就いては知る所なく蔡奎に附して本國に歸らしめ逐一勘審回奏せしめることゝなつた。蔡奎及び通事梁順等をして、浙江諸官が會同して質審せしめた所に依るに、熊普達は官舍で、その他すべて十五名は琉球人であり、林元は漳州人で看針舵工と稱し、衣仗等は琉球●日本近接する故類似す等といひ、琉球國王咨文は上岸の際失つたと稱し、明の魚船等を劫し殺人を犯した罪は已に物故した黄紙に歸せしめてゐる。通事梁順も衣仗の倭物たるを認め、日本より買來したものであらうといつてゐる。前年中に按察司にて豫め審査したる所と、必しも一致せざる所あり、各犯及び琉使の言の矛盾もあつたが、十五名の琉人たるを認め、林元は福建軍門をして琉球回奏の日まで監候せしめて、他を歸還せしめたのである。（八ノ九年月缺浙江提刑按察司咨文、四ノ四萬曆二九・十一・二二、皇明實錄萬曆二十九年十一月乙未朔）之がため、尙寧冊封の儀は福州に於ての面領或は封使として武臣の派遣等の諸議あつて曲折を經たる後に、漸く給事中洪瞻祖・行人王士楨差遣に決した處であつたが、琉球國より質審の上回奏し、海寇寧息を俟つて行ふといふ事になつた。琉球では翌三十年渡航の毛繼祖に附して、熊普達等十五名の査照釋放を報じ林元の釋放を請うてゐる。（八ノ一一萬曆三二・五・二〇浙江等處提刑按察司咨文）

曩に萬曆七年の封使謝杰の談に、琉球に日本館が有つて群聚數百人、封舟の到るを俟つて市を爲し、出入に利刄を挾んで琉人之を懾れてゐると記してゐるが、同三十四年の封使夏子陽の歸國後の談に「日本近、千人露レ刄而市、琉球行二且折於日本一矣、且使臣入二彼國一、若レ不レ聞焉、其所下以事二天朝一至淺鮮上也、操縱伸縮惟是、諸陪臣與二吾之通事一、表裏爲レ姦、區々兩使臣威、所レ不レ能レ加レ法、所レ不レ能レ禁也、倘異時者再卿レ命涉二滄溟一、其辱國彌甚、君其識レ之」とあつて、琉球に於ける日本の勢力強く、明の威信の衰へたる狀を告げてゐる。（林烴等撰萬曆福州府志卷之二十五兵戎志島夷）翌年謝恩のため王舅毛鳳儀等を遣し、海澄に於ける東西二洋餉稅制に准じ、撫按二院より毎年一二隻船に文引を給し、商販のため往來せしめん事を請うたが、之に對する發の冊封正副使當時の大常寺少卿夏子陽・光祿寺丞王士禎の應へし咨文に「貴國素稱二貪瘠一、既無二物產可一レ通二貿易一、又無二資財可一レ備二積儲一、共所レ患者雖レ在二於貧一、而共所レ特以爲レ安者亦在二於貧一、若浮慕二富國一、議レ欲下通商託二名往來一貴國陰實與二倭夷一爲上レ市、非三但隳レ禁長レ奸將來遺二中國之憂一、竊恐二爭奪啓レ釁殺掠隨一レ之、所謂延レ寇入レ室、亦非二貴國所一レ爲二□保之計一耳、本寺等前在二貴國一、特適倭船亦來貿易、本寺等嚴二示禁絕一不レ許下一人與二倭夷一交易上者、正有レ見二於此一也、貴國豈可下知レ有レ利而不レ知レ有レ害、急二目前一不下レ顧二後患一耶、通商之議斷不レ可レ開、即 貴國前レ此進貢船回、夷官往々夾帶奸□潜販二日本一、藉二口於飄風一者亦不レ可レ不三查□而申二嚴之一也」と述べてゐる。(八ノ一三萬曆三五・十二・一九)

かゝる際に薩軍の琉球來襲が明に傳へられたのである。蓋し明に於ては朝鮮に於ける事例よりも察知し得る如く、日本との交涉が如何樣に進展しても、琉球限りの範圍に止るならば、さ程に關心を深めた譯でない。然しそれが延いて琉明關係に迄及ぶ事は、結局對日本關係の新しき問題となる事を察し、憂惧したのである。福建巡撫丁繼嗣の奏に「以二琉球之弱一不レ足レ患也、而爲三倭所二指授一則足レ患、以二倭之狡一亦不レ足二深患一也、而爲三中國所二交引一則深足レ患」といつてゐる。故に舊例の如く進貢は聽許したが、日本の琉球征討が更に明に對する策略に關係しないか否かといふ事は、彼の最も知らんとした所である。馬良弼等の進貢に先だち、浙江總兵官楊崇業より、かねて倭情を偵探せしめた所を以て「日本以二三千人一入二琉球一執二中山王一遷二其宗器一、三十七八兩年疊遣二貢使一、實懷窺竊、近又用二取對馬島之故智一、以戀二朝鮮一而全羅慶尙四道半雜二倭奴一矣、嘉靖之季海禁大弛、遂有二宋素卿・徐海・曾一本・王直之徒一爲二之禍始一、今又十二倍往時一」といひ、勅して海上訓練を加へ、海外夷使の稽査は撫道をして責任之に當らしめ、朝鮮へも移咨して倭人の全羅慶尙に入るを禁止せしめん事を請うた。(皇明實錄萬曆四十年六月庚午) 次で福建巡撫丁繼嗣は、進貢のため來到せる琉球使に就いて「中山王者、豈共當二處劉之餘囚縲甫釋一、遽忘二倭奴之威一遠慕二中國之義一、不レ待二貢期一增二共方物一、以來王哉、共爲三倭所二指授一明矣」といひ、「至レ若二栢壽陳華等一當責以二入貢之愆期、方物人役之違式一、嚴諭二歸國一」と述べてゐる。(皇明實錄萬曆四十年七月己亥) 皇明世法錄(卷八十)に、海道參政石崑玉等は貢物中に倭産の混在せるを檢出したとあるが、兵部の言に「今四十年琉球入貢者夾二雜倭奴一、不レ服二盤驗一、見二於福建所一レ報」とあり「數十年來倭所二垂涎一者貢耳、故既收二琉球一、復縱二中山王歸國一、以爲二通貢之路一、彼意我必不レ入二倭之貢一而必不レ逆二琉球之貢一」と見える。(皇明實錄萬曆四十年八月丁卯) 明では征繩役後探得せる情報に基き憂慮せる事が、中山王の意外に寛大なる宥免歸國、歸國後早くも貢期にあらざるに進貢謝恩の遣使引續き來渡し、貢物中に倭物の混在せる事實によつて確認せられ、即ち琉球の進貢は倭國の指示假藉するに外ならずとした。兵部の言に、三十七年〇慶長十四年玄蘇等國王源秀忠の命を以て朝鮮に道を借り中國に貢を通ずるを欲し、前後朝鮮に遣使するものは、琉球を收むと相對して「豕長蛇其畔已見」ものであり「數十年來倭所二垂涎一者貢耳」の現れである。倭使多く朝鮮に入れば、釁亂忽ち開け東事の隱憂をなすであらう、三十八年閏三月倭寇寧區朱欄に入り溫州麥園頭を犯してをり、「入二寧區牛欄溫麥園頭等處一、皆中國之姦民、購二倭中之亡賴者一剽二掠海徼一、未下嘗稟二仰其國王一而敢狡焉大擧上也」といふべきであるが、海邊の兵備は衰へ、將兵の宿弊は極つてゐる、故に朝鮮に對しては南鄙を守つて「一以二自强一爲主」、倭使あれば邊臣を境上に待たしめ入境せしめざるを諭し、遼東鎭撫臣に命じ朝鮮に往きて情況を探訪せしめ、然る上に制禦の法を務つしめん事を請うてゐる。海防の條議に關しては、この頃より兵部以下浙閩粤の諸官等議するものが頗る多い。

然るに又この頃より福建漳泉地方を始めとし、日本に往市するもの頗る多く、中には火藥銃鐵等の違禁物を輸出するもの尠くなかつた。日明通商關係の發展に就いては別に詳論する機會もあらうから、茲には述べぬが、之は當時明側にあつては勿論違犯行爲であつて、又釁隙を啓き、禍亂を招く根本なることが論ぜられた。閩人を主とする支那商船の日本貿易發展は、如何樣にしても阻止し難き勢であつたが、例せば萬曆三十八年の福建巡撫陳子貞の海防條議、同四十五年六月の浙江巡撫高擧の奏議、同年八月の兵部の奏議、同四十一年十月の巡按直隸御史薛貞の奏議等皆之を論じてをり、その間に四十年六月には通倭海禁六條が發布されてゐる。日明貿易が、征繩役前後を期として著しく發展してゐることは、明側には偶然ならず又容易ならざる事態と觀ぜられた。皇明實錄萬曆四十年七月己亥の條に「即如㆓該撫〇福建巡撫丁繼嗣所㆒㆑稱、姦民販夫大艇以往、小舸以歸、彼以㆓金錢㆒爲㆑餌、此遂㆓梱載㆒而還、火藥銃鐵豈宜㆓日去㆒、長徭巨艇豈可㆓盡留㆒、久之乘㆓我之舟㆒、操㆓我之器㆒、用㆓我之人㆒、窺㆓我之地㆒、此而不㆑禁、恐近倭之疆爲㆓琉球續㆒也、夫九邊除㆓夷場互市㆒外、即捕獵採木猶然、刻㆑期而往刻㆑期而來、出必禀、入必告、何海防獨不㆑然耶、若令㆓其公然交通㆒而無㆑禁則撫鎭監司下及㆓防海衞所巡簡諸司所職㆒、何事不㆔一過㆓阻之㆒乎、此杜㆓絕釁隙之本㆒、不㆑可㆓亟講者㆒也」とある。

馬良弼及び栢壽等の來貢するに及び、八月の兵部の奏には「閩中貢夷必有㆔倭之梟雄渠魁潛㆓匿其間㆒者、因㆑形知㆑情、因㆑情知㆑事、不測之緘因已在㆑此」といひ、直に福建軍門をして琉球事情に通ずるものを遣つて、中王山歸國如何を探訪し、倭にして國中を制すれば「則閩乃與㆓浙東寧區定海舟山昌國㆒等耳、我之備倭又有㆑處矣」といつてゐる。葉向高の同年十一月十二日の琉球入貢揭の中に「蒙㆑發㆘福建巡撫丁繼嗣一本爲㆓琉球封貢㆒事㆖、此本曾於㆓夏間㆒來奏已經㆓部覆㆒、催請兩次、擬㆑上俱未㆑蒙㆑發」といへる來奏は、六月の條に一部の要旨を引けるものを含むものであらう。向高は右の掲にて「臣聞琉球已爲ニ倭奴所一レ併、其來貢者半係ニ倭人一、共所レ貢盔甲等亦係ニ倭物一、蓋欲ニ假レ此爲一レ窺ニ伺中國一之謀心甚叵レ測」といひ、又閩の日本亡命客郭安國が寄せる書に、入犯の期を暗に示してをり、その檄書ともに狂悖の語多く巡撫敢へて上聞せざるも向高に抄して送れるを述べ、東南事態甚だ憂慮すべく、又「今又來催前疏」即ち福建巡撫より三度の申請あるに拘らず、明旨の發令なく、地方官は行動の憑むべきものなく、夷使羈留日久して內地の虛實を窺ひ「且將下謂ニ朝廷百事遲延一奏請不上レ報、益長ニ其驕慢之心一、而速ニ其猖狂之擧一矣、今北虜未レ寧四川又在レ告レ急、加以東南再有ニ倭警一、轉レ餉募レ兵、將大騷動、而又在在空虛、束レ手無レ措、何以應レ之」とて速に批發を賜らん事を請うてゐる。蒼霞草綸扉奏草卷之十七、皇明實錄萬曆四十年十一月壬寅 郭安國は南島志、卷上 にも閩人で薩摩州に流寓して、汾陽氏を稱するはその子孫であると記してゐる。次で十五日福建巡撫丁繼嗣の「琉球情形叵レ測、宜絕ニ之使一云々」の奏に據り覆議して「但彼名爲ニ進貢一、而我遽阻回、則彼得レ爲レ辭、恐非ニ柔遠之體一、請諭ニ彼國一新經ニ殘破一、當厚自繕聚、候ニ十年之後、物力稍充一、然後復修ニ貢職未レ晩、見ニ今貢物一、著ニ巡撫衙門一査、係ニ倭產一者悉携歸國、係下出ニ若國一者上、一姑准收解、其來貢國人照レ舊給賞、即レ便回レ國」といひ、裁可せられ、又同時に海防事宜は地方官憲に命じて嚴重ならしめた。皇明實錄萬曆四十年十一月壬寅 かくて右は福建巡撫に移咨せられ、巡撫より布政司使に移して、翌四十一年五月十三日附の布政司使琉球國宛咨文が馬良弼等に手交せられた。（八ノ十五）更に六月九日附の欽差福建總鎭府の「爲二絶貢代請一事」の咨文が、中山王に宛てられてゐるが、「今兵部回奏、要下差レ官往二貴國一哨二探事情一方定中進貢之期上、若是命下、卽差二官員一前往、哨探回報、果無二倭情一、依如二照レ常三年之例一進貢、爾等無レ得二憂慮一、別爲二牒咨一云々」といつてゐるが、卽ち前述兵部の要請に基くものである。（八ノ十六）

1　東亞論叢四輯・拙稿明代漳泉人の海外通商發展

2　王天福は福建興化府甫田人、少時に被虜となり久しく日本に住居せるものといふ。

3　中世南島通交貿易史の研究、第一篇第六章、第七章及び三四六—三四七頁

第二章　兩國關係の疏隔

第一節　琉球遣船の狀態

萬曆四十年（〇慶長十七年）より四十四年（〇元和二年）の村山等安の臺灣遠征に至る頃までは、明の日本に對する疑惑、所謂對日感情ともいふべきものゝ頗る惡化した時期であり、琉球に對しても同じ角度から警戒を忘らなかつたのである。然るにその後は明側の態度は漸次稍々緩和し、日本の求むる所は唯通交通商にあつて平和的なるものとする點に於て、或る程度の理解に達

し、特に明商の日本往市は部分的に已むを得ざるものとして黙認するかの如き態度すら持すに至つた。琉球の通交に對する事宜の變化も、之に相應するものあるを認むべきであつて、天啓二年〇元和八年の五年一貢、崇禎七年〇寛永十一年の二年一貢の裁可の如き、その端的なる表現の一である。この時期に於ては、島津氏の琉明貿易利用策は、未だ消極的であつて、寛永八年頃より俄に積極的となつた。

馬良弼即ち名護親方良豊が勅諭を奉じて、歸國せるは、四十一年〇慶長十八年七月である。御令條寫琉球史料三十七に收める年次缺の二月十九日附の町田久幸等より三司官宛の覺に「一名護上路之儀雖二申遣候一從レ唐使船渡揖儀召留候、然者唐にて能存たる者別に申付早々可レ被二差上一事」とあつて、かねて名護歸國の上は薩摩へ上るべきを達示した所であつたが、唐の使船即ち前述の探訪使が同行したので、別人を派遣すべきを命じたのである。然るにこの覺の琉球に屆く以前に、同年暮春の頃に名護は已に上國したので、之は慶長十九年の事である。馬良弼の歸國に先んじ、正議大夫金仕歷等を遣り島士船二隻に駕して進貢せしめた。符文執照は四十一年二月(十一日)給となつてゐる。馬良弼等が十年の後脩貢すべしとある勅諭を齎すや、翌年九月王舅吳鶴齡・長史蔡堅等を遣り「爲開讀顴天電豁欽弄鑑納歲貢以極弧危以釐毒寇事」のため渡航せしめたが、附給の文書・進貢物・赴京の事等すべて正常進貢に該當するものであつた。翌四十三年の福建巡撫袁一驥の奏に「琉球違二四十年題准十年一貢之限一、既以二四十一年一脩貢、復於二去冬十一月一遣貢使蔡堅等來、其所レ進硫磺馬匹已經二多官驗詳一無レ弊、且云下航二海波濤一情上甚可レ憫、但臣敬遵二成命一、勒令二歸國一、又行二司道一量爲二周恤一、以仰二體朝廷柔遠之仁一」とある。（皇明實錄萬曆四十三年三月乙卯）四十一年の脩貢は金仕歷のそれで、四十二年十一月福建に到れる蔡堅等は勿論違式で、此處より回國せしめられたのである。蔡堅等の齎せる尙寧の禮部宛咨文に

豈容二亡命徒萑（郭國安等を指す）孟浪訛□弄誑一搖□□疑、信レ之半而絕二無レ罪□國一、以長□哉、夫蠢彼狡倭、昔破二朝鮮一、今殘琉球□□、若レ無二天朝一也、況該國若二遭レ蹦之日一、我天朝不レ以下急二朝鮮一之故事上而急レ之使乙倭退甲、一舍二避我一、任二其俘一聽二其歸一、殊若レ有レ褻二威德一耳、此則波藩猥瑣所レ不二敢言一也、今不レ得レ不レ言焉、藉令下欲三以絕二日本之狡一而槩絕中琉球之順上、則何以槩二屬國之心一而暢二皇靈一哉、是丸區之向背、伏乞レ決二於今日之拒絕一、○中略 拒レ之不レ爲二是驅レ順就レ逆而且有一レ虧二懷柔重典一、納レ之不レ爲三是興レ滅繼レ絕而且增二重　威福一、○中略 儻拒レ琉防レ倭、慮之近、謀之深而淺也、○中略 夫海外不□、由二之偵探一而得二其緒要之故一、由二詳察一而得二其端一也、從二不信偵影之報一、似レ若レ有レ傷二於任人之政一、設若三偏憑二偵報一爲三實恐罪二不當辜之國一、且琉球稱レ藩襲二蒙天朝貳百餘年卵翼之恩一、敢一日損二稟

事ー、○中略　夫□住ニ倭區ー之輩、大幾似レ忠、大詭似レ信□□爲レ奸、内外簸弄往來搆竄進退僞レ生、險不レ可レ測、弊最難レ防、朝鮮之昔日實由ニ此輩之炎ー、琉球之今日誠出ニ此輩之禍ー

といつてゐる。（一八ノ九萬暦四二・九・二四）

爾後、十年一貢の勅諭を受けたる萬暦四十年より十年目に當る天啓元年（○萬暦四十九年）まで、正常の進貢船は行はれなかつたのである。然しこの間にも種々なる名目で、遣船があつた。萬暦四十四年（○元和二年）都通事蔡廛等を遣り土小船一隻に駕し、布政使司宛咨文を齎し「爲レ報ニ倭情ー事」に渡航せしめた。之は村山氏の臺灣遠征に關する事で、後に觸説する。撫院より蔡廛以下に賞給あつた。（八ノ一七萬暦四四・六・二二　三二ノ二〇萬暦四四・二・一八）翌年王舅毛繼祖●正議大夫蔡堅等をして「爲下懇恩轉疏啓呈ニ聖聽ー俯察ニ藩情ー鑑中照顧尼等上事」に、疏章一通咨文伍道を齎し、一船に駕來派遣する事となつた。右の疏咨は傳はらぬが、納貢を請うたもので、巡撫より轉奏し、禮部の移咨に「計今陸年、尚未レ及レ期、復欲レ修レ貢、明旨照然、詎敢悖逆ー」とあり、毛繼祖等は舊に照して賞齎餼廩あつた。四十六年中に歸國の途に就いたやうであるが、逆風のため破船して、信書貨物沈沒し、四十七年四月五虎遊把總陳文爀より之を報告したので、改めて布政使司より五月に咨文を給してゐる。（八ノ一八萬暦四七・五・三）琉球では毛繼祖等二年を經るも回還しないので、是歳春、都通事陳華等を福建へ遣つて探訪せしめた。（三二ノ二二萬暦四七・二・一二）毛繼祖等は五月中遲くも六月中には

歸國したやうで、薩摩の御物銀三十貫の購入絲は同年〇元和五年秋には上納されてゐる。御令條寫元和五年未九月廿三日比志嶋國貞等發 貨物が沈沒したといふから、該生絲は或は琉球側の代償にて納められたのかも知れぬ。

天啓元年卽ち元和七年は萬曆四十年より十年目に相當する。元和六年五月喜入忠政等の三司官宛覺に「最前唐より如ニ約諾一來年十ケ年に相當候間、舟可レ被ニ差渡一事」といひ、使者として池城主卽ち毛鳳儀たるべきを指定してゐる。御令條寫 偶々元和六年九月尙寧薨去したので、翌年秋世子尙豐の名を以て、王舅毛鳳儀・正議大夫蔡堅を遣つて、父王の棄世を告げて、進貢せしめた。禮部及び提刑按察使司宛の咨文に「玆臨ニ拾年殼一、合レ叩ニ九天閽一、是用恭脩ニ歲貢一來賓、故知ニ我 朝廷立レ信不レ移必無ニ却拒之憂一」とある。一八ノ一〇萬曆四九・八・二一、四ノ五天啓三・三・六 而して毛鳳儀等の實際渡航したるは、翌元和八年春であつたやうである。その翌年卽ち明の天啓三年三月禮部議して、琉球貢禮を請へるも、暫く五年一貢と定め、國王冊封を待ちて、別に議すべきことを奏請し、裁可を得て琉球國へ移咨した。皇明實錄天啓三年三月丁巳、四ノ五天啓三・三・六 同年春に琉球から王舅馬勝連等を遣つて熹宗の登極を慶賀せしめ、三二ノ二三天啓三・一・一八 別に神宗・光宗進香の使者英梓等が派遣せられてゐる。三二ノ二二、八ノ二一、天啓五・六・二二 同年七月二十六日附布政使司の咨文に、熹宗登極大婚の詔書を齎し、福州中衞指揮同知蕭崇基を琉球へ派遣する旨が見える。八ノ一〇 泰昌登極詔は天啓即位詔と俱に、齎されたものであらう。一六二一 一六二二 蕭崇基は、恐らく毛鳳儀又は馬勝連の乘船に便駕したるらしく、その琉球に到着せるは、翌四年〇寛永元年秋の頃らしい。毛鳳儀遣使の結果は直に薩摩へ報ぜられた。寛永二年三月島津久慶等の三司官宛の覺に「唐之通融思召儘被レ成目出度候事」といへるは、五年一貢の裁可と、五年の後二年一貢に復さるべき期待とを示すものであらう。御令條寫

寛永二年〇天啓五年三月九日附の覺で、島津方より唐之通融思召儘被成目出度候事といへるは、五年一貢聽許の報告をうけた結果であらう。蕭崇基が恐らく進貢船二隻の内に便駕したので、この後正常の進貢船は天啓六年●崇禎三年●同七年で崇禎七年には二年一貢が許されてゐる。然るに正議大夫鄭俊等の進貢船に附した天啓三年閏十月十六日給の符文があるが、この進貢は如何なる意味であらうか。天啓五年（二月十九日）給の福建巡視宛の琉球國王咨文に「爲此天啓二年二月内專遣二長史●正議大夫●使者●通事等官毛鳳儀●蔡堅等一前來進貢并行奏レ襲二封王爵一等因、奉蒙收□進行外、原遣投毛鳳儀蔡堅等奉差 從未レ及二廻還一」とあり、之を以て旁ら再び進貢せしめたものであらうと思ふ。而して之には是歲俄かに增大した島津氏御物銀による生絲購入の使命があつたやうである。正常の進貢は次表の如くである。

給日付	勘合	船数	王舅	正議大夫	長史	使者	(都)通事	文書
天啓六・二・九	仁一三			蔡延		馬加美	鄭藩献	符文
崇禎三・一・一九	仁二一 二二			鄭俊		馬如麟	梁廷器	符文・執照
同 七・九・一一	仁三六 三七			蔡錦		毛紹賢	梁廷器	符文・執照

備考　役員は赴京者を記した。勘合二通は一は赴京の（都）都事に一は在留在船通事に附したのであり、前者には符文後者に執照が給付される。

皇明實錄天啓六年八月壬戌、十二月辛巳の各條に見ゆる世子尚豐進貢に關する記事は、蔡延等のものに係る。而もこの間連歳種々の名目の許に、遣船絶えず、歳に二三回に及ぶことも尠くなかつた。即ち次の如くである。

文書日付	勘合	船数	王舅	正議大夫	長史	使者	人員数	遣船の要目
天啓五・二・一九	仁一一	一		蔡廛			七九	請封・謝恩(1)
同		一				金應元		開讀(2)
七・九・二五		一カ			林國用			請封
七・二・二三		一カ				都通事 陳華		公務(3)
崇禎二・一・二九	仁一七 一八		毛泰時					慶賀登極(4)
三・一〇・一〇	仁二三 二四			蔡廛			八八	請封迎接(5)

四・三・六	二五 二六		毛時耀				一〇九	慶賀東宮(6)
四・一〇・一一	二八	一		蔡延			八三	請封迎接
五・二・一六	二九	一				都通事鄭萬獻	七四	請封迎接
五・九・一七	三〇	一		林國用			一〇四	請封迎接
六・二・四	三一	一				都通事金應元	八〇	請封迎接
六・一〇・一五	三二	一	吳鶴齡					謝恩(7)

(1) 泰昌元年太平山船中山に納貢の歸途、廣東瓊雷二州界に漂到せるを、天啓二年進貢使者馬世祿等に附し回還せしめたるに對するもの。一八ノ一三・一六

(2) 蕭崇基の齎せる勅諭を、寛永元年九月王城に奉迎開讀し、別船を遣り護送した。一八ノ一二・一五　蕭崇基及び進貢使等の乘船二隻は北方に流され、崇基の乘船は六月二日北山地方の港澳に入り、他一船は破船したらしい。一八　一八

(3) 天啓五年遺船中に英梓等坐駕の一船のみ歸り、一隻歸回せざるを以て探訪せしもの。一八ノ二七　三二ノ二五

(4) 毅宗登極の詔書を齎し崇禎元年夏福州左衞指揮閔邦基加來航し、琉球より翌年春都通事鄭子廉等をして護送せしめたが「向導奉詔原船」とあつて、福建より便船を仕立てゝ來たらしい。三三ノ一

(5) 已に正使戶科給事中杜三策・副使行人司正楊欽差の決定があつたので、迎接護御のため都通事陳華以下二十五名を派遣し、仁字第二十四號半印勘合の熱照を給付したが、之は蔡廛の船に便搭したのである

(6) 請封使林國用が崇禎三年夏皇子誕生冊立東宮の詔書を齎し歸國した。(九ノ二)

(7) 崇禎六年六月、冊封使到着、七月一日諭祭先王、四月二十二日封王儀行はれたので、之に對する謝恩である。封舟と倶に十一月七日閩縣南臺に着した。(九ノ一六) 従つて、以後中山王尚豐の名で、遣船が行はれてゐる。

I この覺が慶長十九年のものたるは、「名護上路之儀雖二申遣候一」といへるは、舊記増補・御令條寫に収むる慶長十八年六月一日附の比志嶋國貞等の覺を指し、又同書中に「舊冬中申下候質人急度可レ被二差越一事」とあるは、慶長十八年季秋十五日附家久の書狀にいへる所を指すによつても明かである。

南浦文集中卷咨琉球國王書に「名護爲二遣使一上國、審聞二國王之操履輕安一、甚以爲レ快矣、且復去歲小春初六華翰、至二於今歲暮春之初一、落二予手一矣云々」とあるは、もとより慶長十九年二月十九日以後の起草にかゝるものとすべきである。然るに南聘紀考(人巻)・沖繩志(四巻)等は、皆之を慶長十八年のものとなし、從つて馬良弼の明より歸國せるは同十七年(○萬暦四十年)中の事となるのである。暫く前掲覺の内容の明示する所を考慮の外に措くも、十七年中の歸國とすれば、王舅として進貢の責任者たるものが、十年一貢に關する勅書も、四十二年五・六月の布政使司の咨文等も自ら齎さなかつた事とならう。

然し馬良弼が歸國するや、翌年三月頃彼自らの薩摩上着に先んじ、明の勅書咨文の旨は報告されたらしく、前掲の覺にも「名護渡唐之刻、日本人召烈候由、從レ唐之書物ニ在之儀如何之事」と見える。

第二節　公貿易の變遷

進貢船に搭載献進する進貢物は、尙永以來の例の如く、馬四匹・硫黃一萬斤であつた。萬曆三十七・八年の進貢は特殊の場合で、硫黃二千斤及び四千斤を積んでゐる。その他に萬曆四十七年の探訪のための遣船に硫黃四百斤、天啓七年の同じく探訪のための遣船に二千斤を、便宜或は後年の進貢の豫備と稱して積んでゐる。進貢附搭物は夏布二百匹で之も舊例と異ならぬ。進貢物に對する頒賜物、使臣賜與物及び附搭給價絹二十五疋の事も舊例の如くであつた。

次に前著「中世南島通交貿易史の研究」に於て、特殊進貢として記せる(一)封王諭祭先王の謝恩進貢(二)明帝登極の慶賀進貢(三)立太子の慶賀進貢(四)その他の慶賀謝恩進貢に該當するものに就き見よう。同書中にて考述したる如く一年に兩貢以上、一年一貢の時代は勿論二年一貢時代に於ても、正常の進貢船中に前述の如き慶賀謝恩のための表箋文・咨文等及び進貢物を搭載するので、進貢船外に特別にかゝる船を隨時に發遣した例は尠ないのである。二八七頁故に慶賀進貢謝恩進貢と稱すべきであつたが、この時代には進貢船は十年次で五年に一度となつたから、慶賀謝恩のためには、別に船を派遣することを必要としたのである。

(一) 封王諭祭の謝恩

	萬曆三四(尚寧)	崇禎六(尚豐)
金靶鞘腰刀	二	二
銀靶鞘腰刀	二	二
黑漆靶鞘鍍金銅結束腰刀	二〇	二〇
紅漆靶鞘鍍金銅結束衮刀	一〇	一〇
黑漆靶鞘鍍金銅結束鎗	一〇	一〇
絲線穿鐵甲	一	二
鍍金護手護膝	各全	各全
鐵盔	一	一
黑漆貼金花鑲銀馬鞍	一	
黑漆洒金馬鞍		一
轡頭踩蹬前後靠軸	各項件全	各項件全
金彩畫屏風	二對	二對
金面扇(貼金銀面扇)	一〇〇	一〇〇
銀面扇(貼片銀面扇)	二〇〇	二〇〇

水墨書扇(素倭扇)	二〇〇	二〇〇
紅銅	五〇〇斤	五〇〇斤
土絲綿	二〇〇斤	二〇〇斤
紅花	五〇〇斤	
胡椒		五〇〇斤
土苧布	一〇〇匹	一〇〇匹
蘇木	三〇〇〇斤	
芭蕉布		二〇〇匹

(二) 明帝登極の慶賀

	萬曆二(神宗)	天啓三(熹宗)	崇禎二(毅宗)
全光金鞘金起沙魚皮紋腰靶刀	二	二	二
金結束洒金龍紋鞘金起沙魚皮紋靶腰刀	二		
全光銀鞘銀起沙魚皮靶腰刀		二	二
鍍金銅結束紅漆沙魚皮靶腰刀	二〇		
鍍金銅結束紅漆靶鞘袞刀	二〇		
金酒梅(金罐)	一(六六・八兩)	一(六六・八八)	一(六六・六八)

銀酒海(銀罐)	一(五〇・六)	一(五〇・六)	一(五〇・六)
蘇木	八〇〇斤	一〇〇〇	一〇〇〇
正細嫩土蕉布		一〇〇匹	一〇〇
漂白細嫩土苧布		一〇〇匹	一〇〇
泥金彩畫帷屏		一對	一
滿面泥金扇		五〇	五〇
滿面泥銀扇		五〇	五〇
紅花		一〇〇斤	一〇〇
胡椒		二〇〇斤	二〇〇
	(以上皇帝)		
金粉匣	一對(七・九兩)	一(七・四六)	一(七・四六)
銀粉匣	一對(七・六)	一(七・二一)	一(七・二一)
兩面泥金扇(滿面泥金扇)	二〇	二〇	二〇
貼片金扇(滿面泥銀扇)	六〇	二〇	二〇
細嫩漂白土夏布	二〇		
細嫩生土夏布	二〇		

細嫩(漂白)土苧布	二〇	二〇
細嫩(漂白)土蕉布	二〇	二〇
蘇　木	六〇〇斤	

(以上中宮)

(三) 立太子の慶賀

	萬曆三〇(光宗)	崇禎四(慈烺)
全光金靶腰刀	二	
金結束紅漆鞘金起沙魚皮靶腰刀	二	
全光銀靶鞘腰刀	二	
銀結束紅漆鞘靶銀起沙魚皮腰刀	二	
鍍金銅結束紅漆鞘靶腰刀		二
鍍金銅結束黑漆鞘靶腰刀		二
鍍金銅結束黑漆貼金鞘黑漆靶袞刀		四
鍍金銅結束黑漆貼金鞘黑漆靶鎗		六
細嫩蕉布(練光蕉布)	二〇 二〇	二〇
黃土夏布	二〇〇	

紅　花　・二〇〇
鍍穿鐵甲　二
盔　仝
水濮畫土扇　二〇〇
兩面滿金扇　一〇〇
兩面滿銀扇　一〇〇
金描畫帷屏　一對

萬曆以前の慶賀には、皇帝東宮の進献を分けてゐる。・を附せるは皇帝に對する進献。

以上の他に、萬曆四十年の進貢謝恩に馬良弼を遣し、進貢と同時に、續修貢の勅諭に對する謝恩を兼ねてゐる。從つて常例進貢物たる馬四疋硫黃一萬斤を積みたる他に次の諸品を献進してゐる。但、馬・硫黃の進貢物以外は、還付せられた。

直金沙魚皮靶直金結束黑漆鞘腰刀　二
直銀沙魚皮靶直銀結束黑漆鞘腰刀　二
沙魚皮靶鍍金銅結束黑漆鞘腰刀　二〇
鍍金銅結束黑漆鞘紅漆柄袞刀　一〇
鍍金銅結束黑漆鞘紅漆柄鎗　一〇

扎線結黑角甲 二領
鐵　盔 二頂
護面胸掩手套護腿 全
陸幅眞金描圍屛 一對

次に天啓五年太平山漂流民の囘還謝恩として、次のものを献進してゐる。

金結束金起沙魚皮紋靶金鑲全鞘腰刀 二
銀結束銀起沙魚皮紋靶銀鑲全鞘腰刀 二
鍍金銅結束紅漆鞘絲線纏靶　腰刀 一〇
鍍金銅結束紅漆鞘袞刀 六
鍍金銅結束紅漆鞘貼金柄鎗 六
貼麗金銀山水柄畫松雉牡丹等花景帷屛 一對
漂白嫩苧布 五〇
練光嫩蕉布 五〇

慶賀謝恩の進献に就いていへば、尠くとも尙永或は尙寧の前半世に比して、大なる變化を認め得ない。即ち進貢の疎曠であつた時代では、慶賀謝恩の儀は舊例の如くに行はれたものといひ得よう。明より冊封の際は皮弁冠服以下の頒賜あつた點も同様であつて、その他常例外の頒賜物件も具體的に擧示し得ないが、やはり前代と差なきものと思はれる。既述の如く慶賀謝恩は、多く進貢とは別途に行はれてゐるから、その遣船には正常進貢物たる馬硫黃は積まぬが、附搭の土夏布二百匹を齎すことは一般であつたやうで、之に對し例に依り絹二十五匹の給價があつた。

寛永十年吳鶴齡をやり進貢物馬六匹を十匹に、硫黃一萬斤を二萬斤に增加し、螺殼三千箇を添へんことを請うて、翌年聽許された。

寛永十一年五月幕府は長崎にて武具の海外輸出を禁制してゐるが、島原亂の直後同十四年（〇崇禎十年）十一月島津久元等の三司官宛覺に於て「異國江日本之武具彌被遣間敷事」を令達してゐる。主として慶賀謝恩の際琉球より腰刀鎗等の武具を明帝等へ進獻する件も、この禁令に抵觸する次第であるが、それは翌十五年三月の同じく久元等の三司官宛覺に明瞭に禁止してゐる。「進貢船謝恩渡唐之時、日本之武具相渡間敷事」とある。（御令條寫、但しこの當時は二年一貢制となり、謝恩といふも進貢船に附帶さるゝが普通となる）寛永十六年四月幕府の諮問に薩州側より伊勢貞昌の應答せる「從二琉球一渡唐之進貢船積荷之覺」に據るに

一唐ニ而買物之代者、銀子一色積候而渡申候事、付おくの積物者唐ニ而琉球之遣物に成由申候事

とある。銀子一色を齎し買物するといふは、予の所謂私貿易に當り、後段にも詳說する所であり、琉球の遺物として列記せる次の如き諸色は、進貢・慶賀謝恩等の進物に充てられた譯である。

芭蕉布　上布　眞苧白布　金銀之扇なみの扇　筆　かめの甲　小刀　かへおのふし　燒酒
雲丹の鹽から　しよくの鹽から　ふくわやう　木くらけ　紙摺貝　ほらの貝　干鮹　ゑらふうなき　鹽漬ふく　つのまたのり　硫黃　やく貝のから　綿　馬の尾　銅　鞍一口　金之屛風二双　馬十疋

次に「右之外前々者渡り候へ共于今者御法度之故相留候物之分」として、

太刀　長刀　鎚　添さし　絲おとしの腹卷一領同甲

の諸色をあげて「右之五色は近年相留申候」と記してゐる。（御令條寫）

かくの如く進貢或は慶賀謝恩乃至は附搭物を以てする交易關係は、之を前代の末期に對比するも、進貢の疎曠であるだけに全般的に見て低調なることが感ぜられる。されど公貿易にあらずして、銀を主體とする私載物の貿易の發展こそ、近世琉明貿易の基幹をなすものといへる。明に於ても廣東の商舶抽稅貿市の公許、福建海澄の東西兩洋開禁と餉稅制度の例に見る如く後半期に及んで徐々に、琉球貿易に對する制度の改變が行はれて來た。卽ち本來私載物交易の禁止、若くは制限に對する改變であつて、之に就いては拙著三二二頁以下を參照されん事を望む。

銀を主とする私貨夾帶と私貿易の發展を論ずるには、薩琉關係が前提として來るのである。

第三節　島津氏の琉明貿易利用―私貿易の相貌

尙寧以下薩摩滯在中に、慶長十六年辛亥九月十九日樺山久高等の連署を以て、琉球に關する掟を出してゐるが、第一條に「薩摩御下知之外、唐ゑ誂物可レ被ニ停止ー之事」とあるのが、直接明貿易の規定である。（薩藩舊記後集三十一、御令條寫）　翌十七年三月廿二日町田久幸等の三司官宛掟に「從ニ琉球表ー渡唐船之時、銀子相隱指遣者於レ有レ之者、其地之者は不レ及レ申日本人之事茂能々被レ遂ニ糺明ー此へ可レ被ニ申越ー之事」とあり、同月廿三日同じく久幸等の掟に「渡唐舟之時、船頭幷加子ニ熟談いたし、私之差荷可レ爲ニ停止ー之事」とある。（御令條寫）

慶長十八年六月の御掟之條々に「從ニ琉球ー渡唐之船春者二月下旬、秋者九月中旬に可レ被ニ出船ー候、又歸帆之時者、可レ爲ニ五月下旬ー候、若右之時節於ニ相違ー者、可レ致ニ闕所ー候、爲ニ其奉行ー、可レ被ニ差遣ー候事」とあり、（舊記三十一御令條寫）　同年九月十五日の家久判の覺に「每年渡唐之時分相違、故海路不レ易由候間、自レ今以後者以ニ番賦ー船頭被ニ相定ー、若時分はつれに渡唐又仕候者、其科可ニ相懸一事」とある。（舊記三十一・御令條寫）以上は征繩役直後の島津氏の琉明交渉統制の一班である。

慶長十八年（〇萬暦四十一年）七月頃に馬良弼歸國するや、十年一貢等の新儀の件は、直に薩摩へ報告せられ、翌年三月頃には馬良弼自ら來使してゐる。十九年冬呉鶴齡（國頭親方朝致）は修貢舊例の如くならんことを奏請するため渡航したが、翌年六月歸國した。慶長二十年二月六日附の阿多氏等の三司官宛の覺に「唐船參候者則早船を以早々可レ被ニ仰上一之事」とあるは、呉鶴齡の奏請の結果報告を促したものであらう。（御令條寫）三月廿一日附家久の尚寧宛の書翰に「次國上以ニ渡唐一、大明與ニ球國一能熟之才覺在之由、尤肝要之到也、國上歸帆之節、早速注進所ニ相待一也」とあり、薩藩舊記增補に元和二年の朱記があるが、慶長二十年（〇元和元年）とすべきである。元和二年の朱記ある六月十五日附の尚寧の覺に、島津氏の提示せる條々に疎意なきを述べてゐるがその一條に「大明と琉球商船、往還純熟之調達、彌可レ被ニ入精一事」とある。（薩藩舊記雜編二）翌年冬王舅毛繼祖を遣り、修貢の件を請はしめたが、その效なかつた。元和六年薩摩より明年は十年目に相當するを以て進貢し、特に使者池城なるべきを指令した。池城卽ち毛鳳儀は元和八年春渡航し、寛永元年歸國するや、五年一貢の裁可を薩摩に報じ、薩摩よりも祝詞を琉球へ通ぜる事は前に述べた如くである。

慶長十九年二月の町田久幸等の覺に、唐よりの使船渡揖のため、曩に上路を命じた名護を琉球に召留むべきを達してをり、使船といふは兵部の指令で發遣された採訪船なるべきを前に述べた。然るに翌年夏頃に明船の琉球渡航の風聞が薩摩へ聞えたやうである。同年二月六日の阿多氏等の三司官宛覺に

一、當夏唐船其地江於二着岸一者、御物諸侍之銀子を以商買可レ被二仰付一之事

一、唐船參着於レ無レ之者、銀子御用之時、任二墨付一念入可レ被二差上一事

とある。然し當時明よりの來航は遂になかつたやうだ。

蕭崇基が熹宗登極大婚の詔書等を齎して琉球に着せるは寛永元年秋の頃である。翌二年八月家久より尚豐に宛てた書翰に「從レ唐使被二差渡一之由、其聞候、如何樣之珍儀共御座候哉、爲レ可二承合一使申付候、日本人於二出入一當時用捨入儀候者、可レ致二其心得一候由、申聞候」とある。（舊記增補六） この頃琉球では明使來渡の際に備へて、薩藩の直領となれる大嶋等五島は、明の覺としても、又明使風波のため五島內に着津せる場合飯米野菜薪等を用意具供し、那覇參着の場合も役儀勤仕する例は明使の存知せる所でもあつて、一時なりとも五嶋を琉球に歸屬さるゝを欲するが、それが不可能事なれば、明使渡來の際に前述の如き用意達するやうに、五島役人に仰付けられたき旨を請うてをり、又明使來到の際には多額の銀の準備を必要とす

るが故に、當時の例たる毎年一匁出銀の優免を乞うたのである。寛永三年十月島津久元等より三司官に宛てた覺に、一時的にも五島歸屬の件は許容なく、明船渡來の節飯米等提供の件は下命すべしといひ、一匁出銀優免の件も聽納なく、前寛永二年出銀一匁の五分を免ぜるは合力分であると述べてゐる。（舊記增補六御令條寫）

島津氏の琉明貿易利用は、主として御物銀の出資によつて行はれた。慶長十八年六月の比志嶋國貞等の覺に「小唐船失銀に付、生絲被ㇾ差上ㇾ候、兩奉行被ㇾ受取置ㇾ候事」とあるは、御物銀の手交あり、その亡失に對し、相當の生絲を琉球側より辨償したやうである。小唐船は慶長十五年秋冬に蔡堅の渡航した際の二船の內の一船を指すのであらうか。而して十八年六月には銀十貫銅一萬斤を交付してをり、（舊琉球藩評定所書類、御令條寫、鹿兒島縣立圖書館藏舊藩舊記雜錄後集卷十一）同年九月には生絲の代銀は一斤大黑銀にて十匁たるべきを達してゐる。（御令條寫、舊記後集卷十一）一斤十匁の買入値段は、その後も長く島津氏の固執する所であつた。元和三年に毛繼祖の渡航せる際に、義弘方より銀三十貫を交付し、生絲を購入せしめたが、同五年にこの生絲は上納された。是歲、次回の遣船に銅が必要なれば、調達すべきを報じてゐる。（御令條寫、元和五年未九月二十二日比志嶋國貞等覺）同八年には都通事陳華の船の齎せるものかと推察されるが、銀二十貫代の生絲が上納されてゐる。（御令條寫、元和戌十月二十九日宮崎大炊助等覺）同年十月廿五日附喜入忠政等の三司官宛の書狀に

來年唐江被二相渡一御物之銀子百拾貫目、慥被二請取一、於レ唐生絲一斤に付、銀子拾匁宛に被二買取一重而右銀子之以二算用一可レ在二上納一候、各御入魂可レ爲二肝要一候

とあるが、是歳より御物銀による生絲貿易は一段の增加を示した。（御令條寫）十月廿九日附の高崎氏等の覺に「唐江被レ遣候御物銀子之事 付 拾貫目は御跡船可レ被レ遣事」とあるは、恐らく百十貫中の十貫は後送すべきを意味してゐる。翌九年（〇人啓三年）冬異制に屬する進貢船たる鄭俊の船の派遣されたる事情の一半は、玆にあらう。寛永二年春に薩摩へ上納された生絲千斤餘は、恐らく元和八年の御物銀の代物の内であらう。この時琉球より明へ船載する銀子四五十貫以上は不都合なる趣を薩摩へ告げてゐる。（御令條寫寛永二年三月九日覺）然るに是歳十月には御物銀百貫を交付し他に御物銀二十貫を三割利付で貸與してゐる。（御令條寫寛永二年十月朔日島津久元等覺）同五年四月に至り琉球國王より返濟したる銀子三十三貫二百匁但し三割を二割に免じたるは即ち之に當る。（御令條寫辰九月十一日肥後長次郎覺）（寛永五年九月廿一日喜入忠政覺）寛永三年暮には明春の渡航船のために銀子三十貫を送付し、（御令條寫寛永三年十二月十八日島津久元等送狀）同時に馬尾二百斤も輸出用として交付したやうである。（御令條寫辰九月十一日肥後長次郎覺）

以上の時代に於ても、主なる貿易物として生絲が輸入せられた事は明かである。生絲以外に、例せば慶長十九年九月の覺に左の如き諸品を島津氏より求めてゐる。

一、唐にて茶入花入之類念を入所持之事

一、巻物之類御手の様子に相加はりたるを可レ被レ求事
一、木綿之織物之類珍敷を可レ被レ求事
一、かね吹に入候士之事

最後のかね吹に使用の士とは、爐甘石の事であらう。[2] 寛永三年十二月調達を命じた諸品も所謂唐物である。

古緒留幷緒じめ　古き香箱　古き本　古き釜　同花入　掛物　茶わん　古き水さし　茶入　同かたくち　はこの花入　かごのほん　なこくわし入るこの香箱　ついしゆくり／＼　火はし　ふるき硯筆　ふるき硯屏　したようろ手の物つちの物　古き水入筆掛　かなこうろ　つりこうろ　とう　釜のふた　水こぼし　ふた置　肴はち　ふるきさう茶はん　ふるきつひほん　小刀　ゐんろう　かんがん　古袋衣　かゝ付くわしやう　盆山鉢同名　つりふねをしえ幷字　香入　水もらざる衣　矢ぬさゝるかぶと

又翌寛永四年九月五日調進を命じたる計開物件も同じく唐物である。

上好沈香　上好古硯要小的、不要大的　上好奇南香　皮荷包貳梳包要古舊色的　異様香爐　異様香盒要古舊的　插花瓶或古銅或磁器要好的　留衣要不辻留的　上好熟錬精鐵刀箭不能入的　刀開口卽刀掩口要古舊的　奇花種

同じく九月七日に「唐之御誂物之注文」として左の諸品を記してゐる。

上沈香　上々きやら　上々硯但こがたにして如何にもふりたる硯　上々から皮きんちやく　異様之香爐色々　異様之香箱但いろ〳〵如何にもふるきもの　花入但ことふのものせんじのもの　上鐵但刀筒不立地金　刀之つは　日本にめづらしき花種

翌寛永五年二月喜入忠政より三司官宛ての覺も唐物の調進を命じてゐる。

三具足但古銅之花入、同燭臺、同香爐大形小形あまた通り　掛物但古筆　筆架いろ〳〵　香合但金之物せいじいろ〳〵　水入いろ〳〵　花入但金の物せいし大小色々　硯いろ〳〵　水さしいろ〳〵　天目けんさん其外色々　四方盆　天目の臺　茶碗いろ〳〵　三幅一箱之繪　ふたをき但古銅其外色々　二幅一箱之繪　水こぼしいろ〳〵　獅子香爐いろ〳〵　唐ひんいろ〳〵　せいしの盃いろ〳〵　食籠いろ〳〵　同臺いろ〳〵　唐之硯箱　つり香爐　盆山之石　臺子すゝの物之金鉢　うすはた但唐　香箱灰をし　くはんしう　唐之かたみ　唐之小刀　ぶんちん　けさんいろ〳〵　けんひやういろ〳〵　印籠いろ〳〵　鴨之香箱　唐之しよく　茶入之袋に可成きぬ色々

かくの如き唐物は島津氏の調度品であつて、他に轉賣し利を求めた商品ではない。當時の御物銀は生絲の代といふ如く特別指定しない場合が多かつたから、之等の誂物に支拂はれたものもあらう。然しかやうな唐物の價格は概して僅小なものであつたらしい。寛永五年八月忠政より「御成かさり道具之内」として、左記の諸品を「右物數唐江船差渡候はん刻被二買調一

可レ被二差上一候」と三司官に令達してゐる。卽ち寛永七年四月家光及び秀忠家久の邸に臨んだのであるが、その調度裝飾物を調進せしめたものである。

古掛物但古筆　古香合但ろりいろ〱金堆朱くり〱せいし　古花入金の物せいし其外いろ〱　古水さしいろ〱　古四方盆但なし地府鶴は惡し
古ふた置いろ〱　古水こぼしいろ〱　古筆架いろ〱　古水入いろ〱　古硯かはらるりの粋たる硯いろ〱　古
てんもく但大かたいろ〱　同古臺くろぬりくり〱ついしゆ表具之間　古三幅一對之繪　古二幅一對之繪　しゝかうろ胡銅
いろ〱　かも香爐但古胡銅いろ〱　古たうひん胡銅いろ〱　古青磁の盃いろ〱　同古臺いろ〱　古食籠つゐ朱くり〱青貝いろ〱
古硯箱　青磁の鉢但足あり古き物　古つり香爐いろ〱　古臺子黒ぬり古貝之間　すなの物の金鉢但大小　古う
すはこ胡銅之物十之物但大がた　古沈箱くり〱堆朱青貝之箱　古鏡幷古家くや〱堆朱古貝其外いろ〱　けさん鐵玉石之間
古けんひやう青貝石くり〱堆朱之間　古印籠くろ〱堆朱青貝之間　けんざん大形　中火のしよく黒ぬり古貝但古物　茶入之
袋きぬいろ〱　盆山うけの金鉢大小あまた

翌月二日更に先般金城を以て通達せる御成御道具調達のため、本年中に船を明へ渡航せしむべく、當年その事不可能なれば來春の船を以て必ず調達すべきを命じ、代銀五貫を金城に交付したるも不足あれば琉球方にて立替ふべきを命じてゐる。猶又右の諸品中に琉球に在るものは相當の値段にて送るべきを達してゐる。以上御令條寫　その他に光明朱の如き伽羅の如き隨時に上送を命ずる場合あり、何れも常時琉球に於ける輸入を用意せしめたことゝなろう。

當時に於ては琉球輸入の生絲の如きも、多く薩藩の自家の消費のため或は獻進贈答のため備用されたらしく思はれる。實際に上納年額百貫以上に達せるは元和末年以後で、而もかゝる歳は恐らく寧ろ尠かつた。一方に幕府を始め進獻贈答に用ひた生絲卷物類は、記録に見ゆるのみでも相當の額に達してゐる。當時は明船が薩藩領內に通商するものが多く、勿論之等より徵用された唐物は多いが、琉球船の齎す所の所謂琉球口の分も同じく使用されたのである。寬永七年五月の文書に

一、自然琉球え當年船參候はゝ、能ね之卷物二三百端銀御進上物用意可レ仕レ之事

一、白絲二拾丸程、同者琉球口より參絲能御座候間、御成御進上物ニ可レ被レ成ニ御用意一候事

とある如き、この間の事情を示すものであらう。（舊記拾補一二）

如上の期間に於て、明地に於ける銀兩夾等の帶物の私貿易に關する史料は、琉明兩國側共に尠ないやうである。萬曆四十一年二月十一日附の尙寧より福建布政使司宛の咨文に據ると柏壽等が銀千兩餘卽ち十貫以上を盜偸された事が見える。（一八ノ八）それは恐らく同三十九年（〇慶長十六年）十月に尙寧の歸國せるを急報せる際にかゝるものであらう。私貿易のための琉球國王銀或は役者船方等の夾帶した銀が、相當の額に達し、當時に於ては薩藩の御物銀の如きその一部に過ぎなかつたであらう事が、この斷片的一史料により想察し得るのでないかと思ふ。

島津氏の琉明貿易利用は、生絲を大宗とする支那商品の商品的發展、即ち單なる自家消費の如きものに於てゞなく、利潤を目的とする販賣のための輸入といふ事によつて、本質的に飛躍を遂げるのである。琉明貿易統制の積極的態度、大規模な購買が、玆に始まる。それは大體寬永八年卽ち崇禎四年頃を期とするのである。

1　薩藩では元和二年家臣一統より一石に付一匁三分宛の出銀を命じたが、翌年十一月琉球に對しても之に准じて高一石に付出銀八分を命じ米納を許すことにした。以後の出銀は左の如くである。

元和四	〇・八匁	寬永三	一
五	〇・八	五	一
六	一	九	一・五（以後一匁五分とし冠船渡來の節は五分）
寬永元	〇・八	一〇	〇・五（冠船渡來）
二	一（半分優免）	一二	三・五（江戸屋敷炎上）

2　重修本草綱目啓蒙五の玉石部に「爐甘石〇中略泡澤、上品色白く軟にして砕け易し」とある。爐甘石は炭酸亜鉛といはれるが、中世末にも銅の吹立用のため、支那より輸入せられてゐる。鹿苑日録の明叔集嘉靖二十年四月廿七日の條に「予段匹唐衣裳換ニろかんせき六十斤一、蓋吹ニ黄銅一之物也、吾邦昔同匠家外勢州商人要レ之」とある。勢州商人は當時伊勢白粉を商販せる射和の商人である。

第三章　琉明貿易の新展開

第一節　日明關係の推移

琉明通交形態の復舊と私貿易に於ける琉明貿易の發展とは、明側の琉球關係を包攝せる對日態度又は政策の推移が前提となる。

德川幕府は勘合の復興卽ち對明通好を望んで、努力を怠らなかつた。慶長十五年明商周性如駿府に到り、日本沿岸何地に着するも保護を加へて長崎に造り、不義を加へた者を所罰する旨の朱印狀を與へた際に、福建巡撫陳子貞宛の本多忠純の書翰を託したが、それは舊に仍り勘合を請うてゐるのであり、同時に添へた長崎奉行長谷川藤廣の書翰には、通好勘合の事成らば、自ら明地へ使しようと述べてゐる。同十八年に島津家久が家康の旨を受けて、琉球より福建巡撫へ手交せんとした書翰には、(一)日本商船の明各地往易(二)明商船の日本來市(三)遣使の交換を請うてゐるので、之はもとより琉球のなし難き所であつたが、島津氏自身の希望は幕府のそれと一致する所であつた。明商船の日本來市は、當時著しく頻繁となつたが、明國にて公許したものではない。島津氏も幕府の如く大に明船の保護政策を以て、領內誘致を講じつゝあつた。その後も幕府は來朝の明商等を介して、所謂勘合調達を劃策してゐた。

元和元年末に村山等安の臺灣遠征の擧ありとの風聞は廣く傳へられた。琉球では日本との關係から明側の感情の惡化せるを緩和する意味からも、直に都通事蔡等を遣つて福建に之を報告した。その齎せる布政使司宛咨文は傳はらぬが、執照は萬曆四十四年〔元和二年〕二月十八日給となつてゐる。この報を得て福建巡撫黃承玄は、倭雞籠を得て更に東番諸山を占むる事は、八閩一帶の恐威なるべきをいひ、「若夫琉球之告、有下謂二借以相恐嚇一者上、有下謂三假以滋二貢道一者上、又有乙謂下中山不レ能二自專一直狡倭遣以窮中我虛實上者甲、臣不レ能二逆睹一、抑不二深求一、總之倭必不レ能二一日忘一レ我、毋レ問二屬夷之告一也、我必不レ可二一日忘一レ備、毋レ問二倭夷之來不一レ來也」と奏申してゐる。之はもとより等安の部將明石道友の二船が、五月東湧に達せる以前のもので、當時對日警備の最も論ぜられた際であるが、琉球の報告に對しても多く之を疑つてゐる。（皇明經世文編卷之四百五十五黃中丞奏疏、皇明實錄萬曆四十四年六月乙卯）等安の臺灣遠征隊の一部が閩地に到達した事は、明の當局を驚駭せしめた事頗る大であつたが、翌元和三年四月明石道友等董伯起を護送して彼地に渡航するや、臺灣遠征以下の諸項に就いて詰問する所あつた。その結果に關し福建巡撫黃承玄は奏して「閩海多事、正在二戒嚴一、乃有下倭目送二歸挾虜一之報上、其詞頗甘、其來亦似二平有一レ名、惟是狡變詐、原自難レ測、無論表文書詞種々舛謬、且大金料雜之氣未レ遠而款關效順之使突來、果可三遽信二其輸誠一乎、計莫下若爲二撫恤一以昭二綏懷之仁一、仍卽明遣以杜二窺伺之隙一、在レ彼爲レ誠爲レ僞、不レ足二深較一、在レ我保疆固圉自難二暫弛一也」と述べてゐる。明側官司に於でも幕府の求める所は飽くまでも通好通商にあつて、その爲す所にも一定の限界ある事を次第に理解するに至つたやうである。徐光啓の如きもその海防迂說に於て、倭の北朝鮮に求むるも南雞籠淡水を圖るも、貢市の欲求に在る事を縷述し、この要求は倭にあつて必須のものたるを以て南北より求むるを驅除し難く、貢市と入寇とは別事であつて、貢市を許さゝる限り、すべての對日政策は不可能であるといつてゐる。

日本側のあらゆる行動が貢市の欲求に基く事は、明側にても早くより說かれた所であつて、萬曆以後も猶福建の一部泉漳地方にては之に應せんとするものがあつた。四十年八月の兵部の言に「通貢之說有レ之、乃稅使未レ撤時、閩人實誘レ之欲二交通一、稅使於レ閩開市、自レ撤後共謀寢矣」とあるは、稅監高寀の入閩の際にかゝるもので、その稅務を移卒されしは萬曆三十四年である。

凡そ明では由來日本との通商にも二の方面があり、一は明船の日本往市であり、他は日本よりの來市で卽ち貢市である。萬曆四十年前後、明商の日本往市は頗る盛んとなつて、之を禁止するため明當局では百方手段を盡してゐる事は前に述べた。福建の豪賈富商の貢市に對する態度は前述の如くであるが、所謂通倭はもとより希圖する所であり、郷官胥吏は多く之に與同した。禁制は出でゝ益々嚴といへども、通倭の勢は彌々盛んであり、已に防禁の不可能事なる事も諸官の等しく認める所であつた。然し通倭禁絶の不可能事を說ける論者も、所謂貢市を開く事は等しく絶體に反對する所であつた。海防纂要（谷之）に收める福建事宜海禁に「惟私販日本一節、百法難防、不知因其勢而利導之、弛其禁而重其稅、又嚴其勾引之罪、譏其違禁之物、如此則賦歸于國、奸民亦何所利而爲生哉」といひ、「然日本欲求貢市、斷不可許何也、過洋自我而往、貢市自彼而來、自彼而來則必有不測之變、自我而往則操縱在我、而彼且資中國之利、二者固大不侔也」とある。かくの如き日本往市を認容せんとする議論が、縱令明政府の公許にまで到らずとするも、次第に地方官司の寬容なる態度となつて實現されて來た事は、一方に抗阻し能はざる明商發展の大勢の赴く所なると共に、前述の如く幕府の要求は平和的通好通商に在り、而もその行實手段が一定の限界に留るべきを漸く理解し來つた結果に他ならぬ。

元和五年（○西暦四十七年）浙直總兵官が、單鳳翔等を遣して幕府に致したる書に「欽差總鎭浙直地方總兵官中軍都督府僉事王、爲靖盜安邊、以杜商患事、照得丁巳年間、據福建軍門海道申報、貴邦送回中軍官董伯起等情、具表申奏朝廷、乃知、北轅南返、忠臣無故國之悲、去珠復返、壯士沐歸士之慶、甚盛心也、于是海禁從寬、來往商船得以通行」といひ、海寇の日本に逃亡するものあるべきを以て「爲之本府特差標下中軍官、齎文前往將軍樣麾下一投、遞乞レ行ニ令各郡一、將ニ所レ到商船一、逐一查理、及一切經年、流落商人、或賭博棍徒、皆易レ爲レ盜者、悉宜ニ細勘一、俾ニ人贓得レ實卽嚴刑懲治一、庶上伸ニ三尺之王章一、而商利允洽、下杜ニ兩邦之盜患一、而邊疆永靖、益信ニ昔日惠一、歸ニ我人之非一レ虛矣」と記してゐる。（異國日記卷三）已に日本に到る所の商船の查理を乞ふは、尋常商船のあるを容認する所以である。而して單鳳翔の來朝せるは、元和七年頃のやうで、京都に入り、この問道友が嚮導に任じたらしい。前述の如く日本往市が、公許されたのでは勿論ないが、往市禁制に對する閩浙緣海地方に彌漫する寛容なる態度が、一軍官をして如上の書翰を可能ならしめたのである。寛永元年（天啓四年）福建巡撫より長崎代官末次平藏に書を寄せてゐる。その書翰は失はれたが、林羅山の平藏に代つて作れる答書によると、海寇の禁絕を乞うたるもので「甲子歲得ニ軍令牌一而閉讀レ之、所レ云雖ニ一時難一レ通ニ前好一、而向後徐圖ニ效順一」とある。（羅山文集第十二）是幕府の希求する通好を直に容認し難きをいへるものであるが、已に巡撫が書を送るも異數なる事に屬すといふべきである。

第二節　島津氏の琉明貿易利用の積極化

寛永七年冬川上忠通・菱刈重榮琉球下向の事內定して、翌年春忠通先づ渡航して初代の在番奉行となり、次で重榮も渡航した。それは五月九日の伊勢貞昌の書翰に「一從二琉球表一唐へ銀子過分に被二差渡一候儀、近年之御談合ニ而 始而爲二奉行一川上又左衞門被レ遣候處、於二彼地二一段精を入云々」とある如く、琉明貿易擴張のためであつた。

島津藩は已に文祿慶長年間に財政早くも疲弊して、元和二年頃借銀千貫目餘に達し、家臣一統より一石に付一匁三分宛の出銀を命じ以後殆ど連歳出銀の事あり、元和五年には知行の一部を收公したのであるが、財政は惡化するのみであつた。寛永七年藩債七千貫に達したといはれ、同九年八月廿七日附の新納忠清等の攝政金武王子朝貞及び三司官國頭親方朝致・勝連親方良經（馬勝連）宛の覺に「御借銀七千貫餘御座候、琉球口より唐之才覺ならでは御返辨不レ能成一と相究候條、其御分別毛頭御油斷被レ成ましき由云々」といへる如く、その救濟策を琉明貿易に求むるに至つたのである。

琉明貿易擴張の方法として、先づ在番奉行を設置せる事前述の如くである。寛永八年御物銀を扱ふ才府は扶持人に取立つべきを命じ（御令條寫寛永八年辛未閏十月二日島津久元等署）同十年には買物の當事者中律儀のものは、薩藩竝に琉球國王より引立つべきを命じた。（御令條寫寛永十年癸酉八月十日喜入忠政等署）

次に取引上納法についての改正である。寛永八年冬御物銀增加等の交渉のため琉球に下向した新納忠清等の攝政金武王子朝貞等に宛てた壬申（九年）八月廿七日の覺に「數年鹿兒島ニ而 糸かけやう計目おもく候而糸之へり王位様御物糸ニ而被レ成レ辨候、其上此中渡唐船被ニ仕立一遣物從ニ其元一之御失墜ニ而候付、才府官舍之手前よりも糸之かけへり辨候付、身上迷惑に罷成候通承及たる様子細々披露申候事」とある。（舊記増補上六、御令條寫） 是歳に「前々者王位之用に如ニ着荷一御物艮被レ遣、舟々御仕立唐にて之禮艮・加子賃・飯米幷家許え糸積登候入目等まで此中は琉球方之失墜に候」といふ狀態であつたのを「自今已後は從ニ此方一も算用を以可レ被レ遣之由申給候」とある如く改めたといふ。絲目のかけ減りは、餘程避け難い事實であつたらしく、時には不正な意圖の許に雜物の混ずる事態も生じたが、之は薩藩側の嚴に取締る所であつた。寛永九年の改正の件は、明渡航船乃至は絲上納船等の經費の一切は琉球方の負擔であつたのを、以後は薩摩方でも分擔するといふのである。例せば寛永十四年九月廿五日の島津久元等の於琉球御物三司官衆請取拂日錄の拂方の内に

一同（銀子）十四貫四百七十二匁者

右者野村大學助殿在ニ琉球一之時、下知を以、亥之春走船、子之春飛脚船、子秋走船二艘合四艘、如例年御合力分幷御祈念料、右秋走二艘之役者衆え大學助殿下知を以、爲ニ御扶持方一銀百枚被レ拂分

とある如き、それであらう。（御令條寫）

第三には隱匿銀禁止を申明してゐる。琉球國王の貿易銀は勿論容認されてゐるが、商人等が船頭船子に依託せる隱匿銀は從來も禁止した所であるが、寛永九年六月には喜入忠政等より琉球在番の川上忠通に宛て丶、國許の歳々の町人並に七島衆が內密に誂銀を渡すを嚴重に停止すべき旨を三司官に仰渡すべしと述べてゐる。（御令條寫）

第四に琉球よりの遣船の增加を計ることである。寛永八年閏十月島津久元等は三司官に宛て丶、春秋冬三度の渡航而も每年然るべきを說いてゐる。然し遣船增加のためには、古往の如く二年一貢（〇三年兩貢）の制を復するが最も肝要である。同年冬琉球へ渡航せる新納忠清・最上義時は、是歳冠船來渡の說あるを以て八月廿七日攝政・三司官に書を與へて

共元へ當夏冠船着岸候者、勅使ぇ何とそ被レ成ニ才覺一、唐ぇ船數多參候而御借良御返辨候樣ニ隨分可レ被レ入ニ御精一之由、各被レ爲ニ申上一候事

といひ、勅使護送のため王舅國頭親方朝致等渡航して、申請すべき事として

一、三年一度の進貢（〇二年一貢を指す）

一、每歳年頭御禮

一、進貢物馬硫黃の增加（近時馬四匹・硫黃一萬斤なるを增加す）

一、進貢物にやこ貝の殼（螺殼）を添加す

一、萬壽節の慶賀使派遣

を擧げてゐる。進貢物の增加新添といふも、後に實現したる如く遣船の增加を計るためで、右の覺にも「右五ヶ條之內御侘立候得は船餘多差渡儀に能有間敷候、銀子過分に相渡御爲に可ニ能成一との各被レ仰由申上候」とある。而して二年一貢制となれば、更に接貢船を計畫し、每年遣船の可能を說き、冠船歸國の際王舅乘船他一船を送り、封使その不要をいへば一船は來春封使探聞のため派遣し、池城を春宮慶賀のため派遣し、更にその迎船を計畫する等、手段を盡して遣船增加を命じてゐる。

然しながら琉明貿易利用の發展は、御物銀の增大となつて具現するはいふまでもない。寛永八年四月藩は京都にて調達した借入銀五百貫の內百貫を琉球へ送る事とした。同年閏十月の島津久元等の覺に「唐へ年中に御物銀子千貫目も可レ被ニ相渡一談合肝要候」といつてゐる。新納忠淸等琉球へ下向して、多額の銀子の輸出を交涉して、三司官よりも才覺すべき旨を薩摩へ報答した。九年八月喜入忠政より三司官に宛て、右の報答を在府中の家久に申送せる告げ

右御申分一段御爲可レ然樣子に候、無ニ相違一唐え銀子過分に被ニ仰渡一、御借銀返辨不レ調候

得者、惣御國迷惑に罷成候間、琉球之儀も可レ爲二同前一候、畢竟は諸人之知行被二召上一に可二罷成一候、能々分別專一候事

といつてゐる。同月の新納忠淸等の覺には、冊封使護送のために王舅乘船他一船を造り、二船に絲代銀子六百貫目渡すべしとの家久の意向であるが、七百五十貫目程も渡すべしといひ、明にて船を造替し絲を購入すべきを示してゐる。猶當時琉球では國王の銀八十貫程度齎すを希望してゐたといふ。

かくの如き薩藩の畫策が、如何に實現したか。先づ琉明通交の推移を見よう。

1　萬曆以前の封船の琉球に於ける貿易に就いては、拙著二四一頁以下に詳說してゐる。封使の來渡に際して、その接待供億等の煩費は、琉球國力の低下に應じて、萬曆頃には非常なる負擔となつてゐる。二十二年冬護送歸國した指揮史世用は、尚寧の請封の遲るゝ事情を述べて「其年大、爲二世子一、不二敢請封一者、因二昔時封王官武員、跟從五百餘人在レ彼半年食費供給最是浩繁一、又連年爲二隣國所一レ侵、國貧民困、故力不レ能レ請」といつてゐる。（八ノ四萬曆二四、六、X）接待供億等の外、貿易資銀に窮した事は、近世の冠船渡來の際には著しきものがあり、又具體的に搾取されるのである。寬永九年六月、喜入忠政等が在番奉行川上忠通に宛てた書物に「冠船に商買之時商人手前より運上者銀子二分運上たるへき事」といひ、又「琉球之歷々幷町人冠船之可レ致二買物一時、寄合之衆なみに運上王位ェ可レ被二差上一事」とあれば、購入價一兩毎に銀二分の國王への運上を規定したものと見える。（舊記增補一五御令條寫）翌年十月、喜入忠政より在番奉行並に三司官に宛てゝ、冠船積荷中禁止及び薩府進上物たるべきものは、散さゞるやうに買取るべく、又數寄道具あれば平嶋久右衛門口聞

の許に御物として買取るべしといつてゐる。（御志修寫）

第三節　琉球通交の復興

曩に述べたる如く崇禎四年（○寛永八年）以來封冊を請ひ天使を迎接するためと稱し、毎歳二回に及んで船を渡航せしめてゐるが、かくの如きは島津氏の畫策と關聯あるものと見られる。崇禎六年（○寛永十年）冊封諭祭の儀終つて、謝恩並に護送のため同年冬王舅吳鶴齡等を遣した。その齎せる尙豐の奏に、天啓三年旨を奉ずるに、三年兩貢の制は冊封を俟ちて定奪すとあり「伏思臣國之來享最久、愛レ恩最深、卽二三年兩貢猶不レ足、少磬二忠欵之忱一、而況五年伊遠、豈得レ悉二此源來嚮慕之念一、區々愚忠不レ揣二冒昧一、陳請懇乞　皇上俯念蟻誠不レ棄二芹献一、准二依舊例一復二參年兩貢之常期一、復二（か）先代增加之定例一、庶小國恭順、不レ替二祖□一□聖朝恩□長沐世々矣」とある。又同じく福建布政使司に宛てたる咨文に、舊例に依り進貢馬六匹を增して十匹と成し、硫黃一萬斤を增して二萬斤と成し、螺殼三千箇を添へん事を請ひ、かくの如くなれば「但□貢物人馬頗重、裝二載（壹か）□船一、恐難三遠涉二波濤一、須二分爲レ兩、庶免二不測之虞一、乃得二以鵞運而進献一」と述べてゐる。崇禎七年十一月禮部より具題あり、旨を奉じて會典に准照して三年兩貢及び進貢物加進一船の量增を許し水手は百に盈たざらしめた。（○之は貢物數の制限である。拙著二五七―二六一頁）

之を報ぜる禮部の咨文は崇禎七年十一月二十八日附であるが、（四ノ八）その前年は五年一貢の期に當るを以て正議大夫蔡錦等をして、皇帝の萬壽、皇太子の千秋を慶賀し、冬に進貢せしめた。新制による進貢は崇禎九年より始まる。即ち次の如くである。

文書日付	勘合	船數	正議大夫	使者	都通事	人數	
崇禎九・一〇・八	仁四二	一	林國用		金應元	九八	符文ノ勘合仁四一
同	四三	一		支紹哲		九七	
一一・一〇・二〇	四六	一	蔡堅（紫金）	毛繼善	阮士乾	一〇六	同 四五
同	四七	一					
一三・二・二	四九	一	鄭藩獻	金是寶	梁廷器		同 四八
同	五〇	一					
一五・三・七	五二	一	蔡錦	翁鎮	蔡國材	九九	同 五一
同	五三	一				九八	
一七・二・二八	五五	一	金應元	吉時逢	鄭思善	一〇〇	同 五四
同	五六	一				七六	

符文は屢々述べたる如く赴京都通事に給するものであり、二船中の頭號船に赴京者は坐乘するを恒とした。

次に進貢船以外の遣船は次の如くである。

文書日付	勘合	船數	長史	都通事		人數	
崇禎八・二・一九	仁三九	一	鄭藩献			一〇六	謝恩(1) 符文ノ勘合仁三八
同 一一・一・二五	仁四四	一		蔡祚隆		七〇	告探貢船歸國(2)
同 一六・三・一	仁五四	一		王克善		五三	右同(3)

備考 右の内赴京者あるは謝恩船のみで他は隨つて符文は存じない。

(1) 崇禎六年中山に米を納れ歸途海擅地方に漂着した瓶姑山人三十九名を還送されたに對するもの。十九 二一

(2) 崇禎九年の進貢船を遣探したるもの。

(3) 崇禎十五年の進貢船の中で、正議大夫鄭藩献の乘船歸國せずとて、遣探したるものである。

鄭藩献の謝恩船は二月に開洋し悪風に遭ひ、四月六日閩安鎮に到り鎮を過ぎ港に進んだので、閩安鎮巡簡雷正化より福州府署海防事に報告し、署海防事より巡撫沈猶龍に轉報した。巡撫より布政使司へ宛てた批文に「夷國入貢謝恩有二常期一、有二限制一、琉球受封以來兩年之中、夷船凡四至、既謝恩矣〔○吳鶴齡の船〕又曰探聽〔○崇禎七年春鄭子廉を遣り封使の囘朝消息を探問す〕既入貢矣〔○蔡錦の進貢船〕又曰謝恩、今不レ知レ所レ謝二何恩一、須下有二義例一乃敢上聞上、如其不レ可二上聞一決無下私留二閩地一之理上、且中山王既受二皇恩一當レ明二國憲一、此船定未二必是本王所一レ遣、如係二誤遣一亦應下阻回、申中明中國之法上」とて、按都二司兵海二道を會同して査問せしめた。海防館依て、通事曾大正を遣り査明した結果、鄭藩献等は天啓五年太平山夷人水夫事例により方物を裝載京に赴き謝恩せんとす

るもので「今春特遣二長史等官共六員一、伴二稍一百名一、坐二駕海船一隻一、裝二載方物表箋文一前來赴レ京謝レ恩、所帶隨身銀貨常規聽二候按臨盤驗一冊報」と答申してゐる。又海防館の呈報に「蓋緣二中山王初立年少未一、諳故二典一而其臣下利二於中國貿易一轉二販日本一耳、理應二阻回一、不レ待二再計一矣」といひ、舊例貢船は梅花广石間に泊し、館より巡撫に報聞して後入港を許すに拘らず、該船は命を俟たず入港するば「無レ非下利二內港一迫二近省城一可中以與二牙棍一交通上耳」といつてゐる。海防館の呈稱に基き接察使の議も、入貢謝恩俱に常例あるに貢船來泊するは期にあらず、謝恩の事も地方柔遠の常事に係り上聞するに當らず、又防館申報を俟たず內泊するも違法といひ、巡視海道帶管福州兵備道副使の牒に、兩年中に夷船四度到るは、夷夏の防漸く弛み奸人船に附し、通番牙儈之を誘ひ起釁の虞れありといひ、巡視海道兼理邊儲副使の牒には「似レ應下阻以守二祖宗之制一、以存二夷夏之防一、惜二物力一、以二申字小之仁一省二郵傳一、以免二驛騷之累一、杜二奸猾交通之釁一、肇二節陪臣貿易之濫觴一、干國患海防兩中得之一矣」といつてゐる。之等の諸論に准じ巡撫の批を奉じ、布政使司は琉球國に咨して、琉球受封以來兩年四度到り、五年常貢の例合はず（○二年一貢制は崇禎九年よりである）謝恩●探聽の名も多く馴れざる所である、這回の謝恩も上聞するに當らずとて、風を俟ち還國せしむとある。（九ノ一七崇禎九・四・二二）要するに崇禎七八年（○寬永十十一年）の頻繁なる遣船を以て不穩當とし、銀兩夾帶の風あつて通番の牙儈と與同し禍亂を招くを虞れありとしのである。太平山民送還の謝恩使は赴京してゐるが、謝恩船は二年一貢の時代その以前はもとより進貢謝恩として進貢に兼帶せしめるので、繼續して進貢あり、謝恩ありといふ如きは明にあつては、たゞ遣船多きを念とするものと觀じ、その悲く所は貿易の希求にありとしたのであり、明貿易を利して日本に轉販するものある事を明かに指摘した論もあつたのである。曩に蔡錦の進貢船渡航するや福建巡撫奏して「舊年到レ閩夷以レ謝封、至未レ幾而探問一至、修貢一至、至必盤詰而後棲ニ插之一、約ニ束之一、夷所ニ最貪一惟□□絲、於是通事姦牙廣營ニ轉售一師官爲之□、以杜ニ觴濫一勿レ能レ絕也」とあり、更に巡撫より謝恩船來航の顛末を報じ、八月禮部より覆議し、依て勅して二年一次の貢期の嚴守、名を貢に借る遣船の禁止、人數定額の嚴守を命じ、姦牙通事の生端を防制せしめ、旨を禮部より巡撫に移咨し巡撫より布政使司に移行し、同司より翌九年四月琉球へ移咨してゐる。（一九ノ一九）

かくの如くして、二年一貢の復制、進貢物件增加を名とする進貢船の一船添加は、薩藩の企圖する所を實現せるものであり、その他遣船を頻繁ならしめることも亦その畫策の下にあつたのである。

第四節　私貿易―白絲貿易の飛躍

寬永八年以來迎封のためとて、頻りに船を渡航してゐるが、翌九年薩摩に上納せる生絲は、かけ減り多く、鉛を混ぜる事が、京都の絲買に發見せられたといふ。（御令條寫寛永十年癸酉八月十日寄入忠效等覺）即ち當時生絲は上方に取引せられてゐたのである。酉秋・戌春の船卽ち吳鶴齡の謝恩船及び鄭子廉の探聽船は隱投銀百六十二貫に達したといふ。之は主として琉球國王の銀を指すもの〻如く、購入生絲は薩摩へ取引された。（御令條寫於琉球御物三司官衆請拂目錄）崇禎九年（〇寛永十三年）進貢船に附して、琉球三法司より福州府靑天爺々（〇知府）に宛てたる書契によるに、謝恩進貢の經續遣渡せる二船、卽ち吳鶴齡の謝恩船及び蔡錦の進貢船と見做さる〻ものに、附挾したる商賫の內奸人のため銀四、九九八兩を詐取され、之は湖絲を賖買せんとしたもので、絲の量は四、五九四斤に相當し、その査究を請うて、賖得人三十一人の姓名とその銀額を列記してゐる。更に次の崇禎十一年の進貢船に附して同じく三司官より福州府靑天爺に宛てた書翰に「計開、缺銀人等逐ㇾ名具ニ列于後一、此負原銀係ニ是崇禎七年進貢未一ㇾ廻、通事蔡國材九年五月有ニ冊具呈一」として、姓名缺銀を列記してゐる。二書の分を比記すると次の如くである。

姓名	銀	
林　泰	七二一・二五兩（該糸六六三斤）	二七九・〇六
馮　敬	四五四・七八（四一八）	三二七・五六二
梁　迹	四五二・六（四一六）	二〇五・一三
方國泰（達）	一六〇（一四七）	一四四・七五二
何　六	五二〇（四七八）	四九〇・×四
馮　鼎	五二〇・〇八（四七〇、八兩）	三六〇・〇一二
方　春	三二一（二九四）	二二八
馮夏奇	一二四・三六（一一四）	一一三・二四

名		
何曾	一二八・五（一一八）	一二八・四三二
王華	九四・六五（八七）	八七・六四二
鄭八使	一四五・八（一三四）	
江燧	三二・六四（三〇）	二七・七
王仁使	三〇・六七（二八）	二九・九六
曾四使	一三・〇五（一三）	一三・〇五六
曾振	一三・〇五（一二）	一二・八四
梁八使	一・一二（一一）	
張福奇	一（、一五兩）	
何二	一六五・八五（一五二、七兩）	一三七・九〇七
李一使	〇・七九（、一三兩）	〇・八九一
馮季鼎	六九二・五（六三六）	
王三	八〇・〇三（七三）	七一・五四
鄭堅	六六・九（六一、八兩）	六六・九二五
何英	七九・四三（七三）	七九・四三
馮文唐	一二・八五（一一）	一八・三七
蔡清	一五・一五（一三）	一二・八五
夷一	八・〇九（七、七兩）	七・五三
馮應全	五・一二（四、一〇兩）	五・一二
江一使	二・七二（二、八兩）	
曾酉老	〇・六八（、一〇兩）	
何三	九一・五六（八四）	七九・一三六
盧金	〇・五九（、一四兩）	一五・七六

前者の合計四、九九八兩、後者はこの他に張新一一・六五、鄭六使一・一一、馮鼎・梁迹三二〇を加へて紋銀三、八二〇・二兩とある。猶一斤は十六兩である。

之を比較すると、缺銀は同額か若くは後者が少額であつて、それは書翰に記す如く前者は謝恩●進貢二船の缺銀後者は進貢一船のみの缺銀であるかららしい。後者に前者に見えぬ分の存するは、前には「在驛守催夷人指認得銀人等」とあり福州柔遠驛存留員が提出してをり、後者は存留通事蔡國材が更に詳しく具呈してをり、調査書が異つたからであらう。

福建に於ける私貿易は、元來官設の牙行を介して行はれた。（拙著二二頁參照）當の絲貿易は福州で行はれた事は、實際に徵しても明かであるが、清朝に入つて、康熙六年に外國進貢隨帶の貨は自ら夫力を出辦し京城に帶來し貿易を許し、彼處に於いて（○琉球なれば福建）貿易を爲す場合は該地方の督撫提督をして文武官を揀選して之を監督せしむといひ、同九年に外國朝貢はたゞ會同館に在ノて貿易を許し沿途の貿易の例なしと令達したるに對して、尙貞奏して「若使三土產粗物轉ニ運京都一、廣費夫力至難莫大焉、若共湖絲等物只許下在ニ會同館一貿易上、如ニ臣貧國一力不レ能レ及、甚非ニ朝鮮美邦之比一、況敝國土產等物、□在ニ閩□柔遠驛一允レ換ニ湖絲磁器等項ニ□例可レ憑云々」といひ、「懇祈ニ垂惠一、勅レ部再□議、轉ニ行福省督撫兩院一、照レ例循ニ舊例一而湖絲等物、仍在ニ福省柔遠驛一公平交易云々」と陳してゐる。（一四ノ一四康熙九・一〇・一三）牙行の手で、絲貿易も行はれたので、その法は舊來の如く多く賒買である。官設の牙行といつても、この頃には牙行の選委の法は餘程紊亂してゐたらしく、前掲の林泰等の奸惡に就いて、尙豐の咨文に「多無籍棍徒、備レ豸相從、復有ニ臣奸大蠧一、同惡相濟、不レ安ニ生業一、大壞ニ□醇一、句結瓜黨、蔑ニ國法ニ而若レ無ニ嘗充一、牙行攬ニ夷財一爲ニ已有一、依ニ焔勢豪一、開ニ張羽翼一、把ニ持官府一、展ニ作威風ニ云々」といつてゐる。順治十年の尙質の奏文に、「迨レ至ニ晩季一、地棍作レ奸、倚ニ藉郷官一、該ニ立都牙一、評ニ價各色一、音語不レ通、低昂任レ意云々」といへるが、略々その實際であらう。牙行に就いては後段にも述べる。中には盧金の如く柔遠驛の把門官も加入してゐる。寛永十年八月喜入忠政等の三司官竝に在番奉行町田久則等に宛てた覺に、上方よりの借銀百貫を琉球へ送り、また後より二百貫を送るべく、秋中には取合はせ四百貫程下す豫定であるといつてゐる。（舊記增補一七、御令條寫）同年の蔡錦の進貢船以後の遣船の齎せる御物銀等を、寛永十四年九月の於琉球御物三司官衆請取拂目錄によつて次に示す。

寛永十一（崇禎七）秋　進貢船（蔡錦）銀　五五一、九九八匁・四七五

同　十二（同八）春　謝恩船（鄭藩献）銀　三三六、四五八・二

内左右馬銀
一五、三六八・一

木くらげ　一六九斤半

他に琉球借入三司官より渡せる

銀　一五、五〇〇

同　十三（同九）春　飛脚船

銀　一〇〇、〇〇〇

但し　五〇、〇〇〇宛前の二船に交付す

同　十三（同　九）秋　進貢頭號船（林國用）銀　五五〇、〇〇〇
　　　　　　　　　　　　　　　　　内　一〇〇、〇〇〇光久分
　　　　　　　　　　　　　　　　　銅　一五、〇〇〇斤
　　　　　　　　　　　　　　　　　馬の尾　一九八斤
　　　　　　　　二　號　船（支紹胥）銀　四六二、一七二・五七五
　　　　　　　　　　　　　　　　　内　三〇、〇〇〇御南戸（納戸）銀
　　　　　　　　　　　　　　　　　銅　一〇、〇五〇斤
　　　　　　　　　　　　　　　　　馬の尾　二一八斤

註　左右馬銀は當時貿易銀として特に純良であつたソーマ銀Somaであらう。銅の請取方と拂方の總計が一致しない。强ひて一致せしめば、一〇、三五〇斤となる。

蔡錦の進貢船・鄭藩献の謝恩船は、ともに前述の如く銀を騙取され、寛永十三年夏に歸帆した。(10) 十二年八月川上忠通が攝政三司官宛の覺に「當年之絲船歸朝延引無二心元一候」といつてゐるし、十三年正月の島津久元等の覺には「去年絲船無二來着一儀以二早船一可レ在二往進一處、兎角無二其儀一事如何候不レ通候哉、無二心元一候事」と述べてゐる。（御令條寫）右兩船歸國の結果は、「唐船之役者衆買絲之手くたり曲事深重候」とて、之が糺明を命じてゐる。

寛永十三年冬の進貢船は二年一貢舊制復活の第一船で、二船より成り、薩藩の御物銀合計

一千餘貫の他に、銅・馬の尾を積んだが、中山世譜に、大和公銀十萬兩・琉球公銀二萬兩計十二萬兩とあり、琉球國王よりも二百貫を渡したと見える。前引の請取拂目錄に「野村大學助殿在二琉球一之刻、御物銀之內琉球國王借銀被レ成分」とある三十貫は、恐らく國王公銀のための借銀であらう。但し「野村大學助殿在二琉球一之刻、兩唐船役者衆私絲九百七十七斤五十九匁被二買せ一候代銀之內に被二相渡一分、外に銀三百六十五匁三分五厘七毛五弗未二相渡一候」とある銀二十四貫七百十三匁六分は、十三年進貢船役者が從前に私載せる生絲の買上に支拂へるものである。

進貢船の齎せる尙豐の布政使司宛の咨文に「大船遵レ法帶二銀壹萬貳千兩一小船只帶二銀玖千兩一、共成二貳萬壹千兩一、來レ閩買レ貨以滋二國用一」とある。大小進貢船二艘に銀二萬一千を夾帶して交易するを以て、法に遵ずるのであるといふが、この法は大小進貢船を認許したる崇禎七年の新制と見做すべきであらう。之に對する崇禎十年四月巡撫の議に、輸貢の年に一萬兩を過ぐるを得ずとある。布政司署司事の參議に、中山王咨の大小二船の帶銀は憲禁に較するに一萬一千兩多く、之は皆通事奸牙の射利撥引によるとある。巡撫沈猶龍諸官會同の結果を以て、琉球貢使の白絲貿易は現在の分は許可し、將來を禁止し、以後進貢の年、布帛器用のみを許し、白絲を禁ずる旨を以て奏請した。依て翌十一年三月奏して、旣に尙豐湖絲の貿易を乞ひ、勅して十年五月白絲嚴禁の明旨あつたが、奸牙夷使を煽惑して絲商を勾引して取引し、之は明旨頒下の以前の事に屬し、牙商を獲て罪を究め、夷市易せる絲を沒すべしといへども、絲を沒し價を償却せんとするも貴細のもの故困難であり、絲商散じて從追の法なく夷使をして久しく待住せしむるも安內懷外の策にあらざるを以て、撫按會疏の如く現在を許し將來禁ずるを請ひ、勅裁を得た。禮部より巡撫に移咨し、布政使司その批を奉じて五月十日附を以て琉球に移咨してゐる。而して左の批と前後して布政使司に宛てた批に「今原絲壹百柒拾担無ㇾ恙而該夷詭稱ㇾ無ㇾ絲、是我信而夷詐也、是誰敎ㇾ之、除三串誘奸徒別行二緝拿一外、備ㇾ牌行ㇾ司、照二依事理一、査二照原行一、令三夷人速發二回一ㇾ國、再復覩二望播弄本院一、必題二明狡狀一以絕二其貢一云々ㇾ」とて、琉球國に移咨せしめてゐる。九ノ二一崇禎十一・五・一〇、九ノ二二崇禎十一・五・二六　絲百柒拾担の担は後に記す如く千斤に誤用した例もあるが、この場合やはり百斤とすべきであらう。卽ち琉使が白絲一七〇〇〇斤の分を許取された事を主張したやうである。次回の進貢船に附した尙豐より布政使司に宛てた咨文に、王銀三九、八七六兩を騙取された事を記してゐる。

大　　船（頭　號　船）

銀　二六、〇〇〇兩　　何榮　梁迹　馮光　蔡滿

五〇〇　馮李鼎

一、五〇〇　馮敬

一〇〇　馮文塘

五〇　盧金章　馮李鼎　陳善長

二〇〇　張朝　馮應全　張紹　鄭鑑　張福

一五〇　鄭紳　趙翼

四五〇　鍾泰生　何挺秀

九〇〇　王華　江燧　鄭節

三〇〇　李一使

二〇〇　張八使

四五〇　王二使

二、五〇〇　何榮　王華　鄭節奇　梁永順　蔡伍　曾體元　梁迹　馮鼎　馮秋使

江燧　方春　馮夏奇

三・八四　馮覺儒

一、二〇〇　曾蕃　趙三使　夷一使　陳一使　曾八使　曾一使　陳恭奇

一、一七五　梁迹　馮光　鄭非

一〇六・四　鄭一使　鄭節使

三七四・九　梁永順　梁　迹

一二一　鄭一使　鄭三使

一七七・三二　方　春

二九三・六五　何二使

七〇〇　馮夏奇

三五〇　馮　光

一、七六七　馮李鼎

五〇〇
一五〇　曾體元

六〇〇　鄭　明　梁　向　殿　紹

一〇〇　謝太宇

七、〇〇〇　林雲興

七・〇六　陳一使

三一二・五　何　三

小　船（二　號　船）

二、五〇〇　何　榮　梁永順　鄭節奇　王　華　蔡　伍　馮夏奇　梁　迹　馮　鼎　馮秋使

一、〇〇〇　馮夏奇
五〇　盧金章　馮李鼎　陳善長
二〇〇　馮文塘
五〇〇　王　華　江　燧　鄭　節
七〇〇　竹二使　陳□使　竹一使　□一使　陳泰奇
四〇〇　張　新　馮應全　張　紹　鄭　紳　鄭　鑑　張福奇
四〇〇　鐘泰生　何挺秀
二〇〇　汪三使
六〇〇　鄭　明　梁　向　歐　紹
三〇〇　鄭　明　李一使
一、五五〇　王　三　王　四
一五〇　梁永順　梁　迹
一六七・一　張八使
五〇〇　曾體元
七三・五七五　何　榮　梁　迹　馮　光　蔡　清

二三九・六三　曾　體
九九七・三四　何　二
□□□・六、　梁　迹　鄭　□　馮、光
五〇・〇六　謝五使
四四・二二五　鄭一使
一一〇・六　鐘中奇
二、五四五・〇四　馮子鼎
五〇〇　馮應全　林　□　張　紹　張　朝　鄭　鐸

尚豐の咨文に大小船共に二萬一千兩を齎すといへるは、琉球國王自身の公用銀に略々相當するが、勿論總額ではない。寛永十一年以來の貿易に、生絲反物共に粗惡品を高價に購入して、多額の銀を先方に殘し所謂奸牙に騙取され、寛永十三年進貢船の際は約四萬兩卽ち四百貫に達し、舶載の生絲には異物を混じ或は水に濡らして量目を僞れるものがあつたといふ。寛永十五年（〇崇禎十一年）に至り、薩藩では攝政三司官に宛て、買物役主取たる島尻中城親方朝壽（向氏）は、銀子の支拂を承知せず「爲レ其之不行ニ而候處、不レ存儀共科不レ輕」とし、且つ御物銀を過分に明に殘し、しかも先年（寛永十一年船）御物銀を寵取せるものに手渡しせる如き曲事なりとし、寛永十一年・十三年兩度ともに少分の用物を購入するに過ぎずして、しかも粗惡のもの高値に買取り、畢竟此方の用を向後申付けられざるやうに計りたる隱謀なるべしとまで極言し、又御物銀三百貫內外の取引は從來ともに支障なき所、しかも琉球よりの隱銀二百貫ありて生絲を購入せし程にて、百貫以外は商買許されずとするは妄語なりと責めてゐる。（舊記增補）二六、（中山世譜附卷一下、御令條寫）百貫以外の商買許されずといへるは、前述の憲禁に一萬兩を過ぐるを得ずとなすを指すのである翌年五月攝政三司官より、前年渡航せる蔡堅の報告により「大嶺才府・平門通事兩人ニ而渡間敷唐人ニ銀子過分ニ相渡云々」といひ、彼等兩人歸帆の節（〇十五年進貢船にて渡航し未だ明地にあつた）死罪申付け、安里才府は闕所中の上粟國遠島に、末吉大筆者は家屋敷沒收を命じ、中城は當時鹿兒島に籠舍さるゝを以て、下向せしむれば琉球として所罰するといつてゐる。

寛永十五年（〇崇禎十一年）冬紫金正義大夫蔡堅を遣し進貢せしめた。出發に際し尙豐は左の咨狀を蔡堅に寄せてゐる。

〇前略　唐與ニ琉球一不通有レ之處に、其邊致ニ渡唐一往來相濟候、又者五年に一貢進貢之由候處、如レ昔之三年に兩貢之進貢罷成、其上船一艘增候御侘相濟、此上之滿足者有間敷と存處、用段の物共御法度稠候間、就ニ其爲ニ專使一今度差渡候上者、隨分肝煎御詫罷成樣尤に候、此國は唐之往來の故、今分に仕居候處、御國本より御用之儀不レ逹候而者、無レ詮候條、我等始諸

閣下に在迄、心遣千萬、無㆓申計㆒候條、乍㆓重言㆒、可㆑入㆑念事、可㆑爲㆓肝要㆒候 ○下略　　二四〇

十月廿四日　　　尚　豐 花押

喜友名太夫 ○蔡堅

用段の物共御法度云々といへるは、生絲私貿易の禁止をいふ。二號船は湊口にて挫礁して破船し、蔡堅等赴京員等及び殘銀取立てのための責任者大嶺才府平門通事を殘し他は一號船に乘じて、翌年五月琉球へ歸國した。蔡堅の携帶したる尚豐の表文に「祖制禁在㆓硝鐵軍需之物㆒、然而絲綿未㆑有㆑禁也」といひ、廣東香山嶼の例あり、暹羅・交趾の進貢に生絲の互市あつて絲價銀每兩稅三分を納める事例もあるを以て「蓋臣國所㆑轄三十六島、願求㆓絲三千多擔㆒、體㆑例每兩輸㆓稅三分㆒、差委正官驗明收稅、雖㆑云㆑須㆑期不㆑下㆓千計㆒、亦少助㆓邊餉之萬一㆒也」とて、廣東事例に照依し貿絲の事を請うてゐる。一三ノ六 福建の布政使司にも同旨の咨文を宛てゝゐる。翌年四月二十二日の咨文にて、緞疋布帛は平買を禁止せざるも、湖絲の互市は具題を經て禁止の明旨森嚴であると答へてゐる。この咨文は恐らく五月廿五日歸着の一號船によつて已に齎されたであらう。然し四月廿八日一號船歸着等を早くも在番奉行伊藤氏に報じた攝政三司官の報告にも、右の咨文の旨は報ぜられてゐない。這回の進貢船には御物銀も渡さず愼重を期したやうである。琉球の當局者は、蔡堅の具奏とその折衝の結果を俟ち、

薩摩側に申達せんとしたであらう。その間の苦慮は後出の尙豐より明地にある蔡堅宛の書狀にも感得する。

表奏に對しては崇禎十三年正月禮部より具題し、勅裁を奉じて、進貢人員明旨に遵ひ、白絲違禁等の物の貿買を許さゞる旨を以て、閏正月七日附にて琉球國王に移咨してゐる。〇九ノ二三 四ノ一一 琉球より三十擔の貿易を希求したるは　この後も同樣で、康熙初年にも繰返してゐるが、三十擔は三萬斤と見るべきである。卽ち絲代銀一兩に三分の稅とし、千兩の稅收を得るためには絲代三萬三千餘兩に達すべく、當時の絲代は一斤一兩を遙かに超えてゐたのである。

寬永十六年〇崇禎 十二年 九月十一日附で、長崎奉行馬場利重●大河內政勝は、島津光久に對して、葡萄牙船渡海停止につき、琉球國より絲卷物藥種等を調達すべしと、江戶にて年寄衆の申渡ありたる由を報じて幕府の內意を通じた。仍て藩より十月十三日附で之を琉球へ通じ、幕命たるを以て更に進貢貿易に入念すべきを命じ、使者として久志上親方を指令し、北京福州の交涉に努力すべしといひ、銀子二百貫餘渡し、絲卷物何色によらずよき品を買取るべしとなし、先年の唐土殘銀は品物にても銀子にても上納すべしといつてゐる。舊記增補二六、 御令條寫 翌年卽ち明の崇禎十三年に尙豐より未だ明地に滯在中の蔡堅に宛て〻〇蔡堅は是歲の進貢船に 乘り歸國の豫定であつた 次の書を寄せてゐる。〇2)大宗蔡 氏家譜

改年之嘉端幸甚々々、抑去々年被レ致ニ渡唐一無事に候哉、此方同前に候事

一絲賣買之御詫何程濟候ハン哉、爰元者朝暮其左右計待入候、就レ夫毎月辨●崇●敷那●末吉參詣仕候事

一去秋從ニ御國本一御條書下候而、江戸之將軍樣より日本國に藥種並マキ物絲之御不自由之由に候而、琉球口より誂進上申由にてカゴシマ御老中より具志上可ニ差渡一由申候へば必定御定被成候間、不レ及レ力候、今度船頭にて渡候、其方以ニ校量一萬端御奉公罷成樣ニ才覺賴入候事

閏正月三日　琉球國尚豐 御在判

喜友名太夫

以て、琉球當局の苦慮想察すべきである。この書狀は是歲の進貢使鄭藩献の一行に附託したものであらう。

尚豐は更に這回の進貢の祭にも、略々前回と同旨を陳して、白絲貿易の許可を請うてゐる二〇ノ一五、一六 同年五月尚豐薨じて尚賢嗣ぎ、崇禎十五年〇寛永十九年 その名を以てせる進貢の際にも、同じく之を繰返したに相違ないが、直接之に關係ある文書は殘存してゐない。

崇禎十七年〇正保元年 の進貢使金應元に附したる表咨文に「小國三十餘島、僻居海藩、瘠地荒土、別無ニ所產一、男女只知ニ紡織一營レ生、通國衣食全賴ニ寸絲尺縷皆給ニ於 天朝一、將及ニ三

百年一荷二太祖高皇帝一以至二今日一、雨露澤潤民物均沾、仰二朝廷威靈一、君臣固守、保二庇一方一矣、今禁二白絲一、男女驚惶不レ能レ度レ生、人々困苦哀々求レ臣、琉球則天朝之屬國、人民卽朝廷之赤子、不レ得レ不レ報、方敢屢瀆不レ已下瀝二情於君父之前一懇恩上、勅レ部再賜二酌議一、俯准二舊例一、每レ遇二進貢之年一互市貿レ絲、價每兩輸二稅三分一、照レ數扱レ稅、庶沐二朝廷浩蕩之恩波一使三臣尚賢小國獲二躍於悠久一矣」とある。二三 一〇二五

是歲三月、明の毅宗は煤山に自縊して、淸の世祖卽位して、國を大淸と號し、元を順治と建てた。仍て明の遺臣史可法等は、明朝の恢復を圖り、五月南京に於て福王由崧を帝位に卽け、翌年を以て弘光と建元した。計六奇の明季南略卷一福王本末十一月紀の十二丙申の條に「琉球世子尙賢入貢告レ襲」とあり、十二月紀初二丙辰の條に「琉球使臣金應元入朝」とある。

崇禎十七年十二月、南京禮部は尙賢の呈奏に依つて具題し、福王の裁許を得て、白絲の互市と納稅助餉の件を准行し、硝磺軍鐵の夾帶は依然として之を禁ずる事となり、翌弘光元年二月福建巡撫張肯堂等に移咨してゐる。二六 八一 次いで金應元禮部に呈して「元等本國恭順來朝進貢、請レ開二互市一、奉レ旨准、開二互市白絲一、納レ稅助レ餉、欽遵二在案一、共至三互市白絲一、但非二官牙一無三以平二市價一、兼非二熟識通譯語語一難二以交易一、元等稔二知本地一、識二牙梁迹・鄭玄等十人身家無レ過音語攸知一、已經二布政司審取一、給二劄信牌一、隨レ使到レ京、例應レ請レ換二部

割㆒、迹等存執毋㆑致㆔奸棍生□蠹緣挿入禍及㆓遠夷㆒㆑と述べてゐる。仍て三月禮部は福建布政使司に照會して、部劄を梁迹・鄭玄・曾豊・何益達・鄭碧・王燁・張拱・馮陞・鄭齊・梁英の十人に付したるを報じ、互市交易の物は禮部差官が報に隨ひ登簿する事とし、悉にすることなからしめた。即ち布政使司十人の官牙を選び、禮部の劄を得て白絲貿易等に當らしめて、納税の基準となる帳簿に禮部差官が登記することゝなつたと見える。(三六ノ二) 翌隆武元年のものと見える金應元の奏文に「仍題、差官今陞鴻臚寺少卿臣楊廷瑞伴送、交易核税登簿回奏云々」といへるもの是である。

弘光元年春福州左衛指揮花煾琉球に到り、弘光帝の卽位を報じたので、使者毛大用等を遣り紅花一百斤、胡椒二百斤、蘇木一千斤を進献して登極を慶賀し、又大行先帝に進香せしめた。(三六ノ六・七弘光一・四・一五) 然るに弘光帝は同年五月淸軍の爲め捕へられ、唐王逃れて福建に入り、六月禮部尙書黃道周、福建巡撫張貢堂等及び鄭芝龍に擁せられて卽位し、隆武と改元した。唐王は弘光元年閏六月十日附を以て、監國として立ちし事、次いで隆武元年八月二十九日附を以て卽位の事を琉球國王に諭して、指揮閔邦基を派した。金應元奏して「此冬貢船必至、値㆓御駕親征㆒、行在部司必遵㆓前旨㆒、微臣所㆑納毎㆑兩參分税額、楊廷瑞必着㆓官牙梁迹・鄭玄等㆒爲㆑臣平價互市、若㆓部咨未㆒㆑發、不㆓惟不㆒㆑便㆓楊廷瑞登報㆒而且不㆑便㆓臣交易㆒、臣之苦哀又不レ得レ不レ爲ニ先□ニ云々」といつてゐる所を見ると、納税白絲互市の事は騒亂の折とて、圓滑に運ばなかつたらしい。

寛永後期に明より輸入された商品について、十六年四月伊勢貞昌が幕府評定所の尋問に答へた「從レ唐琉球え積來り候荷物之覺」に

生絲　巻物少々但さやちりめんなどの類　藥種少々　書物少々　椀折敷盆其外遣道具之類誂候へ者少宛者參候　皿茶碗墨　せん香の類　しやんひん　唐扇　もうせん　とうたん

とある。御令條寫　然し商品の主要なるものは生絲であつた。薩藩にて借銀累增の救濟手段として專ら主とせるは生糸の取引であつた。寛永十一年十月島津久慶等の攝政三司官宛の覺に

先年者唐之糸直成下直候處、近年高直に罷成候、自ニ長崎ー福州ニ而年々糸を買候、其直成爰元え巨細相聞得候間、琉球國被レ買候糸之直成遲と入念可レ被ニ仰付ー候云々

とあるが、生糸の上方取引のためには、長崎輸入値段との均衡が切實な問題となつた、又「福州口ニ而糸之外巻物之類買間敷候」とて、是歳到來の巻物粗質にて用立たず、此方より沙汰するまでは購入すべからずといひ、專ら生糸に主力を注いでゐる。勿論巻物その他も小量は輸入せられてゐるが、十六年に至つて、幕府の意向もあり、生糸・巻物何色によらず買取るべきを命じてゐる。薩藩では尠くとも年額一千貫以上の御物銀を意圖したが、間もなく明

地にて難關に遭遇した。即ち前述する如く御物主取以下琉球側當事者の失體もあり、牙行通事等の詐姦もある。されど明の當局の白糸貿市の禁止は、琉球及び薩摩にとつては最大の打擊であつた。要するに之は、明の原制に私帶物の制禁、違禁物たる白糸貿易の禁止があり、明末の事態の改變或は紀綱の弛緩があつて、私帶物たる銀子による白糸貿易が既に容認され來つたとはいへ、琉球側の積極的態度につれて、遂にその限界に到達したものといへる。

順治十年（〇承應二年）春尚賢は王舅を派して、清朝の印信の賜發を乞うて、更に次の如く述べてゐる（一四ノ三順治一〇・二・二七）

前貢船入レ閩、隨ニ帶土產銀兩一貿ニ易糸絮布帛等物一、明初聽ニ從所一レ便、都無ニ抑勒一、迨レ至ニ晩季一地棍作レ奸、倚ニ藉鄉官一、該ニ立都牙一評ニ價名色一、音語不レ通、低昂任レ意、常用糸綿指爲レ禁、化ニ劾順屬國一律以ニ倭奴一、吏胥播ニ弄留難萬端一以致三銀貨空ニ於白抽之手一、官司摩擊至三於風汛非レ時人船不ニ返□一、崇禎末年失ニ去數船一、淹死官□數百餘人、言之可レ爲ニ酸痛

然し右は些か前明の事實を謬り、或は諂ひたる點なしとしない。明初に私貨夾帶と隨意の互市が許された事實はなく、況や銀兩を隨帶して糸絮等を自由に易市せるといふ如きは事實に遠い。

崇禎十年白糸貿市の禁あり、琉球より薩藩の意を體して、頻りにその開禁納稅助餉を請う

て容れられず、同十七年末に至り漸く目的を貫徹した。縱令廣東に於ける先制ありとはいへ琉球に對しては天荒を破りし朝貢制の變革である。されど時代は已に明朝の傾倒せる際であつた。（昭和十六年九月卅日再稿畢）

1 和蘭商館日誌 JapanDaghregister の一六三六年（○寛永十三年）の陽暦九月七日（陰暦八月八日）の條に、商館の使傭人市右衞門の報ずる所によれば、前年通航證と旗幟を貰つた船が、支那から一千擔の生絲を積んで無事琉球へ歸航したので、諸の執政達は殊に滿足してをり、彼等は市右衞門に向つて、更に使者を平戸に派して、他の通航證と旗幟を請求せんと話したとある。寛永十一年閏七月十六日附島津大橡・川上久國は商館長クーケバツケルに書信し、琉球の進貢船のために海上安全保護の通航證と旗幟三旒とを請求してゐる。生絲一千擔は當時の支那に於ける相場で一一〇・〇〇〇兩即ち一千一百貫に當る。寛永十一年に、通航證等を得て渡航し、十三年夏頃までに歸國し得た船は、蔡錦の進貢船、鄭藩獻の謝恩船であり、寛永十三年春の飛脚船の銀交付が出來たとすれば、所帶銀のみで合計九八八貫四八三匁となる。

2 家譜に、崇禎十一年國王寄賜御書となすは十三年の誤りである。それは內容に徴して明瞭なるのみならず、この前後正月に閏の存ずるは、十三年である。

附記

本論は時代的に、拙著中世南島通交貿易史の研究に論究せる所を承繼する。而して本論を時代的に受くるものとして、石原道博氏の明末淸初請援琉球始末（東亞論叢第二輯）があり、華夷變態に據つて琉球の明淸降替期の交渉を述べられてゐる。鹿兒島縣史第二卷は、よく薩藩側の史料を蒐めて、近世の薩藩の琉球統治を記述し、本論讀者にとつても、特に清代の琉支關係の部分は參考たり得よう。遅々たる歩み、幾年の先きかは到底豫測すべくもないが、自分も亦次々と時代を逐うて琉支關係の出來得る限りの徹底した研究を進めたいものと念願してゐる。

本論に據用した史料には、東京帝國大學史料編纂所・內閣文庫・京都帝國大學東洋史研究室・沖繩縣立沖繩圖書館・鹿兒島縣立鹿兒島圖書館等所藏のものを含む。茲に厚く恍謝の微意を表する次第である。

本論文は日本學術振興會より補助を受けたる研究の一部である。

彙報欄目次

昭和十五年度史學科講義題目

史學概論(二)　菅原教授
東洋史概說　前半(二)　桑田教授
東洋史概說　後半(二)　青山助教授
南洋史概說(二)　岩生教授
西洋史概說(二)　菅原教授
土俗學・人種學概論(二)　移川教授
國史特殊講義(二)　中村教授
(史料の研究)
國史講讀及演習(二)　中村教授
(史籍講讀演習)
國史特殊講義(二)　小葉田助教授
(莊園制度史)
國史講讀及演習(二)　小葉田助教授
東洋史特殊講義(二)　桑田教授
(唐時代史)
東洋史特殊講義(一)　青山助教授
(近世史論考)
南洋史特殊講義(二)　岩生教授
(近世臺灣史・特に鄭氏の活動を中心として)
南洋史講讀及演習(二)　岩生教授
(蘭印華僑史)
南洋史特殊講義(二)　箭內助教授
(比島諸產業の發達)
南洋史講讀(二)　箭內助教授
(Avira Giron; Relacion del Reino de Nippon)

昭和十六年度史學科講義題目

史學概論(二)　菅原教授
(岩波文庫坂口・小野譯歷史とは何ぞや)
國史概說(二)　中村教授
(鎌倉末期迄)
國史概說(二)　小葉田助教授
(吉野朝以後)

東洋史概説　前半(二)　桑田教授
南洋史概説(二)　岩生教授
西洋史概説(二)　菅原教授
土俗學・人種學概論(二)　移川教授
地理學概論　小野講師
國史特殊講義(二)　中村教授
(日本の文化)
國史講讀及演習(二)　小葉田助教授
(中世近世政治及經濟)
東洋史特殊講義(二)　桑田教授
(李長傳・中國殖民史)
東洋史特殊講義(二)　青山助教授
(近世史論考)
東洋史講讀及演習(二)　青山助教授
南洋史特殊講義(二)　岩生教授
(近世臺灣史・特に鄭氏の活動を中心として)
(前學年續き)
南洋史講讀及演習(二)　岩生教授
(バタビヤ文書館文書の研究)
南洋史特殊講義(二)　箭内助教授
(エンコミエンダ制度史)
南洋史講讀及演習(二)　箭内助教授
(十六・七世紀の比島社會)
和蘭語初步(四)(科外)　岩生教授

閑院宮殿下本學御成

昭和十六年三月十一日　閑院宮春仁王殿下同妃殿下本學に台臨あらせられ、文政、理農、醫學各學部の陳列品を台覽あらせられたが、史學科では日本人南洋發展史に關する史料を陳列し、岩生教授御說明申上げた。

岩生教授の帝國學士院賞受賞

史學科南洋史學科講座擔任の岩生成一教授は、その著「南洋日本町の研究」で、昭和十六年三月十二日帝國學士院に於ける部會及び總會の議決を經て帝國學士院賞を授與された。

史學科卒業生氏名及論文題目

昭和十四年度

南洋史專攻

十六・七世紀を中心としたる比律賓のTributoに就いて　江本傳

昭和十五年度

南洋史專攻

比律賓革命史　當摩義嗜

昭和十六年度（十二月卒業）

國史專攻

琉清通交貿易史の研究　松茂良興利

清朝に於ける臺灣の荒政に就て　高添多喜男

東洋史專攻

十七・八世紀に於ける蘭支通商關係　高索辰正

史學科研究年報既刊目次

第一輯（昭和九年五月）

近世に於ける出版取締法發布の沿革と出版手續法竝檢閲制度　中村喜代三

日本と金銀島の關係形態の發展　小葉田淳

南洋崑崙考　桑田六郎

金朝行臺尙書省考　青山公亮

ジヤガタラの日本人　村上直次郎

「長崎代官」村山等安の臺灣遠征と遣明使　岩生成一

米國人の臺灣占領計畫　庄司萬太郎

「パツ」を周る太平洋文化交渉問題と臺灣發見の類似石器に就て　移川子之藏

第二輯（昭和十年六月）

ジャガタラの日本人補遺　村上直次郎
南洋日本町の盛衰（一）　岩生成一
歴代行臺考　青山公亮
鎌倉時代に於ける博奕の社會的考察　中村喜代三
足利時代明錢輸入と國內流通事情　小葉田淳
明治七年征臺の役に於けるル・ジャンドル將軍の活躍　庄司萬太郎
臺灣パイワン族に行はれる五年祭に就いて　宮本延人

第三輯（昭和十一年）

三佛齊考　桑田六郎
日明交通史上の所謂永樂宣德兩要約の疑問と其眞相　小葉田淳
南洋日本町の盛衰（二）　岩生成一
（暹羅日本町の盛衰）
近代日暹交渉史年表稿　岩生成一

第四輯（昭和十二年十月）

「足利後期の」遣明船通交貿易の研究　小葉田淳

南洋日本町の盛衰(三完)　岩生成一
(呂宋日本町の盛衰)
皇明實錄に見えたる明初の南洋　桑田六郎
鴉片戰爭と臺灣の獄　松本盛長

第五輯　(昭和十三年十二月)

猶太人問題とビスマーク　菅原憲
モルッカ諸島移住日本人の活動　岩生成一
マニラの所謂パリアンに就て　箭内健次
三佛齊補考　桑田六郎

第六輯　(昭和十五年十月)

明代の浙江市舶提擧司及び驛館、廠庫　小葉田淳
南洋に於ける東西交通路に就いて　桑田六郎
元朝の地方行政機構に關する一考察　青山公亮
―特に路・府・州・縣の達魯花赤に就いて―
アウディエンシア創設に關する一考察　箭内健次
トライチュケとブレッスラウとの論爭に就て　菅原憲

昭和十七年八月十五日印刷
昭和十七年八月十八日發行

史學科研究年報（第七輯）
定價四圓也

編輯兼發行者　臺北帝國大學文政學部史學科研究會
代表者　移川子之藏

臺北市京町一丁目四十三番地
印刷者　小塚本店印刷工場
代表者　加藤盟吉

發賣所　臺北市榮町二丁目一五番地
株式會社臺灣三省堂